# Даниэла Стил

# НЕОЖИДАННЫЙ РОМАН

РОМАН

МОСКВА

издательство
ЭКСМО Пресс

2001

УДК 820(73)
ББК 84(7США)
С 80

Danielle STEEL
THE HOUSE ON HOPE STREET

Перевод с английского *В. Гришечкина*

Оформление художника *Е. Савченко*

Стил Д.
С 80   Неожиданный роман: Роман/Пер. с англ. В. Гришечкина. — М.: Изд-во ЭКСМО-Пресс, 2001. — 416 с.

ISBN 5-04-007308-9

Счастье Лиз распалось в одно мгновение. Роковой выстрел
оборвал жизнь любимого мужа. Невосполнимость утраты и нелепая
жестокость случая почти сломили молодую женщину. Но неожиданно
Лиз встречает Дика Вебера — убежденного холостяка, чей девиз —
свобода и одиночество. Что обещает эта встреча, что готовит им
судьба...

УДК 820(73)
ББК 84(7США)

ISBN 5-04-007308-9

*Моим друзьям Виктории, Джо,
Кэти и Шарлотте,
которые помогли мне пройти сквозь
многие трудности, а также моим
замечательным детям — Беатрикс, Тревору,
Тодду, Нику, Саманте, Виктории, Ванессе,
Максу и Заре, — которые неизменно
дарили мне надежду и наполняли
мою жизнь радостью...*

С любовью и благодарностью — Д. С.

# Глава 1

С Амандой Паркер — невысокой хрупкой блондинкой, обладательницей больших темных глаз — Джек и Лиз Сазерленд встретились утром накануне Рождества. Погода стояла ясная и солнечная, обычная для этого времени в округе Марин к северу от Сан-Франциско. Но Аманду, похоже, не радовали ни тепло, ни солнечный свет. Лиз даже показалось, что бедняжка смертельно напугана. Во всяком случае, в том, что их клиентка просто места себе не находит от беспокойства, не могло быть никаких сомнений. Лицо ее было бледным, а руки не знали покоя. Аманде предстоял развод, и хотя Джек и Лиз всегда считались хорошей адвокатской командой, дело миссис Паркер затянулось почти на год и только теперь вступило в завершающую стадию.

Свою юридическую практику Джек и Лиз открыли восемнадцать лет назад, сразу после того как поженились, и с тех пор добились значительных успехов. Работать вместе им нравилось. Неудивительно, что с годами они достигли полного взаимопонимания. Правда, они совершенно по-разному подходили к ведению дел, однако в конечном итоге это стало сильной стороной их адвокатского тандема. Скорее подсознательно, чем обдуманно, Джек и Лиз с самого начала использовали в своей практике хорошо известный прием «добрый полицейский — злой полицейский», который прекрасно срабатывал даже в самых сложных ситуациях.

«Добрым полицейским» была, разумеется, Лиз; Джек же предпочитал иную стратегию. Он действовал агрессивно, напористо, азартно атаковал оппонентов и вел себя в суде как лев, сражаясь за интересы клиента до тех пор, пока окончательно не загонял противников в угол. После этого им уже не оставалось иного выбора, кроме как согласиться на все выдвинутые Джеком условия. Лиз, как правило, действовала мягко, рассудительно и спокойно; она чаще взывала к логике и умело обращала внимание суда на частности, которые совершенно неожиданно оказывались значимыми и важными. Лиз умело играла с этими подробностями и деталями, делая основной упор на психологическую подоплеку дела. Надо сказать, что за счет этого ей часто удавалось изменить ход разбирательства в пользу своего клиента. Особенно придирчива и внимательна Лиз становилась, если при разводе могли пострадать интересы детей. В подобных случаях она готова была стоять на-

смерть, хотя внешне это никак не проявля-
лось — Лиз оставалась все такой же спокойной
и говорила так же негромко, и только в глазах
ее вспыхивал упрямый огонек.

По временам Лиз и Джеку самим бывало нелегко прийти к соглашению по тому или иному
конкретному случаю. Так получилось и с делом
Аманды Паркер. Несмотря на то что муж постоянно изменял Аманде, унижал ее и даже опу-
скался до рукоприкладства, Лиз казалось, что
меры, которые предлагал Джек, были, пожалуй, чересчур жесткими даже для такого отпе-
того мерзавца, каким был Филипп Паркер. Они
поспорили по этому поводу еще до того, как
Аманда приехала к ним в офис.

— Ты в своем уме? — раздраженно бросил
Джек. — Во-первых, у этого подонка по меньшей мере три любовницы, которых он полностью содержит, и это при том, что изменять
Аманде он начал больше десяти лет назад. Мистер Паркер скрывает свои источники доходов,
отказывается содержать собственных детей и
жену — и после этого хочет, чтобы развод не
стоил ему ни гроша?! А ты еще предлагаешь отпустить его за здорово живешь! Может, нам вообще извиниться перед ним за то, что мы пона-
прасну его беспокоим?!

Когда Джек начинал подобным образом го-
рячиться, Лиз знала, что в нем берет верх бое-
вой ирландский характер. Сама-то она была
куда больше похожа на ирландку и производила
впечатление натуры взрывной, импульсивной,

вспыльчивой, ошеломляя убийственным сочетанием огненно-рыжих волос и ярко-зеленых глаз. На самом деле характер у нее был спокойный и уравновешенный, не то что у Джека. Хотя его большие темно-карие глаза и совершенно седые волосы (он внезапно поседел, когда ему исполнилось тридцать) придавали Джеку вид солидный и респектабельный. Что ж, внешность часто бывает обманчивой, и сейчас Джек смотрел на жену чуть ли не с угрозой, и все же Лиз нисколько его не боялась. Они действительно часто и горячо спорили, но большинство окружающих — как в судебном присутствии, так и за его пределами — прекрасно знали, что на самом деле Джек и Лиз души друг в друге не чают. Другой такой крепкий и счастливый брак надо еще поискать. Их семейной жизни завидовали все без исключения. У Лиз и Джека было пятеро детей, которых они обожали. Четверо старших унаследовали цвет глаз и рыжие волосы матери, и только младший сын был темноволосым, как когда-то Джек.

— Я вовсе не считаю, что Филипп Паркер не заслуживает наказания, — терпеливо возразила Лиз. — Просто я боюсь, что, если мы прижмем его как следует, а суд нас поддержит, Паркер сорвет злобу на Аманде.

— А я тебе говорю — он заслужил, чтобы его проучили; и как раз если мы этого не сделаем, он будет и дальше терроризировать ее! — заявил Джек. — Таких типов, как он, надо бить по самому больному месту, по их кошельку. Нельзя допустить, чтобы он отделался легким испугом, и ты отлично это понимаешь!

— Да, конечно, но если судья арестует его счета, бизнес будет парализован. Это же колоссальные убытки! Филипп Паркер не такой человек, чтобы отнестись к этому спокойно. Уж он отыщет виноватого. Как ты думаешь, кто им окажется?

В том, что говорила Лиз, был свой резон, но жесткая, агрессивная тактика, которой предпочитал придерживаться Джек, уже не раз приносила желаемый результат. С помощью таких мер удавалось добиваться огромных алиментов и гигантских отступных. Джек не собирался менять что-либо только потому, что на этот раз его оппонент был отъявленным негодяем. Наоборот, неприязнь к Филиппу Паркеру только лишний раз подталкивала к использованию всех дозволенных законом средств, чтобы добиться развода на самых выгодных для Аманды условиях. Джек не зря пользовался репутацией не только жесткого, но и весьма квалифицированного адвоката по семейным делам. Судьба Филиппа Паркера не особенно его беспокоила. Джек полагал — и совершенно справедливо,— что человек, у которого на счете в банке лежит три миллиона долларов и который владеет процветающим предприятием по производству компьютеров, должен ответить за то, что его жена и трое детей с трудом сводят концы с концами, живя почти что впроголодь. С тех пор как Аманда ушла от Филиппа, муж-миллионер не давал ей ничего, кроме каких-то жалких крох, на которые нельзя было прокормить и кошку. Это было тем более возмутительно, что на своих любовниц он денег не жалел. А для себя буквально накануне процесса он приобрел новенький спортивный «Порше». Аманда же не могла позволить себе купить сыну на день рождения простенький скейтборд.

— Я уверен, этот подонок будет вертеться как уж, когда мы навалимся на него в суде. Но, можешь мне поверить, за дверь он выскочит голеньким — это *я* тебе обещаю!

— Я не сомневаюсь, Джек, ты сумеешь добиться своего. Я боюсь другого — если ты обдерешь его как липку, он может отомстить Аманде. Ты же помнишь, он даже бил ее...

Этот вариант по-настоящему пугал Лиз. По рассказам Аманды она знала, под каким сильным психологическим давлением нечастная женщина жила на протяжении последних десяти лет. Дважды муж жестоко избивал ее. Она каждый раз уходила от него, однако лестью, уговорами и шантажом Филиппу удавалось вернуть супругу, и все начиналось сначала. Как бы там ни было, Лиз твердо знала, что Аманда смертельно боится мужа, и для этого у нее есть все основания.

— Если понадобится, мы можем взять запретительный судебный приказ, — уверил Джек. — В этом случае он ничего не сможет. Одно слово, одна угроза, одно враждебное действие или хотя бы попытка совершить таковое — и он оглянуться не успеет, как окажется за решеткой.

Лиз хотела возразить, что Аманде, против которой будет направлено это враждебное действие, может быть, нисколько не легче от того, что ее муж потом окажется в тюрьме, но не успела. В кабинет вошла сама Аманда, и Джек принялся объяснять ей, что и как будет происходить сегодня на судебном заседании. Его план состоял в том, чтобы заморозить все авуары Филиппа Паркера, о которых им было известно, и, парализовав таким образом его бизнес, вынудить выдать суду полную информацию о денежных средствах и недвижимом имуществе, которым он владел. Всем троим было совершенно очевидно, что Филиппу Паркеру это вряд ли понравится. Слушая Джека, Лиз только качала головой. Аманда, бледная как снег, и вовсе сидела ни жива ни мертва.

— Нельзя ли как-нибудь обойтись без... без этого? — промолвила она наконец и покосилась на Лиз, ища у нее поддержки. Напористая манера Джека всегда немного пугала Аманду, и Лиз ободряюще ей улыбнулась. Впрочем, улыбка получилась натянутой, поскольку Джеку так и не удалось окончательно убедить Лиз в правильности выбранной тактики. Обычно она полностью доверяла мужу, однако сегодня его решимость действовать жестко и беспощадно смущала ее. Впрочем, Лиз хорошо знала, что никто из адвокатов не умел биться за клиента так, как Джек Сазерленд, в особенности если его клиент был страдающей стороной. В данном случае Джек как раз считал, что Аманда имеет право на полную компенсацию. Лиз не могла с ним не согласиться, но ей не особенно нравился способ, который Джек избрал для достижения своей цели. Зная, что представляет собой Филипп Паркер, она считала небезопасным загонять его в угол, ведь, как известно, даже заяц, оказавшись в безвыходном положении, способен броситься на охотника. А Филипп Паркер своими повадками скорее походил на крысу, которая в таких случаях опасна вдвойне.

Джек объяснял Аманде свою стратегию в течение еще примерно получаса, после чего они втроем отправились в суд.

Когда они приехали, Филипп Паркер и его адвокат были уже на месте. Муж Аманды посмотрел на свою супругу с напускным безразличием, но минуту спустя внимательно наблюдавшая за ним Лиз перехватила такой взгляд, от которого ее пробрала дрожь. О, это было весьма и весьма красноречивое свидетельство того, что Филипп Паркер желал напомнить Аманде — он был и остается хозяином положения, *ее* хозяином, полновластным и безраздельным владыкой. Впрочем, вся его манера держаться была направлена на то, чтобы запугать, унизить, подчинить себе несчастную женщину.

Но Лиз не успела даже как следует осмыслить все это, как вдруг Филипп Паркер ласково улыбнулся Аманде — явно для того, чтобы еще больше сбить ее с толку. Это был умный ход. Каждый, кто видел эту теплую, почти любящую улыбку, несомненно, решил бы, что исполненный ненависти и угрозы взгляд ему просто почудился. Так подумал бы любой, но только не Аманда. Лиз, право, затруднилась бы сказать, что напугало ее клиентку сильнее: злобный взгляд Паркера или его же ласковая улыбка. Аманда пришла в ужас, руки ее тряслись, в глазах стояли слезы. Суд совещался, а она наклонилась к Лиз и сказала шепотом:

— Если судья наложит арест на его предприятие, Фил меня убьет! Честное слово — убьет!

— Вы имеете в виду — буквально? — так же шепотом переспросила Лиз, озадаченная ее состоянием.

Аманда замялась.

— Н-нет, что вы... — пробормотала она наконец. — Но он, безусловно, будет зол как черт! Завтра он должен заехать ко мне за детьми. Я просто не знаю, что ему сказать!

— Вы вообще не должны разговаривать с ним, — твердо заявила Лиз. — Может быть, кто-то другой может отвезти ему детей?

Аманда беспомощно покачала головой. У нее был такой пугающий вид, что Лиз повернулась к мужу и шепнула:

— Не нажимай. Не стоит перегибать палку...

Джек, перебиравший на столе какие-то бумаги, рассеянно кивнул и, подняв голову, улыбнулся сначала Лиз, потом Аманде. «Я знаю, что делаю» — вот что говорила эта улыбка, и Лиз поняла, что Джек настроен решительно. Похоже, он твердо решил не ограничиваться полумерами и добиться полной победы над своим оппонентом.

Все вышло, как он хотел. Выслушав его тщательно продуманное и аргументированное выступление, судья принял решение наложить тридцатидневный арест на банковские счета Филиппа Паркера и приостановить деятельность его компаний до тех пор, пока он не представит всю информацию, необходимую адвокатам его жены для уточнения условий развода. Адвокат Паркера, вскочив, принялся горячо возражать против подобных мер, но судья несколько раз ударил молотком по столу и объявил о конце судебного заседания.

Бросив злобный взгляд на свою супругу, Филипп Паркер пулей вылетел из зала заседаний. За ним последовал его адвокат.

Джек не торопясь собирал бумаги, и на лице его играла победная улыбка.

— Отличная работа, — спокойно произнесла Лиз, хотя на самом деле тревога не оставляла ее. И для этого имелись серьезные причины. Аманда была близка к обмороку. Губы у нее тряслись так, что она не могла вымолвить ни слова. Лиз пришлось взять ее под руку.

— Не волнуйся, — сказала она, как только все трое вышли в коридор. — Джек прав: мы должны заставить его считаться с тобой.

И это было правдой. С точки зрения стратегии и тактики ведения судебных заседаний

Джек действовал безупречно. Но, увы, грозящая их клиентке опасность от этого не становилась меньше. Лиз попыталась найти выход из создавшегося положения.

— Может, ты пригласишь кого-то к себе на время, когда твой муж приедет забирать детей? — спросила она. — На мой взгляд, тебе лучше не встречаться с ним с глазу на глаз.

— Утром ко мне приедет сестра с дочерьми. — Аманда была сама не своя.

— Вот и отлично, — кивнул Джек. — Филипп Паркер, каким бы грозным он ни казался, не посмеет сказать вам ни слова при посторонних. Поверьте, он не настолько глуп, чтобы оскорблять кого-то в присутствии свидетелей.

«Все это верно, — подумала Лиз. — Верно, но только в теории». Филипп Паркер не привык отказывать себе ни в чем, как бы он не потерял контроль над собой в такой ситуации. Прежде Аманда не позволяла Джеку и Лиз оказывать на него слишком сильное давление, приходя в отчаяние от любых предложенных ими ограничительных мер. Но в последние несколько месяцев она была избавлена от общества своего буйного супруга и сумела взять себя в руки. Аманда поняла, что должна добиваться свободы и финансовой независимости. Для нее это был крайне важный шаг. Аманда все равно безумно боялась Паркера, но надеялась, что когда-нибудь в будущем она перестанет дрожать от страха и будет гордиться этим своим поступком. Поначалу ужас перед Филиппом, который можно было назвать чуть ли не мистическим, почти полностью парализовывал ее волю. Лишь благодаря усилиям Сазерлендов она продолжала бороться за свои права и права своих детей.

Иногда Джек пугал ее своей бескомпромиссной напористостью, однако Аманда полностью доверяла ему и выполняла все, что он говорил, с максимальной точностью. Так было и сегодня. Результат превзошел все ее самые смелые ожидания. Аманда даже удивилась тому, с каким сочувствием отнесся к ней судья.

— Одно это говорит о многом, — сказал ей Джек, когда они втроем возвращались в контору. — Вы все сделали правильно, и судье захотелось вам помочь, а это можно было сделать, только заморозив счета бывшего мужа. Ну а когда бизнес парализован, неизбежны убытки. Ему просто некуда деваться. Вот увидите, не пройдет и двух недель, как он передаст суду информацию, которую мы затребовали уже несколько месяцев назад.

— Я понимаю, что вы, вероятно, правы, — вздохнула Аманда и улыбнулась. — Просто мне не хотелось бы злить мужа еще больше. Без этого, конечно, не обойтись, но я знаю Фила: если задеть его за живое, он превращается в настоящее чудовище.

— Я тоже вполне способен превратиться в чудовище, и тогда кое-кому очень не поздоровится, — серьезно сказал Джек, и Лиз рассмеялась.

Потом они стали прощаться.

— Счастливого Рождества. Вот увидите, для вас оно будет действительно счастливым, — сказала Лиз. — Ну а следующее Рождество вы будете встречать свободной и независимой!

Лиз действительно верила, что так и будет. Они с Джеком очень хотели добиться для Аманды достойной компенсации, чтобы после многолетних страданий она и дети могли жить в покое и достатке. По мнению Лиз, Аманда заслуживала этого ничуть не меньше, чем любовницы Филиппа Паркера, которые припеваючи жили за его счет в оплаченных им квартирах. Одной из них он даже купил небольшой домик на курорте в Аспене, в то время как у его жены не было денег, чтобы сводить его собственных детей в кино. Джек терпеть не мог таких мужчин — в особенности если за их безответственное поведение приходилось расплачиваться детям.

— У вас есть наш домашний телефон? — на всякий случай уточнила Лиз, и Аманда кивнула. Похоже, она немного успокоилась. Конечно, на нее произвело большое впечатление благоприятное решение суда. Теперь самое страшное казалось позади или почти позади.

— Позвоните, если мы вдруг вам понадобимся, — добавила Лиз. — А если Филипп явится к вам или начнет звонить и угрожать — вызывайте Службу спасения. И сразу же свяжитесь с нами, хорошо? Мы сумеем найти на него управу!..

«Возможно, — тут же подумала она, — я просто перестраховываюсь, но лишний раз напомнить Аманде об опасности не помешает».

Аманда, поблагодарив Лиз за заботу, ушла.

Джек снял пиджак и галстук и, кинув их на спинку стула, улыбнулся жене:

— Знаешь, я доволен, что нам удалось разбить этого мерзавца в пух и прах. Теперь он никуда не денется: какие бы условия мы ни выставили, ему придется согласиться. Вот увидишь — Филипп Паркер ничего не сможет сделать!

— Он может напугать Аманду до полусмерти, — напомнила Лиз.

— Ну что ж, я этого не исключаю, — согласился Джек. — Но в конечном итоге она все же получит вполне приличные алименты и отступные. И это тот минимум, которого она и ее дети, безусловно, заслуживают. Кстати, мне показалось, дорогая, что Аманду запугивает один из адвокатов. А? Скажи на милость, зачем ты наговорила ей этих ужасов про Службу спасения? По-моему, это лишнее. Филипп Паркер, конечно, порядочная скотина, но он же не сумасшедший.

— Я считаю, что обязана была это сделать, — возразила Лиз. — Угрожать Аманде по телефону вполне в его характере, а одного его появления возле дома будет вполне достаточно, чтобы она в панике натворила глупостей. Ведь мы же не хотим этого, не так ли?

Джек прищурился.

— Чего именно мы не хотим?

— Не хотим, чтобы он довел ее до того, чтобы она отказалась от иска.

— Ну, дорогая, я уверен, что этого не будет. Я просто не позволю Аманде совершить что-либо подобное. Ей-богу, незачем было напоминать ей про девятьсот одиннадцать — бедняжка может вообразить себе невесть что!

— Перестань. У нее все-таки есть голова на плечах. А про Службу спасения я напомнила ей просто для того, чтобы Аманда знала: она не одна и ей обязательно помогут — стоит только позвать. В конце концов, Джек, ты же сам отлично знаешь — женщинам, подвергшимся жестокому обращению, очень важно не чувствовать себя одинокими. Аманда, безусловно, умная, но после всего, что она пережила... Я сомневаюсь, что ей хватит душевных сил послать Паркера куда подальше. Так поступили бы на ее месте большинство самостоятельных, трезвомыслящих женщин. Аманда пока еще жертва; у нее психология жертвы. Ты не можешь этого не понимать!

— Зато ты, моя дорогая женушка, адвокат не только на работе, но и в жизни, и я ужасно тебя люблю! — заявил Джек и, шагнув к Лиз, крепко обнял ее за плечи. Время близилось к часу пополудни, и они собирались закрыть контору на рождественские каникулы. У них было пятеро детей, и можно было не сомневаться, что праздники будут счастливыми, хотя и хлопотными. Лиз, впрочем, обожала своих рыжиков, поэтому, при всей своей любви к работе, офис она покидала без сожаления. Джек, во всяком случае, совершенно точно знал, что, как только Лиз окажется дома, она будет думать только о нем и о детях и ни о чем другом, и это ему очень нравилось.

— Я тоже люблю тебя, Джек Сазерленд, — ответила Лиз и улыбнулась, когда он поцеловал ее. На работе они обычно избегали нежностей в общении друг с другом, но сегодня, в конце концов, был канун Рождества, и никаких других дел они больше не планировали.

Потом Лиз убрала в сейф свои папки с документами, а Джек засунул в кейс несколько новых дел. Полчаса спустя они разъехались каждый в своем автомобиле: Лиз отправилась домой, чтобы подготовиться к встрече Рождества, а Джек помчался в центр города, чтобы купить подарки и кое-какие необходимые мелочи. Он всегда оттягивал поход по магазинам до последней минуты. Лиз, конечно, приобрела подарки мужу и детям еще в ноябре. Она вообще отличалась отменной организованностью. Это было совершенно необходимым качеством для человека, который вынужден одновременно делать карьеру и управляться со столь многочисленным семейством. Впрочем, если бы не няня Кэрол, работавшая у них уже четырнадцать лет, Лиз вряд ли бы сумела успевать и там и там. Кэрол была из мормонской семьи и обладала завидным трудолюбием и аккуратностью. У Лиз ни разу не нашлось повода обвинить ее в забывчивости или небрежности, хотя, когда они наняли Кэрол, ей было всего двадцать три года. Порой Лиз даже ревновала детей к няне. В особенности девятилетнего Джеми, который был любимцем Кэрол.

Уезжая, Джек пообещал вернуться домой в пять или в половине шестого вечера. Ему еще предстояло собрать велосипед, который он купил Джеми. Лиз заранее знала, что Джек провозится с этим делом несколько часов, а потом будет в спешке завертывать в серебристую бумагу подарки, которые приготовил для нее. Так повторялось из года в год, но, несмотря на это, сочельник в их семье всегда проходил как следует. В семье, где Джек и Лиз выросли, строго соблюдались традиции. Поженившись, они сумели сохранить их. Торжественный и трогательный общесемейный ритуал превращал Рождество в тот праздник, который любили и они сами, и их дети.

Лиз очень быстро добралась до Тибурона, где семья Сазерленд жила уже несколько лет. Сворачивая на Хоуп-стрит, Лиз невольно улыбнулась. Джек любил лишний раз произнести это название, очень уж ему нравилось жить на улице Надежды. На подъездной дорожке стояла машина Кэрол. Няня только что вернулась из города, куда возила за покупками дочерей Лиз, и теперь девочки выгружали из багажника бесчисленные свертки и сверточки. Четырнадцатилетняя Меган была стройной, грациозной и гибкой; тринадцатилетняя Энни, наоборот, — невысокой и коренастенькой, но зато она была больше похожа на мать. Что касалось Рэчел, которой недавно исполнилось одиннадцать, то, несмотря на рыжие волосы и зеленые глаза, совсем как у Лиз, чертами лица она походила на Джека. Все трое были веселого нрава и прекрасно ладили между собой. Вот и сейчас, судя по их оживленной жестикуляции, они были в отличном настроении. Когда Лиз подъехала, девочки дружно повернулись в ее сторону и заулыбались еще шире.

— Что это вы задумали, хотела бы я знать? — поинтересовалась Лиз, подходя к дочерям и обнимая Энни и Рэчел за плечи. Внезапно она прищурилась и поглядела на Меган. — Кстати, это не мой любимый черный джемпер? — спросила она. — Опять ты его схватила? Сколько раз я тебе говорила: ты мне его растянешь, ведь ты уже намного больше меня!

— Я не виновата, мамочка, что ты у нас такая плоскогрудая! — парировала Меган, усмехаясь. Сестры нередко заимствовали наряды у матери и друг у друга. Как водится, чаще всего это делалось без разрешения, а то и без ведома владельца. Подобная практика была едва ли не единственной причиной для внутрисемейных разногласий. Впрочем, Лиз большой проблемы в этом не видела. А если честно, то, глядя на дочерей, спорящих из-за ее свитера, джинсов или блузки, она часто думала о том, что у них с Джеком все-таки замечательные дети.

— А где мальчики? — спросила Лиз, входя в дом вслед за дочками. По дороге она обнаружила, что Энни надела ее любимые туфли, но говорить что-либо по этому поводу было скорее всего бесполезно. Похоже, они были просто обречены иметь общий гардероб. В большой семье, наверное, иначе и быть не могло, сколько бы вещей Лиз ни покупала своим дочерям.

— Питер опять пошел к Джессике, а Джеми сидит у друзей, — сообщила Кэрол.

Джессика была новой девушкой Питера. Она жила совсем рядом, в Бельведере, и Питер проводил у нее времени едва ли не больше, чем дома.

— Я собиралась забрать Джеми через полчаса, — добавила Кэрол. — Но, может быть, вы хотите заехать за ним сами?

Четырнадцать лет назад Кэрол была прелестной миниатюрной блондинкой; за прошедшие годы она слегка располнела, но даже теперь, в тридцать семь, она все еще была хороша собой. Ее удивительно теплое отношение к детям дополнилось крепкой, искренней привязанностью и к их родителям. Кэрол всегда готова была помочь Лиз и Джеку, и ее роль в воспитании молодого поколения Сазерлендов трудно было переоценить.

— Вообще-то после обеда я собиралась испечь печенье, — сказала Лиз, ставя на пол сумку и снимая жакет. — Так что съезди за Джеми сама, хорошо?

Кэрол кивнула, и Лиз отправилась на кухню. В первую очередь она просмотрела почту, лежавшую на кухонном столе, но не обнаружила ничего важного. Убрав конверты в специальную корзину, Лиз повернулась к окну, из которого открывалась очень живописная панорама залива, на противоположном берегу которого высились небоскребы и башни Сан-Франциско. Вид из окна был не единственным достоинством их дома. Домик и сам по себе был очень мил. Здесь царил уют, и хотя в последнее время большой семье стало тесновато в двухэтажном особнячке, Лиз и Джек пока не задумывались о том, чтобы переехать в более просторное жилище. Дети любили их старый дом, и поэтому на семейном совете решено было не торопиться. Правда, девочки росли, но Питер вскоре должен был отправиться в колледж, так что в запасе у них было еще годика три-четыре.

— Кто хочет печь со мной печенье? — спросила Лиз, но, обернувшись через плечо, обнаружила, что обращается к пустой комнате. Кэрол ушла в гараж, а девочки поспешили подняться наверх, чтобы успеть занять телефон. У них в доме было две телефонные линии, однако их постоянно не хватало, поскольку не только сестры, но и Питер способны были висеть на трубке часами. Сама Лиз уже давно пользовалась сотовым телефоном, поскольку к обычному аппарату по вечерам было не прорваться.

Лиз как раз раскатала тесто и начала нарезать из него печенье с помощью подаренного Джеком набора специальных рождественских формочек, когда в кухню вернулась Кэрол. Она собиралась ехать за Джеми, и Лиз сразу подумала о том, что младший сын будет рад помочь ей справиться с домашними делами. Больше всего Джеми любил помогать матери, когда она что-то готовила, поэтому когда через четверть часа Кэрол привезла его домой, мальчуган вскрикнул от радости, увидев, чем занята Лиз.

Первым делом он запустил руку в миску с тестом и, отщипнув кусочек, с удовольствием съел.

— Можно я тебе помогу, мам? — спросил он, глядя на нее нежными темно-карими глазами. Джеми был прелестным ребенком — темноволосым, пропорционально сложенным, с тонкими чертами лица и улыбкой, от которой сердце Лиз неизменно таяло. В семье Джеми был всеобщим любимцем, и Лиз знала, что он еще долго останется для нее малышом.

— Конечно, можно, только сначала вымой руки, — сказала она. — Кстати, где ты был?

— У Тимми, — ответил Джеми, вытирая мокрые руки полотенцем.

— Ну и как?

— Они не празднуют Рождество! — сообщил Джеми, и его темные глаза слегка расширились от удивления. — Почему, мам?

Он вывалил остатки теста на разделочную доску и принялся раскатывать его.

— Потому что Тимми и его родители — евреи, — ответила Лиз. — Или иудеи, если уж быть точной. Иудаизм — это такая религия.

— Но зато у них все время горят свечи, и они уже целую неделю ходят друг к другу в гости и дарят подарки. Почему мы не евреи, мам?

— Думаю, нам просто немного не повезло, — сказала Лиз с улыбкой. — Но уверяю тебя: ты тоже будешь доволен своими подарками.

— Я просил Санта-Клауса принести мне велосипед, — с надеждой сказал Джеми. — Я написал ему, что Питер научит меня кататься.

— Я помню, милый, — кивнула Лиз. Она сама помогала Джеми писать это письмо. Все письма, которые ее дети когда-то писали Санта-Клаусу, она собирала и хранила в нижнем ящике комода под постельным бельем. Иногда, когда у нее выдавалась свободная минутка и дома никого не было, Лиз доставала их и с удовольствием перечитывала. Это были просто удивительные письма — наивные, чистые, исполненные трогательной детской веры в волшебство, а письма Джеми — те и вовсе были особенными.

Почувствовав ее улыбку, Джеми поднял голову и улыбнулся в ответ. Их глаза на несколько мгновений встретились, и сердце Лиз сладко заныло от переполнявшей его любви.

Джеми был особенно дорог ей — пожалуй, даже дороже остальных, хотя говорить так было бы, наверное, нехорошо.

Дело было даже не в том, что Джеми был ее последним, младшим ребенком, которого она родила относительно поздно — в тридцать два, а в том, что он был не такой, как все. Джеми появился на свет намного раньше положенного срока, перенес серьезную родовую травму, связанную с неправильным положением плода. К этому добавились последствия кислородной терапии, которую врачи применили, чтобы спасти ему жизнь. Он мог ослепнуть, но обошлось. Правда, вскоре выяснилось, что Джеми страдает задержкой умственного развития — не то чтобы очень сильной, но все-таки отличавшей его от нормальных сверстников. Это, впрочем, не мешало ему неплохо успевать по всем предметам, преподававшимся в специальной школе, в которую он ходил уже четвертый год, и быть внимательным, ответственным, общительным и любящим. И хотя Лиз знала, что Джеми никогда не станет таким, как его брат и сестры, в последнее время она даже забывала об этом.

Поначалу известие о том, что ее сын будет умственно неполноценным, повергло Лиз в шок. Она считала себя виноватой в том, что случилось. Во время беременности она много и напряженно работала, провела подряд три очень сложных процесса. Это не могло не сказаться на ее общем состоянии. Но тогда Лиз не думала об этом. Первых четырех детей она произвела на свет без всяких осложнений и полагала, что с пятым будет так же. Лиз не обратила внимания на некоторые особенности, которые с самого начала отличали эту беременность от других, объясняя их тем, что стала старше. Между тем беременность протекала значительно тяжелее других; Лиз быстро утомлялась, а токсикоз не прекращался почти до самого конца или, точнее, до того момента, когда — без всякой видимой причины, на два с половиной месяца раньше срока — у нее вдруг начались схватки, которые врачам так и не удалось остановить. Джеми появился на свет через десять минут после того, как Лиз доставили в больницу. Для ребенка роды чуть не обернулись катастрофой. Казалось, что младенец обречен, но после нескольких недель в специальной кислородной камере-инкубаторе им наконец разрешили забрать ребенка домой. Это было похоже на чудо. Нет, это было самым настоящим чудом — крошечный попискивающий комочек в подвесной колыбельке у окна.

Джеми оказался одарен редкостной способностью любить, вернее — отвечать на любовь; прошло сколько-то времени, и Лиз обнаружила, что, несмотря на замедленные темпы умственного развития, ее младший сын обладает и какой-то своей особой глубинной мудростью. Он был самым добрым, самым ласковым и нежным из всех ее детей, а его чувство юмора — несмотря на заметную ограниченность знаний и умений, которые ставятся едва ли не превыше всего некоторыми родителями, — поражало буквально всех, кому случалось общаться с Джеми.

Поначалу Лиз старалась не думать об отставании сына от сверстников, и со временем она совершенно искренне перестала замечать, что с ним что-то не так. Семья научилась любить Джеми таким, каким он стал. Все радовались его успехам и достижениям, и никому из них и в голову не приходило жалеть за то, чего он не мог и никогда не сможет.

Джеми был очень красивым ребенком. Куда бы он ни пошел, на него всюду обращали внимание, однако простота и прямота его слов и поступков подчас сильно смущали окружающих. Когда же они понимали, что Джеми не такой, как другие, они принимались жалеть и его, и его родителей. С последним Лиз хотя бы из вежливости еще могла как-то мириться, но жалости к сыну она не выносила совершенно. Каждый раз, когда Лиз слышала: «Бедняжка! Как мне его жаль!», она отвечала: «Не жалейте Джеми. Он отличный ребенок, и у него замечательное сердце, которое вмещает весь мир. Он любит всех, и все любят его, так что жалеть надо не его, а нас!» И действительно, самым большим утешением для нее было то, что Джеми почти постоянно был весел и счастлив.

— Ты забыла потереть шоколад, — напомнил Джеми. Печенье с шоколадной глазурью было его любимым.

— Я хотела сделать рождественское печенье с красной и зеленой карамельной крошкой, — сказала она. — Как ты на это смотришь?

Джеми ненадолго задумался, потом кивнул в знак одобрения.

— А можно мне сыпать карамель на печенье, когда оно будет готово?

— Конечно, милый. — Лиз вручила ему противень, на котором лежали печенья в форме рождественской елки, и шейкер, в который засыпала красные карамельные стружки. Джеми тут же принялся за работу, а когда закончил, на подходе была уже вторая порция печенья. Так они трудились вдвоем, пока тесто не закончилось. Тогда Лиз поставила противни в духовку и, выпрямившись, вытерла покрытый испариной лоб.

— Ну вот и замечательно, — сказала она и посмотрела на сына. Джеми выглядел озабоченным, и Лиз спросила:

— Тебя что-то тревожит?

— Да, — немедленно ответил мальчик. — Вдруг он не принесет его?

— Кто?!

— Санта-Клаус... — Джеми грустно посмотрел на нее.

— Ты имеешь в виду велосипед? — Лиз слегка пожала плечами и отвернулась, стараясь скрыть невольную улыбку. — Не понимаю, почему нет?.. Ты очень хорошо вел себя весь этот год и получал хорошие оценки в школе, а ведь именно это ты обещал Санта-Клаусу в письме, не так ли? Готова спорить, у тебя непременно появится велосипед, потому что Санта-Клаус очень любит послушных мальчиков.

Большего Лиз сказать не могла — ей не хотелось портить ему удовольствие, но и смотреть, как Джеми терзается, ей было невыносимо.

— Может быть, Санта думает — я не знаю, как на нем ездить?

— Ну, Санта-Клаус не может так думать. Он знает, что еще ни один человек не родился на свет, умея кататься на велике. Этому, как и многому другому, надо учиться, и ты тоже научишься. Кроме того, ты же написал Санта-Клаусу, что тебе обещал помочь Питер.

— Думаешь, Санта поверит?

— Я в этом не сомневаюсь. А теперь, может быть, ты пойдешь поиграешь или посмотришь, чем занята Кэрол? Я непременно позову тебя, когда печенье будет готово, и мы устроим де-гус-та-ци-ю. — Последнее слово она произнесла по слогам. В разговоре с Джеми Лиз часто употребляла сложные слова, а потом объясняла ему их значение. Эта домашняя педагогика тоже приносила свои результаты. Джеми просиял, услышав, что дегустация — это когда специальный человек первым пробует то, что предназначено для всех. Забыв про Санта-Клауса, он помчался наверх, чтобы попросить Кэрол почитать ему вслух. Сам он читать пока не научился, но обожал слушать сказки и истории про Робин Гуда.

Лиз тем временем отправилась в чулан, чтобы достать спрятанные подарки и положить под елку. Когда печенье было готово, она позвала Джеми, но мальчик так увлекся, слушая чтение Кэрол, что не захотел снова спускаться в кухню, и Лиз самой пришлось раскладывать его по специальным плетеным корзиночкам, которые Джек привез из Новой Англии. Расставив корзинки на столе, Лиз поднялась наверх, в спальню, чтобы завернуть в подарочную нарядную бумагу переплетенное в кожу собрание сочинений Чосера, которое она купила Джеку. Все остальное было давно приготовлено и перевязано ленточками, и только книги, которые попались ей совсем недавно, Лиз не успела красиво упаковать.

Остаток дня пролетел стремительно. Лиз оглянуться не успела, как наступил вечер и домой вернулись Питер и Джек.

Питер опередил отца всего на несколько минут. Он выглядел веселым и оживленным и, войдя в кухню, первым делом стащил из корзиночки несколько печений-елочек. Запив их пепси-колой, Питер спросил, можно ли ему снова пойти к Джессике после ужина.

— Может быть, пусть лучше она приедет к нам? Хотя бы для разнообразия? — спросила Лиз почти жалобно. В последнее время она почти не видела Питера — он был то в школе, то на тренировке или, как сегодня, торчал у Джессики Смит. Порой Лиз казалось, что с тех пор, как Питер получил водительские права, домой он возвращался, только чтобы ночевать.

— Родители никуда не отпустят ее в сочельник, — сказал Питер.

— Но ведь сочельник не только у них, но и у нас! — напомнила Лиз, но тут в кухню вернулся Джеми. Задумчиво хрустнув печеньем, он с обожанием поглядел на старшего брата, который был его кумиром и которому он старался подражать во всем.

— А родители Тимми не празднуют Рождество, потому что они евреи, — сообщил он, и Питер дружески взъерошил ему волосы.

— Отличное печенье, — заметил Питер, хватая еще пригоршню из другой корзиночки.

— Я помогал маме его печь, — сообщил Джеми, показывая пальчиком на печенье, исчезавшее во рту старшего брата.

— Вы молодцы!.. — одобрил Питер и повернулся к матери: — Джесс не еврейка и не сможет никуда пойти вечером, — сказал он. — Почему мне нельзя к ней?

— Потому что ты тоже не еврей, — сказала Лиз сухо. — И у нас принято праздновать Рождество вместе.

— Но мне будет здесь скучно! — взвыл Питер.

— Спасибо за откровенность, — усмехнулась Лиз. — И все-таки ты должен остаться дома и помочь мне и отцу доделать все дела, — твердо закончила она.

— Ты можешь помочь мне почистить несколько морковок для северного оленя Санта-Клауса, — торжественно сказал Джеми. Они с Питером проделывали это каждый год, и Джеми был бы разочарован, если бы брат куда-то ушел. Питер тоже знал это, поэтому неохотно кивнул.

— Но, может быть, я могу пойти к Джесс после того, как Джеми ляжет спать? — спросил Питер, и Лиз не нашла в себе сил отказать ему.

— Хорошо, — сдалась она. — Только постарайся вернуться не слишком поздно. Не позднее завтрашнего утра, о'кей?

— Вернусь к одиннадцати. Обещаю.

В этот момент появился Джек. Он вошел в кухню усталый, но торжествующий, и Лиз сразу поняла — он сумел купить им именно такие подарки, какие хотел.

— Привет всем, с наступающим Рождеством! — сказал он и, схватив Джеми в объятия, подбросил под самый потолок. — Чем вы сегодня занимались, молодой человек? Надеюсь, к приезду Санта-Клауса все готово?

— Мама и я испекли для него целую гору печенья. И еще Питер обещал мне почистить морковку для его северного оленя.

— Ум-м, как вкусно!.. — Джек в свою очередь похитил со стола несколько печений. Проглотив два, он поцеловал Лиз. — А что у нас на ужин, кроме печенья и моркови?

— Окорок. Печеный окорок, — ответила Лиз. Окорок Кэрол еще утром запекла в духовке, так что его оставалось только разогреть. Что касалось гарнира, то Лиз собиралась приготовить для всех сладкий картофель с корнем алтея и черные бобы с подливой. На завтра — в полном соответствии с рождественской традицией — у них была припасена огромная индейка, для которой Джек обещал приготовить свою «фирменную» начинку.

Джек налил себе бокал вина и отправился в гостиную. Лиз и Джеми последовали за ним, а Питер поднялся наверх, чтобы позвонить Джессике и сказать, что заедет к ней после ужина. Сделать это оказалось непросто. Даже в гостиной были слышны возмущенные вопли Меган, у которой Питер чуть ли не силой вырвал телефонную трубку.

— Ну-ка потише, вы, там!.. — крикнул Джек и, откинувшись на спинку дивана, втянул ноздрями пахнущий свежей хвоей воздух. На елке горели разноцветные лампочки, а из колонок проигрывателя доносились негромкие звуки рождественских гимнов. Джеми, усевшись между матерью и отцом, вполголоса вторил незамысловатым мелодиям, а Джек и Лиз болтали о всяких пустяках.

Вскоре Джеми ушел наверх — взглянуть, что поделывают Питер и Кэрол, и Лиз придвинулась к Джеку ближе.

— Он волнуется из-за велосипеда, — шепотом сказала Лиз мужу, и он улыбнулся. Они оба знали, как ждал этого подарка Джеми и как счастлив он будет, когда наконец получит его.

— Джеми все время спрашивает меня о нем — боится, как бы Санта-Клаус не передумал.

— Мы соберем его, как только Джеми заснет, — так же шепотом ответил Джек и, наклонившись в ее сторону, поцеловал Лиз в щеку. — Кстати, давно ли я говорил вам, миссис Сазерленд, что вы очень красивы?

— Давно. Уже почти два дня я этого не слышала, — ответила Лиз с улыбкой. Несмотря на то что они были женаты уже много лет и дома их почти постоянно окружали дети, Лиз и Джек часто вели себя как влюбленные юноша и девушка, какими они были когда-то. Они вместе ходили ужинать в рестораны, выезжали на загородые прогулки, Джек покупал Лиз цветы и конфеты, которые она очень любила. Должно быть, именно благодаря этому в их отношениях все еще сохранялась изрядная доля романтики, что редко бывает, когда супруги прожили вместе много лет и к тому же общались не только дома, но и на работе. Каким-то чудом им удалось не надоесть друг другу до смерти. Лиз была бесконечно благодарна Джеку за те усилия, которые он предпринимал, стараясь поддерживать их отношения в прежнем романтическом русле.

— Знаешь, — сказала она, доверительно склоняя голову ему на плечо, — пока мы с Джеми пекли печенье, я все время думала об Аманде Паркер. Надеюсь, после сегодняшних слушаний муж не причинит ей вреда. Я ему не доверяю и почему-то даже немного боюсь его.

— Нечего тут бояться, — несколько сердито отвечал Джек. — Я сомневаюсь, чтобы ему хватило пороху угрожать *нам*. Аманда — дело другое, да и то... Сейчас, мне кажется, ему совсем не до нее. И вообще, Лиз, пора бы тебе научиться оставлять работу на работе, — добавил он насмешливо и поднялся, чтобы налить себе еще вина. Вид у него при этом был такой, словно сам-то он н и к о г д а не думал дома о делах. Лиз не сдержалась и фыркнула:

— Послушайте, Мистер Я-Знаю-Как-Надо, не ваш ли кейс с делами стоит в коридоре или мне померещилось?

Джек рассмеялся:

— Я просто ношу эти бумаги с собой, но это не значит, что я постоянно о них думаю.

— Так я тебе и поверила!

Они еще немного поболтали, и Лиз отправилась готовить ужин. В этот вечер они засиделись за столом дольше обычного — разговаривали с детьми, шутили и смеялись над разными забавными случаями. Джеми тоже внес свою лепту в общее веселье, напомнив, как в прошлом году к ним на Рождество приезжала бабушка — мать Лиз. Она настояла, чтобы они все вместе отправились к полуночной мессе, однако в церкви ее сморил сон, и все семейство развлекалось, слушая ее довольно громкий храп. Лиз невольно подумала, как хорошо, что в этом году ее мать решила осчастливить своим присутствием собственного брата. Всем им приходилось нелегко, когда она приезжала, но тяжелее всего было в праздники. Бабушка учила всех и каждого, что им нужно делать и как. К тому же у нее были свои странности, которые она называла «традициями» и которых неизменно придерживалась.

Но больше всего Лиз доставалось от нее из-за Джеми. Когда он только родился, ее мать пришла в ужас. Она заявила, что это настоящая трагедия, и не только не изменила со временем своего мнения, но и высказывала его вслух каждый раз, когда Джеми не мог ее слышать. Присутствие остальных членов семьи ее нисколько не смущало. Она постоянно подчеркивала, что

Джеми нужно отправить в специальную лечебницу для умственно отсталых детей, чтобы не травмировать брата и сестер.

От такой беспардонности Лиз каждый раз приходила в ярость, хотя Джек настоятельно советовал ей не обращать внимания на слова матери. «Это наша семья, — говорил он, — и то, что думает твоя мать и моя теща, не имеет никакого значения».

Он был совершенно прав. Джеми давно стал полноправным членом их семьи, и ничто в мире не могло бы заставить Лиз и Джека расстаться с ним. Питер и девочки обожали простодушного Джеми. Но все же Лиз было очень трудно справиться с собой, когда ее мать начинала с глубокомысленным видом утверждать, что уродов надо держать подальше от нормальных детей.

После ужина Питер помог Джеми приготовить молоко, морковку и несколько кусков хлеба с солью для оленя Санта-Клауса, а также написал под диктовку брата записку, в которой тот напоминал сказочному деду о велосипеде и просил принести что-нибудь замечательное для самого Питера и сестер. «Спасибо, дорогой Санта-Клаус!» — такими словами Джеми закончил письмо. Когда Питер по его просьбе перечел послание еще раз, мальчик удовлетворенно кивнул.

— Может, лучше приписать, что, если он все-таки не принесет мне велосипед, я не обижусь? — спросил Джеми с беспокойством. — Я не хочу, чтобы Санта расстраивался из-за того, что огорчил меня!

— Да нет, я думаю, не стоит. Ты так хорошо себя вел, что готов поспорить: Санта-Клаус подарит тебе самый лучший велик, какой только найдется у него в Лапландии, — с серьезным видом ответил Питер. Он, как и все остальные, отлично знал, что Джеми ужасно хочется иметь велосипед и что он ждет не дождется завтрашнего утра, когда он наконец увидит под елкой долгожданный подарок.

В конце концов Лиз все же удалось увести Джеми и уложить в постель. Меган, как обычно, висела на телефоне, а Рэчел и Энни заперлись в спальне и, сдавленно хихикая, примеряли наряды друг дружки. Лиз отпустила Кэрол к подруге и теперь прибиралась в кухне. Питер помог Джеку собрать велосипед й уехал к Джессике. Это был чудесный, мирный сочельник. Лиз и Джек вовсю предвкушали свободную от тревог и забот праздничную неделю. Неплохо потрудившись, Сазерленды рассчитывали на заслуженную небольшую передышку.

Они как раз поднимались к себе в спальню, когда зазвонил телефон. Это была Аманда Паркер. Как только Лиз взяла трубку, она поняла, что Аманда недавно плакала. Голос был прерывистым и невнятным, и казалось, что ей очень трудно говорить.

— Простите, что беспокою вас в канун Рождества, но... Полчаса назад позвонил Фил и сказал... — Она начала всхлипывать, и Лиз постаралась успокоить ее.

— Что, что он сказал?!

— Он сказал, что, если я не уговорю вас отменить арест на его имущество, он... он убьет меня. Фил сказал, что не даст мне и десяти центов и мы с детьми подохнем с голоду...

— Этого не случится, и вы это знаете, — твердо сказала Лиз. — Ваш муж по закону обязан содержать семью, он просто пытается в очередной раз запугать вас...

«И, похоже, ему это удалось», — подумала она мрачно. Филипп Паркер сумел напугать Аманду до такой степени, что она почти готова была уступить. Лиз ненавидела подобные дела, в особенности если клиент, который ей нравился, подвергался столь сильному давлению. Кое-что из того, что рассказывала ей Аманда, заставляло Лиз вздрагивать от ужаса и возмущения. Филипп Паркер настолько затерроризировал жену, что она долго не решалась расстаться с ним и подать на развод. Да и теперь, когда решительный шаг был сделан, Аманде все еще нужно было собираться с силами и терпеть, терпеть, терпеть. Сазерленды оказывали ей всевозможную поддержку, однако несмотря на это Аманде было тяжело — Лиз знала это точно. Аманда, если можно так выразиться, была для своего мужа идеальной жертвой, с которой тот мог делать все, что хотел.

— Слушайте меня внимательно, Аманда, — сказала Лиз решительно. — Заприте все двери, никуда не выходите и никому не открывайте. А если что-то покажется вам подозрительным — немедленно вызывайте полицию. Вы поняли?.. Вот и отлично. Главное, запомните: ваш муж пытается взять вас на испуг, но если вы будете твердо стоять на своем, он ничего не сможет!

Но ее слова не убедили Аманду.

— Фил сказал, что убьет меня... — повторила она и судорожно всхлипнула.

— Если он будет угрожать, то на следующей неделе мы возьмем судебный запрет. После этого Филипп не посмеет даже приблизиться к вам меньше чем на милю. Ведь его тут же арестуют и отправят за решетку, а выбраться оттуда ему будет ой как трудно! Вы верите мне?

— Я... я верю вам. Спасибо, миссис Сазерленд, — ответила Аманда, и ее голос прозвучал несколько бодрее. — Еще раз простите, что побеспокоила вас накануне Рождества...

— Вы нас вовсе не побеспокоили, для этого мы и существуем. Если потребуется — звоните еще, хорошо?

— Я думаю, все будет в порядке, — неуверенно ответила Аманда. — Мне уже лучше. Вот поговорила с вами и сразу почувствовала себя увереннее.

В ее голосе звучала неподдельная благодарность, и Лиз стало очень жаль Аманду. Такого Рождества, как у нее, Лиз не пожелала бы и врагу.

— Знаешь, я ужасно ей сочувствую, — сказала Лиз Джеку, когда, положив трубку, она вошла наконец в спальню. — Ей просто не по силам иметь дело с этим подонком.

— Для этого она и наняла нас, разве не так? — Джек расхаживал по комнате и негромко посмеивался, очевидно, думая о подарке, который он приготовил жене. Но, подняв глаза на Лиз, он увидел, что она встревожена не на шутку.

— Как ты думаешь, может он действительно попытаться что-то ей сделать? Я имею в виду — что-то серьезное? — спросила Лиз. В последний раз Филипп Паркер бил свою жену довольно давно, однако с тех пор они жили раздельно и у него просто не было такой возможности.

— Вряд ли... — Джек покачал головой. — Мне кажется, он просто снова старается согнуть ее, подчинить своей воле. На данном этапе это для него гораздо важнее, чем желание почесать кулаки. Он отыграется на Аманде потом — *после* того как она убедит нас отозвать иск. Но этого не случится, правда?..

Лиз кивнула. Джек продолжал развивать свою мысль:

— И, я думаю, он тоже это понимает, но не такой человек Филипп Паркер, чтобы просто так взять и сложить оружие. Поэтому он будет и дальше звонить ей, угрожать...

— Бедная Аманда! — вздохнула Лиз. — Ей приходится нелегко.

— К счастью, все это временно. Ей нужно только собрать волю в кулак и потерпеть еще месяц, пока этот упрямец не поймет, что выхода нет, и он должен согласиться на все наши условия. В конце концов, Филипп Паркер достаточно богат, чтобы обеспечить жену и детей до конца дней. Для этого ему всего-то придется сократить количество любовниц.

— Может, именно этого он и боится! — улыбнулась Лиз, с обожанием глядя на мужа. Джек как раз снял рубашку, и она в который уже раз подумала, что он невероятно красив и привлекателен. В свои сорок четыре года Джек сохранил подтянутое, мускулистое тело и, несмотря на седину, выглядел намного моложе своих лет.

— Чему ты улыбаешься? — спросил он, стаскивая брюки.

— Я подумала о том, какой ты симпатяга. Сейчас ты выглядишь даже сексуальнее, чем когда мы только поженились.

— По-моему, дорогая, все дело просто в том, что с возрастом у большинства людей обычно портится зрение, — пошутил Джек. — Кстати, ты тоже неплохо сохранилась, и, заметь, у меня со зрением все в порядке.

Действительно, Лиз уже исполнился сорок один год, но, глядя на нее, никто бы не предположил, что у нее может быть пятеро детей. Подумав об этом, Джек подошел к ней и поцеловал, и сразу оба позабыли об Аманде Паркер и о ее проблемах. Как бы она ни нравилась обоим и какое бы сочувствие они к ней ни испытывали, она все же оставалась просто одним из рабочих вопросов, которые они привыкли решать в служебное время. Дома же оба старались забывать о делах, особенно теперь — накануне праздника, который они собирались встретить только друг с другом и детьми.

Некоторое время они лежали в постели и смотрели телевизор. Потом девочки пришли пожелать им спокойной ночи, а когда часы в коридоре пробили одиннадцать, Лиз услышала, как стукнула входная дверь — это вернулся Питер, который, подражая отцу, всегда старался держать слово. После программы новостей Джек погасил свет, и они забрались под одеяло, крепко обняв друг друга. Лиз очень любила лежать, свернувшись калачиком в его объятиях, и чтобы Джек что-нибудь шептал ей на ухо. Вот и сейчас, почувствовав, как его горячее дыхание приятно щекочет ей кожу, Лиз выбралась из постели и, на цыпочках подойдя к двери, надежно заперла ее, чтобы никто из детей ненароком не вломился к ним в спальню. Правда, старшие уже понимали, что к чему, но Джеми часто просыпался среди ночи и будил Лиз, чтобы попросить воды или поправить одеяло. Поэтому Лиз и запирала дверь. Тогда вся спальня оказывалась в их полном распоряжении, и они могли не сдерживаться в выражении чувств. Когда Джек осторожно стянул с нее ночную рубашку и поцеловал, Лиз застонала от наслаждения и откинулась на подушки, подставляя тело новым ласкам.

И это был, наверное, самый лучший способ встретить наступающее Рождество...

## Глава 2

Наутро Джеми пробрался в кровать к родителям в половине седьмого. Дверь они отперли еще ночью, перед тем как крепко заснуть.

Пока Джеми устраивался рядом с матерью, Джек даже не пошевелился. У Лиз тоже слипались глаза; она наверняка знала, что остальные дети крепко спят, и только Джеми вскочил в такую рань.

Причина этого выяснилась довольно скоро.

— Не пора еще идти вниз? — тихонько спросил мальчуган.

— Нет, мой милый, — так же шепотом ответила она. — Еще ночь!.. Поспи немного с нами, если хочешь.

— А когда будет пора? — снова спросил он.

— Часа через два, дорогой, — ответила Лиз, мужественно борясь с зевотой. — Поспи, а?..

Спать хотелось ужасно, и она надеялась уговорить Джеми полежать спокойно еще хотя бы пару часов. Хотя бы до восьми! Остальные дети были уже слишком большими, чтобы вскакивать на рассвете и нестись к елке, но Джеми было еще трудно справляться с волнением и любопытством.

В конце концов Лиз пришлось пойти на компромисс. Она потихоньку отвела Джеми в его спальню и достала большую коробку конструктора «Лего».

— Поиграй пока, а когда будет пора, я за тобой зайду, — пообещала она.

Джеми тут же начал строить что-то из разноцветных деталей, а Лиз на цыпочках прокралась обратно и, юркнув под одеяло, прильнула к Джеку. Он был такой теплый и уютный! Лиз счастливо улыбнулась, опуская голову на подушку рядом с его головой.

Было самое начало девятого, когда Джек наконец пошевелился. В ту же секунду — словно он специально дожидался этого момента за дверью — в спальню снова вошел Джеми. У него кончились детали, и он хотел знать, не пора ли все-таки идти вниз.

Вздохнув, Лиз поцеловала Джека, который пробормотал спросонок что-то ласковое, и отправила Джеми будить остальных. Когда дверь за ним затворилась, Джек открыл глаза и, обняв Лиз одной рукой за плечи, лениво притянул к себе.

— Ты давно встала? — спросил он.

— Джеми разбудил меня в половине седьмого. Мне удалось его отвлечь, но, боюсь, его терпение на исходе, — ответила Лиз.

И действительно, меньше чем через пять минут Джеми снова появился в спальне; за ним гуськом тянулись остальные. Девочки отчаянно терли глаза, а Питер обнимал Джеми за плечи. Накануне вечером он помогал Джеку собирать велосипед и теперь улыбался, думая о том, как будет доволен брат.

— Ну, давай, папа, вставай! — сказал Питер, стаскивая с отца одеяло. Джек заворчал и, повернувшись на живот, попытался спрятать голову под подушку, но это его не спасло. В мгновение ока Энни и Рэчел оказались верхом на нем, Меган щекотала ему пятки, а Джеми скакал вокруг кровати и вопил от восторга. Пока они возились, Лиз встала и накинула халат. На кровати образовалась настоящая куча-мала: Джек в свою очередь щекотал визжащих дочерей; Джеми тоже не пожелал оставаться в стороне и принял участие в общей забаве. Зрелище было настолько уморительное, что Лиз не выдержала и от души расхохоталась.

В конце концов Джек поднял руки в знак того, что сдается, и Лиз поспешила к нему на выручку, объявив, что им всем пора спуститься вниз и посмотреть, что принес каждому Санта-Клаус. Этого оказалось вполне достаточно. Куча-мала мгновенно распалась. Джеми первым соскочил на пол и бросился к двери. Остальные, продолжая пересмеиваться и хихикать, последовали за ним, но куда там!.. Когда шедшие последними Джек и Питер только выходили из спальни, Джеми был уже на последних ступеньках ведущей вниз лестницы. Оттуда ему еще не было видно стоящую в гостиной елку и подарки под ней, но стоило Джеми обогнуть последний столб перил и заглянуть в гостиную, он увидел *его*.

Он был красным, как пожарная машина, блестящим, как серебро, прекрасным, как мечта... Лиз, следившая за выражением лица Джеми, даже почувствовала, как слезы навернулись ей на глаза. На этом лице можно было прочесть все — и счастье, и радость, и волшебство Рождества. На мгновение мальчуган замер, держась рукой за косяк двери, потом вдруг ринулся вперед, а остальные наблюдали за ним с удовольствием едва ли не большим, чем испытывал сам Джеми.

Разумеется, он тут же попытался сесть на свой новенький велосипед. Лиз придержала для него машину, а Питер, взяв велосипед за руль, дважды провел его вокруг гостиной, стараясь не наезжать на другие подарки. Джеми был в таком восторге, что его речь стала совсем бессвязной, однако каждому было понятно, что он просто на седьмом небе от счастья.

— Я получил его! Получил!.. Санта-Клаус подарил мне велосипедик! — восклицал немного успокоившийся Джеми. Питер поставил на проигрыватель компакт с записями рождественских гимнов, и дом в одночасье наполнился пьянящей, как шампанское, атмосферой праздника. Девочки и Питер, которому в конце концов удалось уговорить Джеми ненадолго слезть с велосипеда, уселись за стол открывать свои подарки, и снова восторгу и радости не было предела. Все вскрикивали, и ахали, и восхищались, и говорили друг другу слова благодарности. Кроме собрания сочинений Чосера, Джек получил на Рождество отличный кашемировый свитер, который Лиз купила в универмаге «Нейман Маркус». В свертке, помеченном ее именем, Лиз обнаружила изящный золотой браслет, который изумительно смотрелся на ее руке.

Они разбирали подарки почти полчаса. Потом Джеми с помощью старшего брата снова взгромоздился на свой велосипед, а Лиз отправилась на кухню, чтобы приготовить всем завтрак. Она собиралась испечь вафли, сварить сосиски и пожарить яичницу с беконом, что тоже было своего рода рождественской традицией. Пока она пекла вафли, тихонько мурлыча себе под нос рождественскую песенку про колокольчики, в кухню забрел Джек, чтобы составить ей компанию, и Лиз воспользовалась случаем, чтобы еще раз поблагодарить его за браслет.

— Я люблю тебя, Лиз, — сказал он, с нежностью глядя на нее. — Скажи, ты когда-нибудь задумывалась о том, какие мы все счастливые? — И он покосился на открытую дверь, из-за которой доносились радостные вопли детей.

Лиз кивнула.

— По совести сказать, я думаю об этом не реже тысячи раз в день, а может быть, и чаще. — С этими словами она повернулась к Джеку и обняла его, а он поцеловал ее в лоб.

— Спасибо тебе за все, что ты для меня делаешь, — сказал он негромко. — Не знаю, что такого я совершил и чем заслужил это счастье, но я ужасно рад, что мы с тобой нашли друг друга.

— И я тоже рада, — ответила Лиз и, выпустив Джека, бросилась к плите, чтобы снять с огня сосиски и перевернуть на сковородке шкворчащий бекон. Пока она разбивала на сковороду яйца, Джек помолол и сварил кофе, и вскоре вся семья снова собралась за столом. Дети смеялись, шутили и хвастались друг перед другом подарками, а Джеми притащил в кухню велосипед и положил на пол рядом со своим стулом. Он как будто боялся расстаться с ним хотя бы на минуту; впечатление было такое, что, если бы ему позволили, он бы и завтракал, не слезая с седла.

— Ну-с, у кого какие планы на сегодня? — спросил Джек, наливая себе вторую чашку кофе.

— Мне уже скоро надо приниматься за индейку, — ответила Лиз, бросив взгляд на часы. По ее просьбе Кэрол купила двадцатифунтового каплуна, и возни с ним предстояло много. Впрочем, начинку для рождественской индейки всегда готовил Джек. Девочки сказали, что хотели бы примерить новые наряды и позвонить подругам. Питер снова собирался к Джессике, и Джеми взял с него слово, что он вернется пораньше и поучит его кататься.

— А мне нужно ненадолго съездить в контору, — неожиданно заявил Джек.

— В Рождество?! — удивленно приподняла брови Лиз.

— Я ненадолго, — промолвил он извиняющимся тоном. — Оказывается, я забыл взять одно дело, над которым хотел поразмыслить на досуге.

— Почему бы тебе не съездить в офис завтра? Сегодня же Рождество, и тебе все равно будет не до работы, — с улыбкой сказала Лиз. Похоже, Джек на глазах превращался в трудоголика, но, по большому счету, она не имела ничего против. Лиз знала: что сколько бы папок с делами он ни приносил с работы домой, семья всегда была и будет для него на первом месте.

— Мне хочется, чтобы эти документы были у меня под рукой, так спокойней, — объяснил Джек. — Тогда я смогу заняться ими хоть завтра, хоть послезавтра.

— Тут кто-то учил меня оставлять работу на работе. Это, случайно, был не ты?.. — пошутила Лиз. —Двойные стандарты, мистер Сазерленд!

— Да я уеду-то всего на десять минут. А когда вернусь — сразу займусь начинкой, клянусь! — воскликнул Джек, прикладывая руку к сердцу.

Таким образом, вопрос был решен. Когда дети позавтракали и ушли к себе, Джек помог Лиз убрать посуду. Затем она занялась индейкой, а Джек отправился в спальню, чтобы привести себя в порядок.

Спустя полчаса он снова спустился в кухню. Джек побрился и надел свободные полотняные брюки цвета хаки и темно-красный шерстяной свитер. От Джека крепко и свежо пахло лосьоном после бритья, и Лиз шутливо поинтересовалась, уж не на свидание ли он собрался.

— Да, на свидание, и эту мисс зовут Работа, — серьезно ответил Джек. — Это единственная женщина, с которой я согласен иметь дело, кроме тебя. Кстати, тебе не нужно ничего купить? Я мог бы по дороге заехать в супермаркет...

— Мне нужен только Джек Сазерленд, но, насколько я знаю, эту модель давно не выпускают. — Лиз звонко чмокнула его в щеку. — Возвращайся скорее, не то я буду скучать. А мисс Работа подождет — выходные для того и существуют, чтобы отдыхать. Вам ясно, мистер адвокат?

Она все еще была в домашнем халатике; прямые рыжие волосы — все еще чуть-чуть влажные после душа — свободно свисали на плечи, а изумрудно-зеленые глаза лучились любовью и нежностью. Джеку она казалась почти такой же, как и тогда, когда они только познакомились, и он не замечал — просто не желал замечать — никаких признаков того, что с того дня прошло уже без малого двадцать лет.

— Я люблю тебя, Лиз, — нежно сказал он и, поцеловав ее в губы, повернулся и пошел к выходу.

Всю дорогу до конторы он думал о Лиз. Оставив машину на обычном месте на стоянке напротив офисного здания, Джек открыл парадное своим ключом и, поднявшись на нужный этаж, отключил сигнализацию. Потом он вошел в контору, достал из сейфа нужную папку и уже собирался снова включить охранную систему, когда в коридоре послышались шаги. Джек знал, что по случаю праздника в здании никого нет и быть не должно. Неужели это Лиз последовала за ним? Глупости! В этом предположении не было никакого смысла. Джек выглянул в коридор, чтобы посмотреть — кому это еще вздумалось прийти на работу в первый день Рождества.

В коридоре никого не было, однако ощущение чьего-то присутствие не оставляло Джека. Сердце его на мгновение сжалось, словно от предчувствия близкой опасности, но он отогнал от себя эту мысль.

— Эй, кто там? Алло?.. — позвал он. Никто ему не ответил, но со стороны лифтовой площадки был слышен какой-то шорох, и вдруг раздался негромкий металлический щелчок. На всякий случай Джек отступил обратно в офис, раздумывая, не позвонить ли ему в полицию. Он уже шел к телефону, когда от дверей снова донесся какой-то звук. Повернувшись в ту сторону, Джек оказался лицом к лицу с Филиппом Паркером, мужем Аманды.

Филипп выглядел словно с похмелья: бледное лицо перекошено, волосы всклокочены, лицо и рукава светлого плаща испачканы в грязи. Поначалу Джек так и подумал, что Паркер изрядно выпил, но, опустив взгляд, он увидел в руках Филиппа пистолет.

И этот пистолет был направлен прямо ему в живот.

Странное спокойствие овладело Джеком, когда он заговорил.

— Убери-ка эту штуку, Фил, — произнес он самым будничным тоном. — Опусти оружие, слышишь?

— Не смей указывать, что мне делать, грязный сукин сын! — истерически завопил Филипп Паркер. — Ты небось думал, что можешь вертеть мной как заблагор... как заблагорассудится, да? Ты все предусмотрел, но только не это! — Он ткнул пистолет чуть не в самое лицо Джека. — Ха-ха, адвокатишка паршивый, думал напугать старого Фила Паркера! Так вот: ты только чертовски меня разозлил, понятно? Ты веревки вьешь из этой дуры — моей жены, ты заставляешь ее плясать под свою дудку и считаешь, что делаешь ей огромное одолжение, но только все это ерунда. А хочешь узнать, что ты сделал ей н а с а м о м д е л е?..

Фил Паркер почти рыдал. Он как будто сошел с ума, да и грязь на рукавах его плаща была подозрительно похожа на размазанную кровь. «Упал где-нибудь спьяну и расшиб нос, — отстраненно подумал Джек. — А может, нанюхался какой-нибудь дряни...» Как бы там ни было, поведение его было совершенно непредсказуемым, а речь — бессвязной и отрывистой.

— ...Я предупредил Аманду, что убью ее, если она не заставит вас отозвать иск! — продолжал Филипп Паркер. — И я не позволю вам так поступить со мной. — Он помахал пальцем с обломанным ногтем перед самым носом Джека. — Вы не имеете права отнимать у меня то, что я нажил за всю жизнь... Я ей сказал, что сделаю это. Я сказал... у нее нет никакого права... У вас нет никакого права!..

— Это только на месяц, Фил, — сказал Джек. — До тех пор, пока ты не сообщишь суду сведения, которые нам необходимы. Как только ты это сделаешь, мы снимем арест с твоего имущества и счетов. Хочешь, займемся этим прямо в понедельник? Только не волнуйся. — Голос Джека звучал спокойно и ровно, но сердце в груди стучало как бешеное.

— Нет, это ты не волнуйся! И не смей указывать мне, что делать, вшивый законник! Все равно теперь уже поздно. Ты сам все погубил. Ты заставил меня сделать это!

— Заставил сделать — что? — спросил Джек. Впрочем, инстинктивно он уже понял, в чем дело, но его рассудок отказывался принять страшную правду. Лиз была права — они загнали Филиппа Паркера в угол, и он не выдержал и сорвался. Но что же он все-таки сделал с Амандой?

— Ты заставил меня убить ее! — выпалил Филипп и вдруг разрыдался. — Я убил ее! Я убил ее! — как заведенный повторял он. — И это ты во всем виноват. Я не хотел, не хотел ее убивать, но мне пришлось. Ты научил ее. Она захотела получить все, что у меня было, отнять все, что я заработал. Маленькая шлюшка... у нее нет никаких прав требовать у меня деньги, а вы... вы заморозили мои счета! Что мне оставалось делать? Голодать?! Черта с два!

Джек знал, что говорить что-либо сейчас бесполезно и даже опасно. Ему оставалось только надеяться, что Фил выдумывает или бредит.

— Как ты узнал, что я буду здесь, Фил? — спросил он наконец, стараясь перевести разговор на другое.

— Я следил за тобой — вот как! Я все утро дежурил возле твоего дома, я ждал и вот — дождался!..

— А где Аманда?

— Я же сказал: я убил ее! — Он вытер нос рукавом плаща, оставив на лице свежий кровавый след. — Прикончил, как бешеную собаку!

— А... дети? Что с ними?

— С ними все в порядке. — Филипп Паркер неожиданно расхохотался. — Я оставил их с мамочкой.

— Ты убил их тоже?

— На кой черт мне сдались эти щенки? Я просто запер их в спальне вместе с матерью. А теперь я должен убить тебя. Это будет только справедливо, потому что во всем виноват ты. Это ты заставил Аманду пойти против мужа. До тебя она была нормальной девчонкой, но тут появился ты, и ей как будто вожжа под хвост попала. Все из-за тебя, понял?!

— Возможно, — как можно спокойнее произнес Джек, хотя внутри по всему телу разливался ледяной холод страха. — Во всяком случае,

Аманда здесь ни при чем, поэтому опусти-ка пушку и давай поговорим спокойно.

— Ну-ка не командуй, ты! — заорал Филипп Паркер. Его взгляд обжигал, словно лазер, и Джек внезапно понял, что все, что он говорил, — правда. Больше того, он не только угрожал — он был способен осуществить свою угрозу.

— Положи пистолет, Фил, — повторил Джек, стараясь говорить спокойно и властно. — Положи пистолет, ну!

— Пошел ты к черту, адвокатская сволочь! — взвизгнул Филипп Паркер, но оружие опустил, и Джек почувствовал, что выигрывает. Филипп Паркер явно колебался. Оставалось сделать последнее усилие, чтобы окончательно сломить его волю. Или, воспользовавшись его нерешительностью, попытаться вырвать пистолет.

Не отрывая взгляда от лица противника, Джек сделал шаг вперед, потом еще один. Он уже протянул руку, как вдруг раздался оглушительный грохот, и что-то сильно толкнуло его в грудь.

Несколько мгновений Джек не чувствовал ни боли, ни удивления. Опустив глаза, он смотрел на направленный на него ствол пистолета, из которого поднималась тоненькая струйка дыма, и гадал, как, стреляя почти в упор, Филипп Паркер ухитрился промахнуться. Но он не промахнулся. Пуля прошла практически навылет, и Джек не мог пошевелить ни рукой, ни ногой. Словно парализованный, он беспомощно смотрел, как Филипп Паркер снова поднимает пистолет, вставляет его в рот и нажимает на спусковой крючок.

Грянул еще один выстрел, разнесший Филиппу голову; кровь и мозг так и брызнули на стену позади него, и он начал медленно оседать на пол. Это как будто послужило сигналом: Джек вдруг почувствовал в груди свинцовую тяжесть и, пошатнувшись, упал на колени. Все произошло так быстро, что он еще не совсем отдавал себе отчет в том, что случилось. Единственная связная мысль, которая гвоздем засела у него в голове, была о том, что он собирался вызвать полицию. Телефон стоял на столе совсем рядом. Джек, подтянув его к себе за шнур, снял трубку и набрал номер 911.

— Служба спасения слушает, — сказал голос в трубке, но Джек уже исчерпал все свои силы и, медленно опускаясь на пол, сумел только прохрипеть:

— Срочно... Меня застрелили.

Он видел темное пятно на свитере спереди, но свитер был красным, и Джек не сразу понял, что это кровь.

Оператор Службы спасения назвал номер его телефона и адрес, и Джек, подтвердив, что все верно, добавил:

— Позвоните... моей жене. Ее номер... — Веки словно налились свинцом, но, борясь со слабостью, Джек все-таки сумел продиктовать свой домашний телефон.

— «Скорая» уже выехала, она будет у вас через три минуты. Держитесь, — сказал в трубке оператор, но Джек уже почти не понимал, о чем речь. «Скорая помощь»? Зачем? Кому-то плохо? Единственное, чего он хотел, это увидеть Лиз.

— Позвоните Лиз... — повторил он чуть слышно и, закрыв глаза, вытянулся на ковре. Отчего-то ковер под ним был холодным и мокрым, и Джек подумал, что нужно будет вызвать уборщиков. Потом он услышал далекое пение сирен «Скорой» и решил, что это Лиз торопится к нему. «Зачем же она так шумно?» — слабо удивился Джек, но тут совсем рядом с ним вдруг зазвучало множество голосов, и чьи-то руки взяли его за плечи и перевернули на спину. К лицу прижалось что-то скользкое и холодное, словно резиновое. Джек попытался тряхнуть головой, чтобы сбросить это, оно мешало ему говорить. Он хотел спросить этих беспрестанно болтающих, кто они, что они здесь делают и где, наконец, Лиз, но язык ему не повиновался. Он открыл глаза, но все вокруг крутилось с бешеной скоростью, и Джек поспешил снова зажмуриться.

Постепенно он начал медленно соскальзывать в темноту, но кто-то крепко держал его за руки и снова и снова звал по имени, не давая провалиться в холодный, чернильный мрак, где не было ни одной звезды. «Зачем вы меня держите?» — хотел спросить Джек, но не смог. Сейчас ему нужна была только Лиз, а не все эти люди, которые кричали на него и что-то делали с его неподвижным телом. Где же Лиз? Где его дети?!

Когда раздался телефонный звонок, Лиз, все еще одетая в домашний халат, возилась на кухне. С тех пор как Джек уехал, прошло около четверти часа, и она почему-то сразу решила, что это звонит он или Аманда. Но голос в трубке был ей незнаком. Звонивший представился офицером полиции и сказал, что у него есть основания полагать, что ее муж, мистер Джек Сазерленд, был тяжело ранен в их офисе в результате нападения неизвестного преступника.

— Мой муж? — переспросила Лиз. Сначала она решила, что это просто чья-то дурацкая шутка. «Как же так, — думала она, — ведь он только недавно уехал».

— Он что, попал в аварию? — спросила она. — И почему он не звонит сам?

— Человек, который обратился в Службу спасения, сказал, что в него стреляли, и просил позвонить вам по этому телефону.

— Джек?.. Джека ранили? Вы уверены?!

— Полиция еще не прибыла на место преступления, поэтому я ничего не могу сказать точно. Мы были бы очень благодарны, если бы вы тоже подъехали и помогли нам установить личность пострадавшего. Насколько мне известно, преступление произошло по адресу... — Он назвал адрес их офиса, и Лиз почувствовала, что у нее подкашиваются ноги. Она хотела подняться наверх, чтобы переодеться, но потом передумала. Ведь это действительно м о - ж е т быть Джек, подумала она, и если он ранен, значит, нужно быть на месте как можно скорее.

— Хорошо, я выезжаю немедленно, — сказала она в трубку и, выбежав из кухни, крикнула Питеру, чтобы он присмотрел за Джеми. — Я вернусь через пятнадцать минут, — добавила она, когда сын откликнулся, и поспешила выбежать в коридор, чтобы ничего пока не объяснять. В коридоре она схватила со столика под зеркалом ключи от машины и — как была, в светлом домашнем халатике — выскочила во двор. Сейчас Лиз меньше всего думала о том, как она выглядит. Уже сидя в машине, она поймала себя на том, что ее губы беспрестанно шепчут молитву:

— Господи, сделай так, чтобы с ним все было в порядке!.. Господи, помоги! Пожалуйста, боже, пусть с ним все будет хорошо!..

Потом она вспомнила, что сказал по телефону полицейский. Джека застрелили?.. Но кто? Кто мог стрелять в него и как это стало возможно? Почему?! Ведь сегодня Рождество, и Джек должен был приготовить свою фирменную начинку для индейки из яблок и клюквенного варенья!.. Его лицо, его улыбка стояли перед ней словно наяву. Лиз отчетливо помнила, как всего полчаса назад он стоял в дверях кухни в красном свитере и свободных парусиновых брюках, как кивнул ей на прощание, как повернулся и пошел. Джека застрелили?.. Ее Джека? Нет, не может этого быть!

Свернув на стоянку напротив офисного здания, Лиз затормозила и выскочила из машины, не потрудившись даже захлопнуть за собой дверцу. На улице перед входом стояли две патрульные полицейские машины и машина «Скорой помощи» с включенной мигалкой. Чувствуя, что ее сердце каждую секунду может остановиться, Лиз бросилась мимо них в вестибюль и дальше к лифтам, чтобы поскорее узнать, что же все-таки стряслось.

— Джек, Джек!.. — повторяла она вслух, словно для того, чтобы он знал: она близко, она спешит к нему.

В офисе было полно людей — полицейских и медиков, которые склонились над кем-то или чем-то, лежащим на полу, — и Лиз не увидела Джека за их спинами. В растерянности оглядевшись по сторонам, она заметила забрызганную кровью стену и почувствовала, как у нее внезапно закружилась голова. Под стеной лежало накрытое простыней тело. Лиз замерла от ужаса. Это Джек?! Торчавшие из-под простыни ноги были обуты в светло-желтые замшевые мокасины. Она отчетливо помнила, что Джек уехал в кроссовках. Слава богу — это не он!

— Где Джек? Где мой муж? — спросила Лиз громко, но ей никто не ответил. Тогда Лиз с неожиданной силой оттолкнула в сторону одного из полицейских и вдруг увидела Джека. Лицо у него было серое, как цемент, глаза закрыты.

Лиз, поднеся ладонь к губам, невольно ахнула, но тут же постаралась взять себя в руки и, опустившись рядом с Джеком на колени, склонилась над ним. Словно почувствовав ее присутствие, Джек открыл глаза, но смотрел не на нее, а куда-то в потолок.

— Джек, ты меня слышишь?!

Он не ответил. В вену на руке Джека была введена капельница, и двое медиков склонились над ним. Разрезанный свитер валялся рядом на залитом кровью ковре. Кровь была везде — на Джеке, на полу под ним и вокруг него, и Лиз вдруг увидела, что полы ее светлого халата тоже пропитались кровью.

Взгляд Джека внезапно стал осмысленным. Узнав Лиз, он слабо улыбнулся, и губы его дрогнули, словно он силился что-то сказать, но не смог.

— Что произошло?! — в страхе воскликнула Лиз, хватая его за руку.

— Паркер... — едва слышно прошептал Джек и снова закрыл глаза. Двое медиков, осторожно подхватив его под мышки и под колени, переложили на каталку. Когда они уже собрались везти ее к лифту, Джек снова открыл глаза и, найдя Лиз взглядом, сосредоточенно нахмурился.

— Я люблю тебя, Лиз, — шепнул он. — Все будет хорошо.

Он хотел дотронуться до нее, но ему не хватило сил, и Лиз, которая бежала рядом с носилками, увидела, что глаза его закатились и Джек потерял сознание.

Ощущение беспомощности охватило ее. Она видела, как по повязке на груди Джека расплывается красное пятно, значит, медики не сумели остановить кровотечение. «Что, если Джек умрет? — пронеслось у нее в голове. — Что, если он умрет?!»

Как она спустилась вниз, Лиз не помнила. Она пришла в себя, лишь когда кто-то грубо схватил ее за руку и втащил в салон «Скорой». Хлопнули дверцы, пронзительно взвыла сирена, и машина стремительно понеслась вперед по узким улочкам Тибурона. Двое врачей все время что-то делали с Джеком, изредка перебрасываясь короткими фразами, смысл которых ускользал от Лиз. Они делали все возможное, чтобы помочь Джеку, но он так и не пришел в себя, не открыл глаз и не заговорил с ней, хотя она сидела на полу совсем рядом и держала его за руку. Лиз была как в тумане, она отказывалась верить тому, что видели ее глаза и слышали уши. «Лишь бы доехать, — твердила она, — лишь бы добраться до больницы, а там его обязательно спасут!»

Вдруг машину тряхнуло. Один из сопровождающих их медиков склонился над Джеком, навалившись на него всем телом. Сначала Лиз решила, что он просто удерживает его от падения, но уже в следующее мгновение из-под повязки буквально брызнула ярко-алая кровь. Как ни зажимали рану, кровь продолжала течь, и в считанные секунды весь салон оказался залит ею. Кровь Джека попала и на нее, но Лиз этого не замечала. Она вдруг услышала:

— Пульс не прощупывается... Кровяное давление на нуле... Сердце не бьется...

Она в ужасе уставилась на перепачканных кровью врачей, и тут машина влетела во двор больницы и остановилась. Лиз ждала, что сейчас двери снова распахнутся и носилки подхватят и повезут в операционную, но никто почему-то не торопился. Врач, который зажимал рану на груди Джека, выпрямился и, поглядев на нее, покачал головой.

— Нам очень жаль, мэм...

— Но... Сделайте же что-нибудь... Вы должны помочь ему! Не останавливайтесь, пожалуйста! — Она начала всхлипывать. — Пожалуйста, я прошу вас...

— Нам очень жаль, мэм, — повторил врач. — Ваш муж умер.

— Он не умер! Он не мог умереть! — Она вскочила и, бросившись к Джеку, прижала его к себе. Ее халат насквозь промок от крови. Лиз сразу почувствовала, что тело Джека уже остывает. Оно было податливо-безжизненным, и как Лиз ни старалась, она не могла уловить ни стука сердца, ни малейшего намека на дыхание. Только кислородная маска негромко шипела да неестественно громко тикали часы на его запястье.

Кто-то оторвал Лиз от Джека, помог ей выбраться из машины и повел к дверям приемного покоя больницы. Там ее усадили на скамью, закутали в одеяло и сунули в руку стакан горячего кофе, но Лиз не сделала ни глотка. Она вообще не шевелилась и только прислушивалась к незнакомым голосам, которые доносились до нее как сквозь толстый слой ваты. Потом в дверях появилась каталка, и Лиз увидела, что Джека с головой накрыли простыней. Она хотела вскочить, сдернуть простыню и открыть его лицо, чтобы он мог дышать, но каталка бесшумно прокатилась мимо на толстых резиновых колесах. Лиз так и не смогла ни встать, ни просто поднять руку. Она вообще не могла пошевелиться, хотя ей хотелось побежать вслед, закричать. Зачем они увозят его от нее? Язык не повиновался ей, мысли путались, а перед глазами стояло залитое кровью лицо Джека.

— Миссис Сазерленд? — Перед Лиз остановилась высокая темнокожая сиделка в кокетливом коротком халатике. — Мы выражаем вам свои соболезнования, миссис Сазерленд. Можем мы вам чем-нибудь помочь? Скажите, кому надо позвонить, чтобы за вами приехали.

— Я не знаю. — Язык еле ворочался у нее во рту, в горле застрял тугой комок, и Лиз натужно раскашлялась. — Г-где он? — спросила она, отдышавшись.

— Вашего мужа отвезли вниз, — сказала сиделка, и Лиз вздрогнула. В этих обычных словах было что-то зловещее и... окончательное. — Когда немного придете в себя, сообщите, когда и куда его следует доставить, хорошо?

— Доставить? — Смысл разговора ускользал от нее, словно сиделка говорила на иностранным языке.

— Ну да... — Сиделка слегка пожала плечами. — Ведь вам нужно приготовиться к похоронам, разве нет?

— К похоронам? — тупо переспросила Лиз. Она никак не могла взять в толк, кого она должна хоронить — разве кто-нибудь умер? И где, черт возьми, Джек? Зачем его увезли куда-то вниз? Лиз была уверена, что, если бы он был рядом, он объяснил бы ей, кого только что застрелили и кого они должны хоронить.

— Кому можно позвонить, чтобы за вами приехали? — повторила сиделка, но Лиз только покачала головой. Кому звонить? Для чего? Ведь Джек уехал совсем ненадолго! Он должен вернуться домой, чтобы приготовить начинку и помочь ей с уборкой. Зачем она сидит в этой глупой больнице и ждет неизвестно чего? Может быть, он уже вернулся и теперь волнуется, куда она подевалась!

— Никому не надо звонить, — сказала Лиз отрывисто. — Мне нужно домой.

Она уже собиралась встать, но тут к ней подошел человек в полицейской форме.

— Мы отвезем вас домой, когда вы скажете, — произнес он участливо, и Лиз удивленно посмотрела на него.

— Я и сама прекрасно доеду, — возразила она. Полицейский с сиделкой быстро переглянулись.

— У вас дома кто-нибудь есть? Кто-то, кто бы мог о вас позаботиться?

— Только дети... — Лиз снова попыталась встать, но колени ее подогнулись, и она медленно осела на скамью. Только с помощью полицейского, который поддержал ее под локоть, ей удалось наконец подняться. Несколько секунд она стояла, борясь с головокружением, потом глубоко вздохнула. В голове немного прояснилось, и Лиз поняла, что все это не бред и не сон. Она действительно только что навсегда потеряла Джека.

— Хотите, мы позвоним кому-то из ваших родственников? Быть может, у вас есть близкая подруга, которая могла бы приехать и побыть с вами?..

— Я не знаю. — Лиз и в самом деле недоумевала, кому и зачем нужно звонить, если твоего мужа застрелили. Быть может, вызвать их секретаршу Джин? Или Кэрол? Или мать, которая жила в Коннектикуте? В конце концов, она выбрала Джин и Кэрол и продиктовала их телефоны.

Полицейский подозвал еще одного и велел ему позвонить по указанным номерам, а сиделка отвела Лиз в пустующую палату и помогла ей переодеться в чистый больничный халат, поскольку ее домашний стал красным от крови Джека. Ночная рубашка Лиз тоже была в крови, но она не стала ее снимать. Ей было все равно. Единственное, о чем она могла думать, это о

Джеке — о том, как, лежа в луже собственной крови, он открыл глаза и сказал, что любит ее.

Машинально поблагодарив сиделку за халат и пообещав прислать его обратно, она вышла в коридор приемного покоя. Регистратор за стойкой напомнила ей, что она должна позвонить в больницу, когда определится с похоронами, но Лиз ничего не ответила. Само слово «похороны» казалось ей ужасным.

На улице ее ждали в патрульной машине двое полицейских. Не проронив ни слова, Лиз села на заднее сиденье. Слезы текли по ее лицу, но она этого даже не замечала. Неподвижным взглядом она смотрела на дорогу сквозь решетку, разделявшую салон полицейского автомобиля на две части, но не видела ни спин офицеров, ни встречных машин, а только лицо Джека, когда он сказал: «Я люблю тебя, Лиз».

Вскоре машина остановилась напротив ее дома. Один из полицейских вышел и, открыв дверцу, помог Лиз выбраться из машины. Он даже спросил, не зайти ли им в дом, но Лиз отрицательно покачала головой. В этом не было никакой необходимости — к ней уже спешила Кэрол, а сзади сворачивала на подъездную дорожку машина Джин.

В следующую секунду обе женщины оказались рядом с ней. Они поддерживали ее под локти, потому что стоять Лиз было невероятно трудно. Она почти повисла у них на руках и всхлипывала, всхлипывала без конца. Кэрол тоже плакала, а у Джин глаза были красными.

Всем троим было трудно поверить, что с Джеком случилось страшное. Это было невероятно, невозможно! С кем угодно, но только не с ним!

Джин первая справилась с собой.

— Он убил и Аманду тоже, — сказала она прерывистым голосом. — Полицейский, который мне звонил, более или менее ввел меня в курс дела. С ее детьми все в порядке. Они живы, но они видели, как Филипп Паркер убивал их мать. К счастью, их он не тронул.

Услышав это, Лиз зарыдала в голос. Филипп Паркер убил Аманду, Джека и себя. Эта волна смерти накрыла собой еще многих и многих. Ее. Детей. Детей Аманды, которые остались круглыми сиротами. Всех, кто любил и знал Джека или был его клиентом. Родственников и просто знакомых. Его смерть была потерей для огромного количества людей, но сейчас Лиз думала только о том, что она скажет своим детям. Она знала, что стоит им увидеть ее, и они сразу поймут — случилось что-то ужасное. Ее волосы были в крови; кровь с ночной рубашки пятнами проступала сквозь больничный халат, и вообще она выглядела так, словно только что побывала в дорожной катастрофе и чудом осталась жива.

— На что я похожа? — спросила Лиз у Кэрол. — Должно быть, я кошмарно выгляжу.

— Вы выглядите, как Джеки Кеннеди в Далласе, — ответила она откровенно, и Лиз поморщилась.

— Нужно что-то сделать. Я не могу показаться детям в таком виде, — сказала она. — Можешь

ты принести мне чистый халат? И расческу...
Я подожду тебя в гараже.

Кэрол ушла, а Джин помогла Лиз добраться
до гаража. Там они сели на старый, продавлен-
ный диванчик, который когда-то стоял у них в
прихожей. Лиз пыталась сообразить, что же ей
все-таки сказать детям. Солгать она не могла.
Дело было лишь в том, как преподнести им
страшную правду, потому что сегодняшний
день, без сомнения, должен был серьезно по-
влиять на всю их последующую жизнь. Но ей
так и не удалось ничего придумать. Когда
Кэрол вернулась с розовым махровым халатом
и щеткой для волос, Лиз снова рыдала, а Джин
нежно гладила ее по спине.

Как бы там ни было, необходимость действовать помогла Лиз собраться. Накинув купаль-
ный халат поверх серого больничного, она кое-
как расчесала волосы и повернулась к Кэрол.

— Ну, как я выгляжу теперь?

— Если честно, вы выглядите скверно. Но по
крайней мере теперь вы не напугаете их своим
видом. Хотите, мы пойдем с вами?

Лиз кивнула. Обе женщины помогли ей подняться и пройти в кухню, которая сообщалась с
гаражом. В кухне, к счастью, никого не было,
но из гостиной доносились голоса. Лиз попросила Кэрол и Джин подождать, пока она пого-
ворит с детьми. Она чувствовала, что должна
сама сообщить им о смерти отца — это был только ее долг, только ее обязанность, но как она
скажет это, какими словами?!

Когда Лиз вошла в гостиную, Питер и Джеми возились на диване, изо всех сил толкая друг друга и громко хохоча. Джеми первым заметил мать. Он поднял глаза, и Лиз показалось, что на мгновение сын застыл словно парализованный.

— Что с папой? — спросил Джеми каким-то чужим, взрослым голосом. — Где он?

Он как будто сразу что-то понял. Впрочем, Джеми часто замечал такие вещи, на которые старшие не обращали внимания.

— Его нет, — ответила Лиз. — Где девочки?

— Наверху. — Это сказал Питер, встревоженно поглядев на мать. — Что случилось, мам?

— Сходи позови их сюда, пожалуйста. — Лиз вдруг пришло в голову, что Питер теперь — глава семьи, хотя сам он об этом пока не догадывался.

Не сказав ни слова, Питер встал с дивана и вышел. Лиз слышала, как он поднимается по лестнице. Через минуту он вернулся с сестрами; лица у всех четверых были серьезными, словно они уже чувствовали — их жизнь вот-вот изменится самым решительным образом. Дети остановились в дверях, вопросительно глядя на мать.

— Сядьте, пожалуйста, — сказала Лиз как можно спокойнее, и они собрались на диване вокруг нее. Лиз обняла их за плечи и, переводя взгляд с одного любимого лица на другое, вдруг подумала: это все, что у нее осталось. Слезы снова потекли по ее щекам, но она даже не пыталась сдержать их. Прижав к себе Джеми, она заговорила:

— Я должна сказать вам... Случилась одна страшная вещь...

— Что? Что случилось?! — не выдержала Меган, и в ее голосе зазвенели истерические нотки. Девочка готова была разрыдаться, и Лиз поняла, что должна ее опередить.

— Папа умер, — сказала она просто. — Его застрелил муж одной нашей клиентки.

— Где он?! Где наш папа? — закричала Энни. Остальные молча смотрели на мать. Они просто не могли поверить в то, что случилось, но Лиз и не ждала от них этого. Она сама никак не могла свыкнуться с мыслью, что Джека больше нет.

— Он в больнице, — ответила она, но, чтобы не вводить их в заблуждение и не подавать ненужной надежды, добавила: — Он умер полчаса назад. Он просил передать вам, что он всех вас любит...

Она знала, что нанесла им страшный удар. Больше того, Лиз понимала — этот день они будут помнить всегда. Сколько бы им ни довелось прожить на свете, они снова и снова станут воспроизводить в памяти эти ее слова и никогда их не забудут, как никогда не забудут Джека.

— Мне очень жаль, мне очень жаль, — повторяла Лиз дрожащим голосом, крепче прижимая детей к себе.

— Нет! — хором крикнули девочки, заливаясь слезами. — Нет! Нет! Нет!..

Питер тоже рыдал, забыв, что ему уже шестнадцать и что он уже совсем взрослый. Только Джеми серьезно посмотрел на мать и, осторожно, но решительно высвободившись из ее объятий, медленно попятился.

— Я тебе не верю! — громко сказал он, остановившись в дверях. — Это все неправда. Неправда! — И, повернувшись, он бросился вверх по лестнице.

Лиз нашла Джеми в его спальне. Он сидел в углу комнаты на полу и, прикрыв голову руками, горько и беззвучно плакал — только плечи его тряслись, да слезы стекали по щекам и капали на джинсы, оставляя на ткани темные пятнышки. Он как будто хотел спрятаться, укрыться от обрушившегося на него горя, от несправедливости и ужаса того, что случилось с ними со всеми. Он не отозвался, когда Лиз позвала его по имени. Ей пришлось взять его на руки. Сев с ним на кровать, она начала укачивать Джеми, как маленького, и понемногу он расслабился и стал всхлипывать все громче и громче, как и положено ребенку его возраста.

Лиз, чье сердце разрывалось от горя и жалости, тоже плакала.

— Мне очень жаль, что так случилось, — вымолвила она наконец. — Знаешь, Джеми, твой папа очень тебя любил...

— Я хочу, чтобы папа вернулся! — выкрикнул

Джеми в перерыве между рыданиями, а Лиз все укачивала, все баюкала его.

— Я тоже хочу, мой маленький! — Еще никогда она не испытывала подобной муки. Она не знала, как, чем можно утешить детей. Скорее всего это было просто невозможно.

— А он вернется?

— Нет, милый. Папа не вернется. Он ушел.

— Насовсем?

Она кивнула, не в силах выговорить это страшное слово вслух. Еще несколько минут она держала Джеми на коленях, потом бережно ссадила на пол и, встав, взяла за руку.

— Идем к остальным.

Джеми послушно пошел за ней вниз, где Питер и девочки все еще рыдали, обняв друг друга. Кэрол и Джин были с ними. В глазах их тоже блестели слезы. В гостиной царило траурное настроение, а нарядная елка и вскрытые пакеты с подарками выглядели неуместными и оскорбительными. Казалось невероятным, что каких-нибудь два часа назад они все вместе радовались наступлению праздника, завтракали, шутили и смеялись, а теперь Джек ушел от них навсегда. Это просто не укладывалось в голове, и Лиз подумала, что не представляет совсем, абсолютно не представляет, что ей теперь делать.

Да нет, конечно, она должна была делать то, что должна — собирать по кусочкам, по крошечкам, по крупинкам вдребезги разбитую жизнь. Другой вопрос, хватит ли у нее на это сил.

В конце концов она велела детям идти в

кухню и сама пошла с ними. Там Лиз чуть было не разрыдалась снова, увидев, что на столе все еще стоит чашка Джека и лежит его салфетка. К счастью, Кэрол все отлично поняла и быстро убрала их. Лиз налила детям по стакану воды. Затем она отправила их с Кэрол наверх, чтобы обсудить с Джин все необходимые приготовления. Нужно было связаться с похоронным бюро, известить друзей, коллег и бывших клиентов, вызвать из Чикаго родителей Джека и позвонить его брату в Вашингтон. Также следовало сообщить о случившимся матери Лиз в Коннектикут и дяде в Нью-Джерси. Кроме этого, Лиз предстояло решить, кремировать тело или хоронить, сколько машин заказывать для гостей и так далее и так далее... Ей еще никогда не приходилось сталкиваться с подобными вопросами, и сейчас Лиз едва не стало дурно, но она пересилила себя. Кто, как не она, сможет определить, какой выбрать гроб, какой дать некролог в газеты, откуда вызвать священника? Теперь все это — и еще многое другое — лежало только на ее плечах. Ей не оставалось ничего иного, как нести эту ношу. Джек ушел. Она и дети остались одни.

## Глава 3

До позднего вечера Лиз была как в тумане. Джин кому-то звонила, приходили и уходили какие-то люди, мелькали незнакомые лица, откуда-то появились венки и корзины живых цветов, зеркала и люстры оказались занавешены черным газом, но ее внимание ни на чем не задерживалось надолго. Боль, которую испытывала Лиз, была такой сильной, что рядом с ней меркло все. Она больше не плакала, ужас происшедшего охватил ее с такой силой, что казалось — еще немного, и она не выдержит и закричит.

Единственной мыслью, которая снова и снова возвращалась к ней и воспринималась как что-то реальное, была мысль о детях. Что будет с ними? Как они переживут все это? Сумеют ли примириться с потерей? Их бледные лица вставали перед мысленным взором Лиз как наяву. Она знала, что выражение растерянности и горя на них было отражением ее собственных чувств. Они ничем не заслужили такой муки, но беда все же случилась, и Лиз была бессильна облегчить их страдания. Полная беспомощность, невозможность помочь тем, кого она любила больше всего на свете, — это было едва ли не самое страшное в их нынешнем положении. Их корабль разбился в щепки. Теперь все они оказались по горло в ледяной воде, в бушующих волнах, от которых негде было укрыться, некуда было спастись. Быть может, они сумели бы выплыть, но горе парализовало их, и никто не испытывал желания плыть, бороться, жить дальше.

За полтора часа Джин успела обзвонить всех родственников, знакомых и коллег, включая Викторию Уотермен — ближайшую подругу Лиз, которая жила в Сан-Франциско. Виктория тоже была адвокатом, но пять лет назад оставила практику, чтобы сидеть со своими тремя детьми.

История ее была необычной. После многих лет бездетного брака Виктория наконец решилась на искусственное оплодотворение. Ей повезло: в конце концов она родила тройню и так этому радовалась, что без колебаний бросила работу ради тихой семейной жизни с мужем и детьми. Узнав о смерти Джека, она тут же приехала. Ее лицо было единственным, которое Лиз узнала и запомнила. Все остальные — соседи, живущие неподалеку друзья, служащие похоронного бюро и коллеги — казались Лиз бесформенными, расплывчатыми тенями. Слова сочувствия, которые они произносили, звучали для нее просто как невнятный, раздражающий шум.

Только приезд Виктории вызвал у Лиз относительно живую реакцию. Подруга появилась с небольшой сумкой через плечо, в которой лежали туалетные принадлежности и смена белья. Ее муж в ближайшую неделю был относительно свободен; он взял на себя заботу о детях. Виктория намеревалась пожить у Лиз некоторое время. Как только Лиз увидела подругу, она снова расплакалась и уже не могла остановиться. Виктория не меньше часа просидела с ней в спальне, стараясь утешить или хотя бы разбудить в Лиз желание жить дальше.

Кроме этого, Виктория мало что могла сказать или сделать. Никакие слова не способны были притупить боль потери, поэтому она только молча гладила Лиз по плечу или говорила с ней о детях. Лиз несколько раз порывалась объяснить ей, как все произошло, и Виктории каждый раз приходилось переводить разговор на другое.

Потом они немного поплакали вместе. Когда Лиз затихла, Виктория отвела ее в ванную комнату. Лиз все еще была в больничном халате, и подруга сама раздела ее и поставила под горячий душ. Она надеялась, что это поможет Лиз расслабиться, но ничего не изменилось. Правда, Лиз больше не плакала, однако она по-прежнему не в силах была обратиться к реальности, снова и снова воспроизводя в памяти события сегодняшнего утра.

Единственное, что находило отклик в ее душе, это дети. Лиз испытывала постоянное инстинктивное желание сходить к ним, чтобы убедиться — с ними все в порядке и они не покинут ее так же неожиданно, как Джек. Она знала, что Кэрол сидит с Джеми и девочками и что Питер ненадолго поехал к Джессике, однако подспудное беспокойство не оставляло ее. Как ни старалась Виктория уговорить ее прилечь, Лиз не соглашалась.

Она знала, что все равно не заснет. Слова «похороны», «погребение», которые она слышала постоянно на протяжении последних нескольких часов и которые уже начинала ненавидеть, гремели у нее в ушах, словно барабаны, нет — словно трубы, возвещающие о конце света. В них был заключен весь ужас того, что с ними произошло. Похороны... Это означало костюм и обувь для Джека, гроб, поминальную службу, траурный зал, прощание с телом. «Разве можно прощаться *с телом?*» — думала Лиз, чувствуя, как внутри ее набирает силу невысказанный протест. Все, кто придет на похороны, будут прощаться с Джеком, а не с телом! Но с другой стороны, разве сможет она сказать «прощай» человеку, которого любила?..

В конце концов Лиз решила, что гроб должен быть закрытым. Пусть те, кто придет на поминальную службу, прощаются с тем Джеком, которого они знали, — веселым, общительным, любящим, внимательным, а не с холодным, безжизненным, *чужим* телом в новеньком несмятом костюме! Лиз не хотела, чтобы кто-то видел его таким, в особенности — дети. Пусть они запомнят отца живым. Может быть, тогда их чувство потери будет не таким острым. Ведь если не видел человека в гробу, со временем начинает казаться, что он не умер, а просто уехал куда-то очень далеко.

Потом она подумала о том, что в это самое время родные и близкие Аманды Паркер тоже страдают и тоже не могут смириться с происшедшим. А ее детям еще тяжелее — ведь они видели, как их собственный отец застрелил Аманду, застрелил их маму! К счастью, у Аманды была сестра. Лиз уже знала, что она решила взять сирот к себе, но думать еще и о чужих детях сейчас ей было не под силу. Единственное, что она сумела сделать, это попросила Джин послать родственникам Аманды цветы и записку со словами соболезнования. Кроме того, Лиз собиралась позвонить матери Аманды, но когда именно она сможет это сделать, Лиз сказать не могла. Сейчас она могла только сочувствовать ей на расстоянии.

Брат Джека прилетел из Вашингтона той же ночью. На следующий день утром приехали из Чикаго его родители, и они все вместе отправились в зал, снятый Джин для гражданской панихиды. Выбор гроба был для Лиз непосильной задачей, поэтому этим пришлось заниматься Джин и брату Джека. Лиз, опиравшаяся на руку Виктории Уотермен, только кивнула, когда ее подвели к массивному полированному гробу красного дерева, с бронзовыми ручками и обивкой из белого бархата внутри. Весь процесс неожиданно напомнил ей покупку нового автомобиля. Она едва не рассмеялась, но готовый сорваться с ее губ смех внезапно перешел в истерические рыдания, которые она уже не могла остановить.

И это тоже был тревожный симптом. Потеря контроля над собой, невозможность сдерживаться, управлять своими мыслями и чувствами повергали Лиз в еще большее отчаяние. Она была словно подхвачена могучей, внезапно налетевшей сзади волной, которая выбила почву из-под ног и теперь несет и несет ее в открытое море, откуда уже никогда не удастся вернуться на безопасный, надежный берег. Уже не раз Лиз спрашивала себя, наступит ли когда-нибудь такое время, когда она снова будет нормальным человеком? Снова сможет смеяться, читать газеты или смотреть телевизор, и сама себе отвечала — нет. Особенно тяжело ей было смотреть на наряженную рождественскую елку, которая все еще торчала посреди гостиной то ли немым укором, то ли призраком прошлой, счастливой и беззаботной жизни.

Когда настало время ужинать, за столом собралось почти полтора десятка человек. Виктория, Кэрол, Джин, брат Джека Джеймс, в честь которого был назван Джеми, его родители, брат Лиз Джон, с которым, впрочем, она никогда не была особенно близка, девушка Питера Джессика, приехавший из Лос-Анджелеса бывший одноклассник Джека и дети с трудом разместились в их небольшой гостиной, но это было еще не все. То и дело звонил дверной звонок, люди приходили и уходили, а в коридоре появлялись новые букеты и корзины живых цветов. Кухонный стол ломился от пирогов, ветчины, цыплят и другой еды, принесенной соседями и друзьями, так что, когда Лиз случайно зашла туда, у нее сложилось впечатление, что о гибели Джека узнал весь мир. К счастью, пока удавалось сдерживать репортеров. Но в вечерних газетах уже появились статьи, посвященные происшествию. В шестичасовых «Новостях» даже показали небольшой репортаж с места убийства.

После ужина дети снова поднялись к себе. Взрослые остались за столом, чтобы еще раз обсудить детали предстоящих похорон, и тут снова раздался звонок в дверь. Приехала Хелен, мать Лиз. Стоило ей увидеть дочь, как она зарыдала в голос.

— О, Лиз, боже мой! Ты ужасно выглядишь!

— Я знаю, мама. Я... — Лиз не договорила. Она просто не знала, что сказать матери. Их отношения даже в детстве не были особенно теплыми и доверительными, а в последние годы присутствие матери зачастую стесняло Лиз. Во всяком случае, ей было гораздо удобнее разговаривать с Хелен по телефону, чем встретившись лицом к лицу. Пока был жив Джек, он служил своего рода буфером между ними, и Лиз гораздо спокойнее воспринимала все, что говорила или делала ее мать, но она так и не простила ей неприязни к Джеми. С самого начала Хелен считала, что с их стороны было глупостью заводить пятого ребенка; даже четверо, заявила она, слишком много, но пятеро — это уже просто смешно!

Кэрол предложила ей ужин, но Хелен сказала, что поела в самолете. Она согласилась на чашечку кофе и, подсев к столу, спросила Лиз:

— Ну и что ты собираешься делать дальше?

Хелен, как всегда, смотрела в самый корень проблемы. Для всех без исключения сегодняшний день был очень тяжелым, поэтому никто из собравшихся за столом не заглядывал в будущее дальше завтрашнего дня и тем более старался не задавать никаких вопросов, которые могли бы расстроить Лиз или хотя бы напомнить ей о ее теперешнем положении. Но Хелен была чужда сантиментов. Она всегда говорила то, что думала, и не боялась зайти на запретную территорию. Остановить ее удавалось только Джеку, да и то не всегда. Поэтому она продолжала как ни в чем не бывало:

— Знаешь, дорогая, дом придется продать. Он слишком велик, одна ты с ним не справишься. И практику тоже придется оставить: адвокатура — мужской бизнес, а без *него* ты никто!

По большому счету Лиз была с ней согласна. Она и сама боялась, что без Джека она не справится ни с хозяйством, которое требовало достаточно много денег, ни с практикой, которая держалась на их с Джеком совместных усилиях. Да что там говорить — сейчас она не могла представить себе, как она будет *жить* без Джека, однако резкость и прямота материнских слов вызвали в ее душе возмущение и протест. Мать не постеснялась вытащить на свет божий ее ужас и боль и, что называется, ткнуть носом в проблемы, которые требовали постепенного и деликатного решения.

Точно такая же ситуация возникла и девять лет назад, когда родился Джеми и стало известно, что он не совсем здоров. Тогда Хелен напрямик сказала дочери: «Ты в своем уме? Уж не собираешься ли ты оставить его у себя — этого урода? Подумай, какая это будет травма для остальных детей!» Тогда Лиз едва не вышвырнула ее из дома. Шаткий мир был сохранен лишь благодаря своевременному вмешательству Джека. Этот случай, однако, ничему Хелен не научил. Она по-прежнему продолжала озвучивать самые потаенные мысли и глубинные страхи окружающих. «Глас божий» — шутливо называл ее Джек. Впрочем, он никогда не забывал напомнить Лиз, что мать не может заставить ее сделать что-то, чего она делать не хочет. Теперь Джека не было, и Лиз невольно задумалась: вдруг Хелен права? Сможет ли она справиться одна? Не придется ли и в самом деле перебираться в другой дом и закрывать практику?

— На данный момент главная наша задача — это пережить понедельник, — с неожиданной твердостью перебила Хелен Виктория. (На понедельник были назначены похороны, а прощание должно было пройти в выходные.) — Только об этом надо думать сейчас.

Похороны были целью, на которой Лиз сосредоточила все свои усилия; они были своего рода границей, чертой, перейдя которую она должна была начинать строить новую жизнь, как бы трудно ей ни было. И все, кто приехал к Лиз сегодня, очень старались помочь ей продержаться эти несколько дней.

Увы, несмотря на их искреннее участие и сочувствие, Лиз не испытывала почти никакого облегчения. Правда, к вечеру усталость взяла свое. Боль несколько притупилась, однако в мыслях Лиз постоянно возвращалась к тому кошмару, которым обернулось для нее Рождество. Для нее и для детей. Лиз знала, что они никогда не забудут этот год и никогда, даже став взрослыми, не смогут спокойно слушать рождественские гимны или смотреть на украшенную блестками и мишурой рождественскую елку. Они не смогут даже развернуть рождественский подарок, чтобы не вспомнить, что случилось с отцом и как тяжело было каждому из них.

Виктория легонько тронула ее за плечо.

— Может быть, ты пойдешь ляжешь? — негромко предложила она.

Виктория Уотермен была невысокой хрупкой темноволосой женщиной с темно-карими глазами и чувственным ртом, но в ее голосе часто звучали стальные нотки, которые ясно показывали: с ней лучше не спорить. Она действительно была наделена сильным характером, благодаря которому в свое время сумела стать успешным адвокатом. Сейчас ее сила оказалась очень кстати. Пока Виктория еще работала,

Лиз часто шутила, что она-де способна нагнать страху и на присяжных, и на судью. Если Лиз при этом и преувеличивала, то лишь самую малость. Ее подруга специализировалась на случаях нанесения личного вреда, и ей много раз удавалось выиграть для своих подзащитных солидную компенсацию. Но подумав об этом, Лиз сразу вспомнила Джека, Аманду и все, что произошло накануне. Когда она поднималась наверх, по щекам ее снова текли слезы.

Виктории Лиз сказала, чтобы она отправила Питера спать в комнату Джеми. В его спальне должна была лечь Хелен; Джеймс, брат Джека, мог лечь в кабинете, а брат Лиз — на диване в гостиной. Родители Джека остановились в отеле, что было очень кстати, поскольку в доме больше не было свободного места. Джин предстояло ночевать на раскладушке в комнате Кэрол, а Викторию Лиз попросила лечь с ней в их с Джеком спальне. Все эти люди были маленькой армией добровольцев, готовых сражаться за нее. Лиз чуть ли не впервые за весь день подумала о них с благодарностью и теплотой. Куда бы она ни заглянула, повсюду были ее друзья или родственники. Проходя по коридору, она видела, что Питер и Джессика разговаривают о чем-то в комнате одной из девочек, а Джеми сидит на коленях у Мег. Они были относительно спокойны — по крайней мере, никто из них не плакал, — и Лиз позволила Виктории отвести себя в спальню. Там она как подкошенная рухнула на кровать и лежала, неподвижно глядя в потолок.

— Что, если моя мать права, Вик? — спросила она наконец. — Что, если мне придется продать дом и закрыть нашу с Джеком фирму?

— Что, если русские объявят нам войну и разбомбят твой дом?! — фыркнула в ответ Виктория. — Ничего смешного — это вполне может случиться. Так вот, я хотела бы знать: ты начнешь собирать вещи немедленно или все-таки немного подождешь? Если паковать вещи сейчас, твои костюмы и платья непременно помнутся. Если ждать, когда на твой дом сбросят бомбу, то тогда от них вообще ничего не останется. Что ты предпочтешь, Лиз? Сейчас или потом? — Она улыбалась, и Лиз тоже рассмеялась — рассмеялась впервые за весь день, если не считать истерического хихиканья перед только что купленным гробом.

— Я вот что думаю, — добавила Виктория, — твоя мать действительно затронула важную проблему, однако сейчас решение тебе пока не по зубам, так что и волноваться по этому поводу совершенно незачем. Возможно, все утрясется само собой и в будущем ты с этим вообще не столкнешься. А если столкнешься, что ж... тогда и будешь решать. Что касается вашей с Джеком практики, то... Если перевести слова Хелен на нормальный человеческий язык, то она сказала тебе примерно следующее: она считает, что ты — скверный адвокат. Ленивый, неумелый, неопытный — такой, который не способен справиться ни с одним мало-мальски серьезным делом без посторонней помощи. Если ты с ней согласна, то тебе, безусловно, лучше из бизнеса уйти. Но на твоем месте я бы не торопилась. Джек несколько раз говорил при мне, что на самом деле ты, как адвокат, даже посильнее, чем он. Я точно знаю — он при этом нисколько не преувеличивал. Если хочешь знать, я придерживаюсь того же мнения. Согласись, я в этом разбираюсь. При всем моем уважении к способностям Джека, он иногда бывал поверхностен и не умел так глубоко вникать во все психологические тонкости и аспекты дела, как ты...

Говоря это, Виктория нисколько не кривила душой.. Помимо блестящего знания законов и богатой практики, Лиз умела разбираться в людях и была наделена своего рода шестым чувством — своеобразной интуицией, которая часто помогала ей развернуть на сто восемьдесят градусов самое запутанное, самое сложное дело, казавшееся заведомо проигрышным. Недостаток же агрессивности с лихвой компенсировался опытом и вниманием к деталям, чего Джеку иногда недоставало.

— Джек просто шутил... — сказала Лиз и почувствовала, как слезы снова подступили к глазам. Одной мысли о том, что Джека нет, было достаточно, чтобы нарушить ее хрупкое душевное равновесие. И никакие доводы разума и здравого смысла на нее не действовали. Лиз хотела, чтобы он был тут — и точка! В то, что он уже никогда не вернется, она не верила. Как же это может быть, если только вчера они с ним лежали в этой самой постели, если здесь они занимались любовью...

При воспоминании об их последней, полной нежности и страсти ночи слезы хлынули из ее глаз потоком. Как же все-таки страшно терять любимого человека! Как это страшно никогда больше не видеть его, не касаться его тела, не чувствовать на коже его нежных прикосновений! Боже, зачем Джек ушел? Зачем оставил ее? Без него ее жизнь была кончена, и Лиз была уверена, что никогда больше не сможет полюбить.

— Ты разбираешься в прецедентном праве лучше, чем все адвокаты, которых я знаю, — сказала Виктория, снова пытаясь отвлечь Лиз от ее горя. Она отлично понимала, о чем думает Лиз; ее мысли так ясно читались на лице и в глазах, что не имело никакого значения, говорила она что-то или молчала. — Просто манера Джека вести себя в суде была более эффектной. Мы оба больше работали на публику, и зачастую наше представление приносило успех. Но если разобраться как следует, ни Джек, ни я тебе и в подметки не годимся... — Виктория осеклась. Было очень трудно не упоминать о Джеке в каждом предложении. Ведь сейчас Виктория говорила об их жизни, общей жизни Джека и Лиз.

— Все равно Джек был отличным адвокатом, — упрямо сказала Лиз. — Только это его не спасло! Ведь буквально вчера утром я говорила ему, что Филипп Паркер может окончательно озлобиться, если мы загоним его в угол. Я была почти уверена в этом. Я только не знала, что этот подонок убьет и Аманду, и Джека тоже!..

Лиз снова залилась слезами, и Виктория села рядом на кровать и гладила ее по волосам до тех пор, пока приступ не прошел. Стоило, однако, затихнуть рыданиям, как в дверях спальни появилась Хелен.

— Как она? — Мать Лиз смотрела только на Викторию, словно ее дочь была без сознания или потеряла дар речи и не могла участвовать в разговоре. Впрочем, до некоторой степени так оно и было. Лиз, во всяком случае, казалось, что душа ее, отделившись от тела, наблюдает за происходящим в мире живых откуда-то с потолка.

— Я в порядке, мам. Все нормально, — тоскливо произнесла она. Ничего менее тривиального Лиз придумать не могла. Впрочем, вопрос, который задала ей мать, тоже не отличался оригинальностью. При других обстоятельствах Лиз предпочла бы, пожалуй, промолчать, но сейчас поступить так значило бы признать, что мать права, что ей не под силу справиться с ситуацией и что, следовательно, дом придется продать, а практику закрыть.

— Выглядишь ты не лучшим образом, — с упреком заявила Хелен, словно Лиз дурно подготовилась к важному экзамену. — Завтра тебе необходимо выглядеть пристойно, так что будь добра вымыть и уложить волосы. И не забудь воспользоваться косметикой, а то у тебя черные круги под глазами.

«Завтра я умру, поэтому мне наплевать», — хотела ответить Лиз, но промолчала. Ей и без того было слишком худо, чтобы еще ссориться с матерью. Семейные дрязги — этого им только недоставало! Нет, худой мир лучше доброй ссоры, рассудила она, к тому же детям было полезно увидеться со своими родственниками — с ее матерью, с братом, с родителями Джека и с его братом, который все-таки прилетел, хотя прежде они практически не поддерживали друг с другом никаких отношений. Пусть знают о поддержке семьи.

Хелен ушла, а Лиз и Виктория долго лежали вместе в одной кровати, разговаривая о Джеке и обо всем, что случилось. Вряд ли кто-нибудь из них сумел бы когда-нибудь забыть этот кошмар. За сегодняшний вечер Лиз разговаривала по телефону с несколькими людьми, которые говорили, что она *никогда* не сможет оправиться от этого внезапного и жестокого удара и что самое лучшее в ее положении — это как можно скорее вернуться к работе. Другие тоже советовали что-то в этом роде, но были более оптимистичны. Жизнь не кончена, говорили они. Главное, не замыкаться в себе, а идти в мир и жить нормальной жизнью, как живут все люди. Быть может, какое-то время спустя она снова сумеет выйти замуж и быть счастливой, добавляли самые смелые, но для Лиз это звучало почти как кощунство. Выйти замуж? Быть счастливой? И это после всего, что случилось? Да как они смеют говорить ей подобные вещи? Продать дом, переехать в город, купить собаку, завести любовника, прогнать любовника и завести другого, кремировать Джека, а пепел развеять над заливом, не пускать детей на похороны, обязательно взять детей на похороны — у каждого, с кем она разговаривала, был наготове один или несколько бесплатных советов. Лиз утомилась даже просто выслушивать их, не говоря уже о том, чтобы вникать в суть, спорить, возмущаться. Она знала только, что Джек ушел и она осталась один на один со своей болью. Все остальное не имело значения.

Всю эту ночь Лиз и Виктория проговорили и заснули только в пять утра. А в шесть в спальню пробрался Джеми и забрался к ним в кровать.

— А где папа? — сонно спросил он, устраиваясь рядом с матерью, и Лиз почувствовала, как вздрагивает его худенькое тельце. Неужели он забыл, задумалась она. Нет, вряд ли. Просто смерть отца нанесла ему такую глубокую психологическую травму, что подсознание мальчика самопроизвольно подавляет память об этом событии.

— Папа умер, Джеми. Один плохой дядя застрелил его.

— Я знаю, — неожиданно согласился Джеми и глубоко вздохнул. — Я хотел спросить — где он *сейчас.* — Он замолчал, и в его молчании угадывался упрек. «Как ты могла подумать, что я забыл?» — словно хотел он сказать, и Лиз грустно улыбнулась в полутьме.

— Сейчас он в зале для прощания. Мы поедем туда завтра. Но на самом деле папа давно на небесах, с богом. — Во всяком случае, она думала, что это так, и надеялась, что все, во что она всегда верила, — правда. Лиз надеялась, что Джек счастлив в том месте, куда он попал после смерти, и что когда-нибудь, когда она тоже умрет, они снова встретятся, — но это была только надежда. На самом деле Лиз все еще слишком хотела вернуть Джека, чтобы поверить в его смерть полностью и окончательно.

— А как он может быть сразу в двух местах?

— Папина душа — то есть все, что мы знали и любили в нем, — находится на небесах и в наших сердцах тоже. На земле осталось только его тело. Ну, знаешь, когда спишь, твое тело остается в кроватке, а сам ты путешествуешь где хочешь... — К горлу Лиз снова подкатил комок, и она не смогла продолжать, но Джеми, похоже, был удовлетворен.

— А когда я снова увижу его? — задал он следующий вопрос.

— Когда мы все отправимся на небо, милый. Но этого придется ждать довольно долго. Сначала надо вырасти, и не просто вырасти, а стать очень, очень старым...

— А почему плохой дядя застрелил папу?

— Потому что он очень рассердился, дорогой. Так рассердился, что сошел с ума. Кроме папы, он застрелил еще одну женщину, а потом убил себя, так что не волнуйся — он не явится сюда, чтобы причинить нам зло. — Последние слова Лиз добавила на всякий случай. Ей показалось, что Джеми думал именно об этом.

— А почему этот дядя так разозлился? Разве папа сделал ему что-нибудь плохое?

Ответить на этот вопрос было непросто, и Лиз ненадолго задумалась.

— Он разозлился потому, что наш папа действительно сделал ему одну вещь... — Она еще немного подумала, прежде чем продолжить. Как объяснить Джеми, что такое алчность, равнодушие, жестокость, — ведь за свои девять с небольшим лет он еще никогда не сталкивался ни с чем подобным? — Одним словом, — сказала она решительно, — папа пригрозил посадить его в тюрьму, потому что этот дядя плохо обращался со своей женой и со своими детками. Он не хотел давать им деньги на еду, и папа попросил судью, чтобы его либо отправили в тюрьму, либо заставили заплатить как положено.

— И он застрелил папу, чтобы не платить деньги?

— Вроде того.

— А судью он застрелил?

— Нет.

Джеми кивнул и надолго замолчал, обдумывая услышанное. Прошло сколько-то времени, он слегка расслабился, и Лиз крепче прижала его к себе. От всего, что у нее когда-то было, у Лиз остались только дети. О них она и должна была сейчас думать.

Но сказать это было гораздо проще, чем сделать. Наступивший день оказался гораздо более тяжелым, чем она ожидала. С самого утра вся семья отправилась в траурный зал. Дети разрыдались, как только увидели гроб, стоявший на небольшом мраморном постаменте. Рядом с гробом и на его крышке лежали живые цветы. Лиз хотела, чтобы это были белые розы, и теперь в воздухе плыл их тяжелый, густой запах, от которого у нее закружилась голова.

Довольно долгое время все молчали; в зале раздавались только приглушенные всхлипывания и рыдания. Потом Виктория и Джеймс увели детей; некоторое время спустя вышли и остальные родственники, и Лиз осталась один на один с закрытым гробом, в котором лежал человек, которого она любила на протяжении почти двух десятков лет.

— Как это могло случиться? — прошептала она, опускаясь рядом с гробом на колени. — Как мне жить без тебя?..

Она стояла на коленях на толстом ковре, положив руку на прохладное полированное дерево, и слезы текли по ее щекам. Лиз было невыносимо тяжело — намного тяжелее, чем она могла себе представить, чем она могла выдержать. Но теперь у нее не было другого выхода. Она должна была вынести все если не ради себя, то хотя бы ради их с Джеком детей.

Кто-то тронул ее за плечо. Это была Виктория, которая пришла за ней, и Лиз поняла, что стоит здесь уже довольно долго. Кивнув подруге, она с трудом поднялась на ноги и вышла наружу, где ее дожидались остальные. Они собирались зайти куда-нибудь, чтобы перекусить. Лиз тоже поехала с ними, но есть ей не хотелось. С отрешенным спокойствием она наблюдала за тем, как Питер поддразнивал сестер, стараясь хоть немного развлечь, и даже выдавила из себя улыбку, когда дети в конце концов стряхнули с себя мрачное оцепенение и разговорились. И все же Лиз не могла не заметить, что за прошедшую ночь все пятеро — включая Джеми — как-то вдруг повзрослели. Во всяком случае, они старались держаться, старались быть сильными, чтобы не быть обузой для остальных.

После того как они съели по гамбургеру и запили его кока-колой, Кэрол отвезла детей домой, а взрослые родственники вернулись в траурный зал. Почти до самого вчера не иссякал поток желающих проститься с Джеком. Люди приходили, чтобы отдать ему последний долг, выразить свое сочувствие Лиз, просто поплакать и поговорить друг с другом за пределами траурного зала. Вся церемония неожиданно напомнила Лиз бесконечный прием — только без коктейлей, со слезами вместо смеха и с Джеком, лежащим в тяжелом гробу. Она все ждала, что вот сейчас крышка откинется в сторону, Джек поднимется и скажет, что все это была просто неудачная шутка, он и не думал умирать, но ничего не происходило, и постепенно Лиз утверждалась в мысли, что он ушел от нее навсегда.

Второй день в траурном зале был похож на предыдущий. К концу его Лиз отупела от усталости и была близка к истерике, однако внешне она казалась внимательной и настолько собранной, что многие даже подумали, будто она приняла какое-то сильнодействующее успокоительное лекарство. Но Лиз не стала принимать таблетки, хотя Виктория и рекомендовала ей какое-то проверенное средство. Словно автомат, она бездумно выполняла то, чего от нее ожидали, но мысли ее были очень далеко.

Утро понедельника выдалось на удивление погожим и солнечным. Как и накануне, Лиз встала ни свет ни заря и приехала в траурный зал задолго до назначенного часа, чтобы побыть с Джеком наедине. Она дала себе слово, что не станет открывать гроб, но сейчас ей очень хотелось сделать это, чтобы взглянуть на него в последний раз. Больше того: Лиз казалось, что она _должна_ сделать это, но ей так и не хватило решимости позвать служителей и попросить снять крышку. Наверное, это было к лучшему, потому что образ Джека, лежащего в гробу, преследовал бы ее до конца жизни, а так она запомнила его живым, улыбающимся, любящим. И не имело значения, что в последний раз она видела его сначала на полу в офисе, а потом — на носилках в машине «Скорой помощи», потому что это были лишь короткие эпизоды, ступени на пути от жизни к смерти.

В конце концов Лиз тихо вышла из траурного зала и поехала домой. Когда она вошла, оказалось, что дети — вместе с обоими своими дядьями, дедушкой и двумя бабушками — собрались в гостиной и ждут ее. Хелен была в черном брючном костюме; девочки надели платья цвета морской волны с глухим воротом, Питер впервые облачился в темно-синий костюм, купленный ему Джеком на день рождения, а Джеми был в темно-серых фланелевых брюках и блейзере. Что касалось Лиз, то она еще утром решила надеть свое старое черное платье, которое Джек любил больше всего, и черный кардиган, который одолжила ей Джин.

— Я готова, — просто сказала Лиз. — Можно ехать.

Служба в церкви Сент-Хилари была очень красивой и трогательной. Кафедра и распятие были украшены живыми цветами, в позолоченных канделябрах горели свечи, играла тихая музыка, и священник читал заупокойные молитвы. Многие из присутствующих плакали, но Лиз сумела сохранить спокойствие до самого конца службы, которая, к счастью, оказалась короткой. Зато все последующее представлялось ей каким-то хаосом. В зале ресторана, который Джин и Кэрол сняли для того, чтобы приглашенные могли перекусить, собралось больше ста человек, не считая официантов. От шума и духоты у Лиз разболелась голова. Потом были похороны, от которых у нее не осталось вообще никаких воспоминаний, кроме ощущения непереносимой, ослепляющей боли. Лиз смутно помнила, как положила на гроб красную розу и поцеловала блестящее темное дерево. Кто-то взял ее под руку и увлек в сторону; кажется, это был Питер, но Лиз почему-то чувствовала только узкую прохладную ладошку Джеми в своей руке. Затем ее куда-то везли, о чем-то спрашивали, и она, кажется, отвечала, но подробности поездки совершенно стерлись из ее памяти. Более или менее Лиз пришла в себя только дома, когда настала пора прощаться с родственниками. Брат Джека улетал обратно в Вашингтон, его родители возвращались в Чикаго, а брат Лиз уехал в Нью-Йорк еще раньше. Виктория тоже собиралась съездить домой. Она обещала, что завтра заедет к Лиз вместе с мальчиками. Джин предстояло заниматься делами, поэтому они с Лиз решили, что ей тоже лучше ночевать дома. Только Хелен оставалась на ночь; впрочем, билет на самолет был уже у нее в кармане, и завтра утром ей нужно было спешить в аэропорт. Лиз таким образом оставалась совершенно одна, и одной ей предстояло жить дальше.

Когда дети разошлись по спальням, Лиз и ее мать спустились в гостиную. Рождественская елка все еще стояла в углу, но разноцветные лампочки были погашены, а мишура и блестки странным образом потускнели и уже не выглядели атрибутами праздника. Даже хвоя, которая еще совсем недавно была ярко-зеленой и свежей, казалась какой-то поникшей.

— Я очень тебе сочувствую, — сказала Хелен, потрепав Лиз по руке. Десять лет назад она тоже потеряла мужа — отца Лиз, — но ему, во-первых, было семьдесят пять, а во-вторых, он скончался после долгой болезни. У Хелен было время смириться с неизбежным, да и дети их давно выросли. И все же она очень переживала, когда ее муж умер, однако ее боль не шла ни в какое сравнение с тем, что испытывала Лиз. И Хелен это понимала.

— Мне очень жаль, — добавила она, и по ее щекам потекли слезы. Лиз тоже заплакала, и обе долго молчали. Говорить было не о чем, поэтому они просто сидели в гостиной, и каждая думала о своем. Потом Хелен вдруг встала и порывисто обняла дочь, и — впервые со времени рождения Джеми — Лиз почувствовала, что мать любит ее.

Этого оказалось достаточно, чтобы она простила Хелен все. Страшное горе, которое обрушилось на Лиз, странным образом примирило ее с матерью, заставило забыть обиды, и Лиз была благодарна судьбе за это.

— Спасибо, мама... Хочешь чаю? — спросила она наконец, и они вместе прошли в кухню. Когда они сели за стол, чтобы вместе выпить чаю с остатками печенья, Хелен снова спросила дочь, планирует ли она переезжать.

Услышав эти слова, Лиз невольно улыбнулась. На этот раз вопрос матери не вызвал в ней раздражения. С Лиз что-то произошло: у нее словно открылось второе, внутреннее зрение, и она поняла — настойчивость Хелен есть не что иное, как способ показать, что она тоже волнуется и переживает. Она хотела знать, что с Лиз все будет в порядке, и не просила, а буквально *требовала*, чтобы та успокоила ее.

— Я пока не знаю, но мне почему-то кажется, что мы как-нибудь справимся, — сказал Лиз, печально улыбнувшись. За годы совместной жизни им с Джеком удалось отложить довольно много денег, к тому же Джек застраховал свою жизнь на значительную сумму. На крайний случай у нее была ее юридическая практика. Так что голодная смерть ей и детям не грозила, да и дело-то было не в деньгах — дело было в том, чтобы научиться жить без Джека.

— Мне не хочется ничего менять, во всяком случае — теперь. Это может плохо отразиться на детях, — добавила она, немного подумав.

— Как тебе кажется, можешь ты со временем снова выйти замуж? — спросила Хелен, и Лиз снова улыбнулась. Мать изо всех сил старалась быть деликатной, но у нее это плохо получалось.

— Вряд ли, — сказала она, покачав головой. — Я просто не представляю, как я выйду замуж за кого-то другого... — Голос ее дрогнул, и она поспешно прикусила губу, чтобы не разреветься. — И вообще я не знаю, как я буду жить без него!..

— Но ты должна... Должна ради детей! — воскликнула Хелен. — Сейчас ты нужна им больше, чем когда-либо. Может быть, тебе стоит временно отказаться от практики и побыть дома с ними?

Но Лиз не могла себе этого позволить, и Хелен прекрасно это понимала. Все дела, все клиенты теперь были целиком на ее ответственности, и Лиз не могла просто так взять и устроить себе каникулы, как бы она в них ни нуждалась. Их с Джеком клиенты доверяли им, рассчитывали на них. Лиз не могла их подвести.

— Я не могу закрыть контору, мама, — сказала она. — Ведь я отвечаю за тех, кто к нам обратился.

— Ты хорошо подумала, милая моя? — Хелен прищурилась и достала из сумочки сигареты и зажигалку. Курила она редко — особенно в последнее время, — но Лиз почему-то чаще всего представляла себе мать именно с дымящейся сигаретой в пальцах. — Знаешь поговорку: по одежке протягивай ножки.

Она вздохнула и, запрокинув голову, пустила к потолку тоненькую струйку дыма, но Лиз заметила, что в глазах Хелен тоже блестят слезы. Все-таки у нее были и сердце, и душа; просто ее высказывания зачастую были слишком резки и рассчитаны на немедленное решение вопроса, причем раз и навсегда. Таковы были ее первые побуждения, и это приводило к недоразумениям и непониманию между ними. В большинстве случаев Хелен желала дочери добра, но не умела правильно выбрать слова, чтобы выразить свои мысли и чувства.

— Ничего, как-нибудь справлюсь.

— Хочешь, я останусь и поживу с тобой немножко?

От неожиданности Лиз потеряла дар речи. За последние несколько часов Хелен успела уже несколько раз удивить ее. Лиз просто терялась в догадках, какие еще сюрпризы мать может ей преподнести. Но, немного подумав, она отрицательно покачала головой. Если бы Хелен осталась, Лиз пришлось бы заботиться и о матери тоже, а она еще не знала, хватит ли ей сил на собственных детей.

— Нет, спасибо. Если мне будет нужна помощь, я тебе позвоню. Обещаю...

Две женщины протянули друг другу руки через стол и несколько минут сидели молча. Потом Хелен затушила дымившуюся в пепельнице сигарету и пошла ложиться. Лиз немного задержалась, чтобы поставить чашки в посудомоечную машину. Когда она уже собиралась спать, ей позвонила Виктория. Подруга хотела знать, как она себя чувствует, и Лиз ответила, что все в порядке, но обе знали, что это не так. Было уже совсем поздно, когда Лиз поднялась к себе и легла, но сон не шел, и почти всю ночь она плакала и думала о Джеке.

Хелен уехала в аэропорт рано утром, и Лиз осталась с детьми одна. До самого обеда она бесцельно слонялась по дому, не находя себе места; дети тоже сидели скучные, и только предложение Кэрол, пообещавшей свозить всех в парк поиграть в кегли, вызвало слабый всплеск энтузиазма. После обеда они действительно уехали, а Лиз отправилась в кабинет Джека, чтобы разобрать его бумаги. Джек всегда отличался некоторой безалаберностью, и она была приятно удивлена, обнаружив, что бумаги и документы в его столе аккуратно разложены по папкам, и каждая снабжена специальной этикеткой. Она без труда нашла завещание, страховой полис, оплаченные счета и некоторые другие документы, необходимые для оформления наследственных прав. Никаких неприятных сюрпризов, ничего, что могло бы ее обеспокоить или хотя бы насторожить, ни в столе, ни в маленьком, встроенном в стену сейфе Лиз не нашла и вздохнула почти с облегчением. По крайней мере, ей не нужно было начинать никаких тяжб с организациями, фирмами и частными лицами, отстаивая свои интересы и интересы своих детей. Джек, словно что-то предчувствуя, позаботился обо всем заранее.

Стоило Лиз подумать об этом, как в глазах у нее защипало, и очередная папка с документами выпала у нее из рук. Ей очень не хватало Джека — больше, чем она могла себе вообразить. С его смертью она как будто лишилась доброй половины собственного «я», перестала быть целым человеком. Как с этим можно справиться, Лиз не знала.

Она снова проплакала несколько часов кряду, и когда Кэрол и дети вернулись из парка, на Лиз было страшно смотреть. Ноги не держали ее, однако лечь она отказалась и, придя на кухню, села на табурет и стала молча смотреть, как Кэрол готовит ужин — гамбургеры и жареную картошку. (Индейку они выбросили сразу после Рождества, так как Лиз было страшно подумать о том, чтобы просто взглянуть на нее, не говоря уже о том, чтобы ее готовить.)

В девять дети уже разошлись по своим комнатам. Лиз тоже попыталась лечь пораньше, но около полуночи Джеми проснулся и прибрел к ней в спальню. После непродолжительных уговоров Лиз все же уложила его в свою постель, и это неожиданно принесло ей некоторое утешение. Джеми был таким теплым и так доверчиво прижимался к ее боку, что Лиз невольно подумала — ради него, ради других детей она обязана вынести все, что выпало на ее долю. Пусть даже в жизни ее не ждало ничего, кроме ежедневного тяжкого труда и громадной ответственности.

Следующая неделя тянулась невыносимо медленно. Начались рождественские каникулы, и дети не ходили в школу. Это только усугубляло всеобщее уныние и подавленность. В воскресенье — ровно десять дней после гибели Джека — они всей семьей отправились в церковь, надеясь обрести там некоторое подобие мира, но даже после того, как они высидели полную службу, горечь потери нисколько не ослабела. Все происшедшее по-прежнему воспринималось как тяжелый, удушливый кошмар.

В понедельник Лиз специально встала пораньше, чтобы самой приготовить детям завтрак и отвезти их в школу. Питер давно ездил в школу самостоятельно и иногда отвозил туда сестер, но сегодня он хотел заехать за Джесси-кой, и Лиз с легким сердцем отпустила его. Чем больше забот — тем лучше, решила она, усажи-вая девочек и Джеми на задние сиденья их вось-миместного фургона, который Джек в шутку на-зывал школьным автобусом.

Школа, где учились Меган, Рэчел и Энни, была совсем недалеко. Лиз доехала туда меньше чем за пять минут и, высадив их у ворот, повез-ла Джеми в его специальную школу, где занятия начинались на полчаса позже. Как обычно, она остановилась на стоянке перед школьным зда-нием. Джеми всегда ездил учиться с радостью, но сейчас почему-то не торопился вылезать из машины. Наконец он открыл дверцу и, спрыг-нув на землю, повернулся к Лиз.

— Скажи, мам, должен я сказать в классе, что папа умер? — спросил он, прижимая к груди но-венький ранец, который подарила ему на Рож-дество Рэчел.

— Учителя уже знают, — ответила Лиз. — Я специально звонила им, чтобы они были в курсе. Кроме того, об этом писали в газетах. Если тебя кто-то спросит, можешь просто ска-зать, что не хочешь разговаривать на эту тему. Думаю, этого будет достаточно.

— А они знают, что человек, который застре-лил папу, был плохой?

— Думаю, знают. — Разговаривая с учитель-ницей Джеми, Лиз попросила позвонить ей или Кэрол, если сын вдруг запросится домой, но — как и остальные ее дети — он, похоже, справлялся с ситуацией значительно лучше, чем она ожидала.

— Если захочешь поговорить со мной, — добавила она, — просто скажи своей учительнице мисс Грин, и она проводит тебя к телефону.

— А можно мне будет вернуться домой пораньше, если я захочу? — с тревогой спросил Джеми.

— Конечно, милый, только, боюсь, дома тебе будет скучно. Я собираюсь на работу, так что, пока не вернутся девочки, тебе придется побыть с Кэрол. — Она улыбнулась. — Не волнуйся, малыш; вот увидишь — в школе, с друзьями тебе будет намного веселее.

Джеми кивнул и сделал шаг по направлению к школе, но снова остановился.

— А вдруг тебя тоже кто-нибудь застрелит, как папу? — спросил он, и его большие темные глаза мгновенно наполнились слезами.

Лиз как можно решительнее покачала головой.

— Этого не случится, обещаю! — сказала она и, протянув руку, погладила сына по щеке. Но на самом деле она, конечно, не могла обещать ему этого. После трагической гибели мужа Лиз больше не чувствовала себя застрахованной от всякого рода печальных неожиданностей. Не то чтобы она всерьез боялась, что какой-нибудь разочарованный клиент может явиться к ней в контору с ружьем, но ведь нельзя отрицать, что в ее жизни появилось ощущение зыбкости и ненадежности, от которого вряд ли скоро удастся избавиться.

— Со мной все будет в порядке, — добавила она. — И с тобой тоже. Увидимся вечером, ладно?

Джеми кивнул и, повернувшись, медленно побрел к школе. Лиз, провожавшая его взглядом, почувствовала, как все тяжелее и тяжелее становится у нее на сердце. Это состояние было уже почти привычным для нее. Во всяком случае, в то, что она когда-нибудь снова сможет радоваться и веселиться, Лиз верилось с трудом. Смерть Джека казалась ей бременем, которое и она, и дети обречены нести до конца своих дней.

В том, что ей еще очень долго не удастся прийти в себя, Лиз, по крайней мере, не сомневалась. Что касалось детей, то ей хотелось верить, что со временем они сумеют привыкнуть к своему новому положению. Хотя сколько бы лет ни прошло и чтобы ни случилось, у них никогда не будет другого отца, а у нее — другого мужа. Потеря, которую они все пережили, была невосполнимой. При каждом упоминании о Джеке они всегда будут испытывать боль.

Лиз так глубоко ушла в свои невеселые размышления, что дважды проехала на красный свет и остановилась, только когда перед самым капотом ее машины возник полицейский с сигнальным жезлом.

— Вы что, ослепли, что ли?.. — рявкнул он, когда Лиз опустила боковое стекло. — Вы проехали на красный! Не жалеете себя, так пожалейте других!

Слова эти не сразу дошли до Лиз. Когда она наконец поняла, в чем дело, она извинилась, не замечая, что слезы ручьями катятся по ее щекам. Полицейский долго и внимательно рассматривал сначала водительскую лицензию Лиз, затем — ее, потом повернулся и зашагал к стоявшей на обочине полицейской машине. На полдороге он остановился, очевидно, припомнив ее фамилию, которая в последнее время достаточно часто звучала в передачах новостей. Вернувшись к машине Лиз, коп с сочувствием покачал головой.

— Вам не следует садиться за руль в таком состоянии, — сказал он, возвращая ей водительскую лицензию. — Куда вы направлялись?

— На работу.

— Примите мои соболезнования, миссис Сазерленд, — сказал полицейский, поймав ее взгляд. — Но я не могу разрешить вам ехать дальше одной. Сообщите мне адрес того места, где вы работаете, и я провожу вас.

Лиз назвала ему адрес их офиса. Полицейский кивнул и, сев в свою машину, включил мигалку на крыше. Сделав ей знак следовать за машиной, он медленно отъехал от тротуара, и Лиз не оставалось ничего другого, как последовать за ним. Стараясь держаться за полицейским автомобилем, Лиз снова не сдержала слез. Она бы предпочла, чтобы коп не узнал ее: даже равнодушие было для нее предпочтительнее, чем сочувствие постороннего человека. Но не могла же она заявить, что внимание полицейского ей неприятно!

На стоянке напротив здания, где располагался ее офис, полицейский затормозил. Подойдя, он помог Лиз выйти из машины и, пожимая ей на прощание руку, сказал:

— Постарайтесь все же в ближайшее время не садиться за руль без крайней необходимости. В таком состоянии вы легко можете попасть в аварию. Дайте себе время, миссис Сазерленд, подождите, пока все нормализуется.

С этими словами он сочувственно похлопал ее по руке и уехал, а Лиз, поспешно вытерев слезы, поднялась к себе в офис.

Она не была здесь с того дня, как погиб Джек. Одна мысль о том, что она снова увидит забрызганные кровью стены и ковер с кровавым пятном на полу, пугала ее чуть не до потери сознания, но все оказалось не так страшно. Умница Джин не сидела сложа руки и сумела привести офис в порядок. Она заменила ковер на новый и велела заново выкрасить стену, на которой запеклась кровь Филиппа Паркера. Теперь в комнате не осталось ничего, что бы напоминало о происшедшей здесь трагедии.

— Уж не полицейскую ли машину я видела на стоянке пару минут назад? — спросила Джин, когда Лиз вошла в контору. — Что им от вас надо?

Она выглядела озабоченной, и Лиз улыбнулась. Она хотела поблагодарить Джин за все, что та сделала, но говорить было по-прежнему трудно. К счастью, Джин поняла ее без слов. Кивнув, она вернулась к своему столику, чтобы приготовить Лиз кофе.

Лишь после того, как Лиз выпила полчашки, к ней вернулся дар речи.

— По пути сюда я два раза проехала на красный свет, — объяснила она. — Все могло кончиться скверно, если бы коп меня не узнал. Он был настолько любезен, что проводил меня. И еще он посоветовал мне некоторое время вообще не водить машину.

— В этом есть свой резон. — Джин нахмурилась.

— А как ты предлагаешь мне добираться до работы? — возразила Лиз. — Нанять лимузин с шофером, словно я кинозвезда или главарь мафии?

— Но вы всегда можете взять такси! — сказала Джин.

— Но это же глупо! В конце концов, я живу не так уж далеко.

— Будет еще глупее, если вы станете упорствовать. Вы ведь можете кого-нибудь задавить. В таком состоянии действительно *не стоит* садиться за руль!

— Я в порядке! — возмутилась Лиз, но слова эти даже ей самой показались неубедительными. — Ладно, давай работать, — добавила она и вздохнула. Ей было очень трудно сосредоточиться на чем-то, кроме своей боли, но она должна пересилить себя. Только работа могла спасти ее.

Как оказалось, Джин уже провела кое-какую подготовительную работу. Она обзвонила клиентов и отменила все встречи и все слушания, за исключением самых важных, отложить которые было нельзя. К счастью, эти слушания были запланированы на конец недели, так что у Лиз было в запасе еще немного времени, чтобы поработать с документами и определить стратегию ведения дела. Начала она с того, что продиктовала Джин письмо, в котором разъясняла обстоятельства гибели Джека. Письмо следовало разослать всем постоянным клиентам и тем, чьи дела сейчас находились в работе. Хотя трудно было предположить, чтобы кто-то из них оказался не в курсе. На протяжении всех рождественских каникул не было ни дня, чтобы об этом не писалось в газетах и не упоминалось в телевизионных программах новостей. Впрочем, существовала вероятность, что кто-то из клиентов уезжал на Рождество в другой город.

В письме Лиз сообщала, что отныне будет работать одна, и просила клиентов своевременно расторгнуть с нею контракт, если по какой-либо причине это их не устроит. Далее она добавляла, если кто-то захочет, чтобы она и дальше представляла его интересы, она готова вести дела, делая все, что в ее силах. Кроме этого письма, Лиз распорядилась отправить открытки со словами признательности всем, кто присылал ей цветы или звонил, чтобы принести свои соболезнования.

И она сама, и Джин были вполне уверены, что, за несколькими возможными исключениями, основная масса клиентов останется при ней. Но, пожалуй, для Лиз это было бы слишком тяжело. Что бы она ни говорила матери, реальность состояла в том, что Лиз могла просто физически не справиться с таким количеством работы. Ведь со смертью Джека ее нагрузка возросла почти вдвое, но дело было не только в этом. Главное, Лиз потеряла человека, который всегда был готов поддержать ее не только советом и делом, но и одним своим присутствием. Джек давал ей силы и энергию, а теперь Лиз могла рассчитывать только на себя.

— Как думаешь, я справлюсь? — спросила она у Джин. Рабочий день не перевалил еще и за половину, а она уже чувствовала себя как выжатый лимон.

— Безусловно, справитесь, — уверенно ответила Джин. Она хорошо знала, что Лиз была отличным адвокатом, способным с успехом действовать самостоятельно. Конечно, работать в паре с Джеком ей было бы легче, однако дело было не только в той помощи, которую он подчас ей оказывал. С его смертью Лиз утратила уверенность в себе, утратила мужество и своеобразный кураж, без которого не может обойтись ни один адвокат. Она так и сказала Джин, но секретарша только покачала головой.

— Вот увидите — вы справитесь, — повторила

она. — А я сделаю все, что смогу, чтобы помочь вам.

— Я знаю, Джин, знаю, — вздохнула Лиз. — Ты и так уже сделала для меня гораздо больше, чем любой другой человек на твоем месте. — Она бросила взгляд на новенький ковер, потом снова посмотрела на Джин, и глаза ее наполнились слезами. — Спасибо... — прошептала она и, поднявшись, пошла в кабинет Джека, чтобы разобрать дела.

В половине шестого вечера Лиз все еще работала. Наконец ей пришлось буквально заставить себя убрать папки в сейф — до завтра. Ей не хотелось возвращаться домой слишком поздно, потому что она знала, что дети будут ее ждать. Но работы все еще оставался непочатый край. Она могла бы в течение месяца сидеть в конторе сутками напролет и все равно не переделать всего. Лиз взяла домой полный кейс бумаг, чтобы проглядеть их перед сном, но это была капля в море. Кроме того, в конце недели ей предстояло защищать интересы клиентов в суде, а к этому тоже надо было готовиться.

Когда Лиз вернулась, ей сразу показалось, что в доме как-то необычно тихо. Она даже решила, что дома никого нет, но, заглянув в кухню, обнаружила Кэрол и Джеми. Кэрол только что испекла печенье с шоколадной глазурью, и Джеми задумчиво грыз одно из них, запивая молоком. Он даже не посмотрел на мать и не сказал ей ни слова, и Лиз почувствовала, как сердце ее сжимается от жалости и беспокойства.

— Как дела в школе, дорогой? — спросила она, делано улыбаясь сыну.

— Не очень хорошо, — честно ответил Джеми. — Мне было очень грустно. Одна учительница даже плакала; она сказала, что ей жалко нашего папу.

Лиз кивнула. Она отлично понимала, что чувствует Джеми. За сегодняшний день она сама несколько раз начинала плакать, когда посторонние выражали ей свое сочувствие. Полицейский, мальчик-посыльный, который принес ей бутерброды в офис, аптекарь, к которому она зашла, чтобы получить лекарство для Джеми, еще несколько знакомых, встреченных на улице, — все они руководствовались самыми лучшими побуждениями, но от этого Лиз было не легче. Стоило кому-то сказать, что он сожалеет, и Лиз не могла сдержать рыданий. Это слово буквально убивало ее. Пожалуй, ей было бы легче, если бы все они молчали или делали вид, будто ничего не произошло.

— Как остальные? — спросила Лиз у Кэрол, опуская на стул кейс с бумагами, принадлежавший ее мужу.

— А зачем ты взяла папин портфель? — неожиданно спросил Джеми, беря из вазочки еще одно печенье.

— Мне нужно было просмотреть кое-какие его бумаги, — ответила Лиз, и Джеми удовлетворенно кивнул.

— Рэчел плакала, — сказала Кэрол. — Но

Меган и Энни, как обычно, звонили своим уха-жерам. Питер еще не возвращался.

— Он обещал научить меня кататься на моем новом велосипеде, а сам не учит, — вставил Джеми и погрустнел еще больше. В самом деле, все это время его красный велосипед сиротли-во стоял в углу гостиной; лишь изредка мальчу-ган подходил к нему, трогал черное кожаное седло или педали и вздыхал.

— Может быть, сегодня поучит, — сказала Лиз, желая утешить сына, но Джеми печально покачал головой и отложил в сторону недо-еденное печенье. Как и остальные, в последнее время он совершенно потерял аппетит и даже как будто немного похудел.

— Я не хочу учиться кататься, — заявил он. — *Больше* не хочу...

— О'кей, — кивнула Лиз и, погладив Джеми по волосам, наклонилась, чтобы поцеловать в щеку. Он не отстранился, но и не прильнул к ней, как бывало, и Лиз почувствовала, что у нее снова защемило сердце. К счастью, в этот мо-мент в кухню вошел Питер, который немного отвлек ее от грустных мыслей.

— Привет, Пит, — сказала она. Спрашивать, как прошел день, Лиз не стала — она отлично видела это по его лицу. Питер был мрачен и се-рьезен; казалось, за прошедшие дни он повзрос-лел лет на пять, если не больше. Пожалуй, это произошло со всеми ее детьми, и не только с ними: Лиз и самой подчас казалось, что ей те-перь не меньше ста лет.

— Привет, мам. Мне нужно тебе кое-что сказать.

— Вот как? Плохие новости, сынок? — Лиз вздохнула. Она не сомневалась, что новости плохие. Ничего хорошего Лиз уже не ждала. Опустившись за стол, она машинально придвинула к себе вазочку с печеньем и остатки молока Джеми. Есть ей не хотелось, но следовало немного подкрепиться. Силы ей еще понадобятся.

— По пути из школы я попал в аварию.

— Ты никого не ранил? — Лиз говорила спокойно, но все ее существо словно оцепенело от ужаса. Неужели недостаточно всего, что уже произошло? Неужели нужно окончательно сломить ее?

— Нет, просто помял чужую машину. В общем-то пустяк: я зацепил припаркованный автомобиль и разбил крыло и фару.

— Ты оставил владельцу записку с твоим адресом?

Питер кивнул в ответ.

— Да, разумеется.

— Вот и хорошо. Я сама сегодня не заметила целых _два_ красных сигнала светофора, если тебя это утешит. Полицейский, который остановил меня, сказал, что мне не следует некоторое время садиться за руль. Может быть, и тебе тоже стоило бы пока загнать машину в гараж?

— Но как же я обойдусь без машины? Мне же нужно бывать в разных местах...

— Я знаю, дорогой. Мне и самой необходимо

постоянно ездить — на работу, в суд, в магазин, в школу... Знаешь, как мы поступим? Давай договоримся, что впредь будем особенно осторожны, ладно?.. — Питер ездил на подержанном «Вольво», который Джек купил ему в прошлом году. Это была солидная, надежная, устойчивая машина, и сейчас Лиз была рада, что на ней нельзя гонять со скоростью сто пятьдесят миль в час. У нее самой тоже был «Вольво», только поновее, а Кэрол ездила на «Форде» пятнадцатилетней давности, который, надо сказать, выглядел так, словно только что сошел с конвейера. Еще у них был восьмиместный фургон, в котором они возили детей в школу, а также новенький «Лексус» Джека. Этот автомобиль стоял в гараже, и Лиз знала, что вряд ли когда-нибудь сможет ездить на нем. Продать его у нее тоже не поднималась рука. Лиз решила, что они просто сохранят машину как память о Джеке. Сама мысль о том, чтобы избавиться от вещей Джека, была ей неприятна. Уже несколько раз — иногда даже по ночам — она заходила в кладовую, где висели его костюмы, и вдыхала их запах — такой родной и такой знакомый, что хотелось плакать. Про себя Лиз уже решила, что никогда и ни за что не расстанется ни с чем из его вещей — пусть это будет даже носовой платок или галстук. Правда, многие настоятельно советовали ей избавиться от этих вещей как можно скорее, но Лиз не собиралась следовать их рекомендациям. Подобный поступок казался ей предательством.

Вскоре после этого Кэрол подала ужин, и в кухню спустились девочки. Они молча сели за стол, и довольно долгое время никто из них не произносил ни слова, хотя Лиз и предпринимала попытки их разговорить. Должно быть, со стороны они напоминали группу людей, уцелевших после катастрофы «Титаника», — это сравнение внезапно пришло Лиз на ум, но она не решилась высказать свою мысль вслух. Они и в самом деле как будто пережили кораблекрушение и оказались выброшенными на необитаемый остров. Каждый прожитый день давался им огромным напряжением сил.

— Может быть, кто-нибудь все-таки расскажет мне, как дела в школе? — спросила она наконец, глядя на недоеденный картофель в тарелках детей. Картошка была очень вкусная, но ни девочки, ни Джеми практически не тронули ее. Только Питер притворялся, что голоден, но выходило это у него не очень убедительно. Обычно он всегда просил добавки, а сегодня не соблазнился даже поданным на десерт клубничным мороженым.

Как бы там ни было, на вопрос матери дети отреагировали неожиданно живо — должно быть, потому, что, отвечая ей, они могли не принуждать себя есть.

— Паршиво. День прошел ужасно, — заявила Рэчел, и Энни согласно кивнула.

— Все спрашивали, как все случилось, видели ли мы папу *после* этого и плакали ли мы на похоронах, — добавила Меган. — Это было отвратительно!

— Ну, я думаю, ваши друзья расспрашивали вас не из любопытства, а из добрых побуждений. Они хотели утешить вас, просто не знали — как, — сказала Лиз, от души надеясь, что ей удалось заронить в их сердца искру сомнения в злонравии и порочности окружающих. — Ну а нам... нам нужно держаться, нужно пережить это.

— Я не хочу больше ходить в школу, — твердо заявил Джеми. Лиз чуть было не сказала, что он *обязан* учиться, но тут ей внезапно пришло в голову, что, может быть, сыну и вправду необходимо немного побыть дома, чтобы успокоиться. Не будет большой беды, если он пропустит несколько дней.

— Что ж, — негромко проговорила она, — я попрошу Кэрол, чтобы она посидела с тобой, пока я буду на работе.

Едва только она произнесла эти слова, как девочки дружно подняли головы и вопросительно уставились на нее.

— А можно я тоже останусь дома? — спросила Рэчел.

— И я?.. — присоединилась Энни.

Лиз растерялась. Не могла же она, в самом деле, взять и сказать им: «Можно»? Но неожиданно ей на помощь пришел Питер.

— Вы уже большие, — сказал он, — и я думаю, вы в состоянии потерпеть. Да и Джеми, мне кажется, скоро соскучится и сам запросится в школу.

Питер никому не сказал, что сам он, не выдержав неловкого участия одноклассников, не пошел на последние два урока, а просидел это время в спортивном зале. Там его нашел преподаватель гимнастики, с которым они проговорили почти час. Преподаватель был совсем молодым — всего на десять лет старше Питера, к тому же он сам недавно потерял отца и знал, что это такое, не понаслышке. После этого разговора Питеру стало легче, но только чуть-чуть: боль, которую он испытывал, ничто не в силах было заглушить.

— Никто и не говорил, что нам будет легко, — вздохнула Лиз. — Но раз уж на нашу долю выпало такое, остается терпеть да держать нос повыше. Мне кажется, папа был бы очень доволен, если бы мы вели себя мужественно и не распускали сопли. Настанет время, и мы снова сможем радоваться жизни.

— А когда это будет? — тут же спросила Энни. — Как долго нам придется терпеть? До конца наших жизней?..

У нее был такой жалобный вид, что Лиз отчаянно захотелось утешить ее, но врать или выдумывать она не собиралась.

— Сейчас нам действительно кажется, что мы до конца жизни не сможем ни радоваться, ни веселиться, — сказала она. — И боль, которую мы испытываем, пройдет не скоро. Наверное, мы долго еще будем страдать — сколько, я не знаю. Могу сказать только одно: это не может — не должно — длиться вечно!

Эти слова, похоже, немного успокоили детей, но когда они разошлись по комнатам, Лиз, прислушиваясь к царившей в доме противоестественной тишине, вдруг подумала, что она и сама не очень-то верит в то, что только что сказала. И все же они должны были во что бы то ни стало пережить то, что на них свалилось, — пережить или сломаться.

В эту ночь Джеми снова пришел к ней в спальню. Он молча забрался под одеяло, и у Лиз не хватило мужества отослать его обратно. Ей было слишком страшно спать одной в этой широкой кровати, в этой комнате, где все напоминало о Джеке. Присутствие младшего сына помогало ей отвлечься. Но сегодня — стоило ей только потушить ночник — она снова начала думать о том, как же сильно ей не хватает Джека. Ворочаясь с боку на бок, Лиз спрашивала себя и его — если, конечно, он мог слышать ее там, где он сейчас находился, — сумеет ли она пережить все это? Но ответ так и не пришел. Из ее жизни исчезли радость и смысл, остались только невыносимая горечь потери, беспросветное одиночество и острое ощущение пустоты рядом. Джек так много значил в ее жизни! Все эти эмоции и чувства воспринимались почти как физическая боль, которая выматывала душу и от которой не могло избавить ни одно лекарство. Лежа без сна и прижимая к себе Джеми, Лиз продолжала оплакивать Джека и свою в одиночасье рухнувшую жизнь.

## Глава 4

Когда настал Валентинов день, со дня смерти Джека прошло уже почти семь недель. Дети начали понемногу приходить в себя. Лиз несколько раз разговаривала со школьным психологом девочек, который доставил ей невероятное облегчение, сказав, что срок в полтора-два месяца, как правило, является критическим, после чего природа берет свое и дети начинают возвращаться к прежнему, нормальному состоянию. «Они приспособятся, — сказал психолог, — а вот вам, миссис Сазерленд, станет, напротив, еще тяжелее, так как вы к этому времени окончательно осозна́ете, что все это произошло с вами на самом деле».

И психолог оказался прав. Лиз поняла это, придя в офис в День всех влюбленных. В этот день Джек всегда устраивал для нее праздник: покупал цветы и дарил какую-нибудь безделушку, но в этом году все было иначе. На Валентинов день у Лиз было запланировано сразу два судебных заседания. Предстояло защищать интересы клиентов в довольно сложных случаях, и с каждым разом ей становилось все труднее и труднее делать это. Не то чтобы она утратила квалификацию или не справлялась с делами без Джека. Непримиримость и откровенная враждебность ее клиентов по отношению к супругам, с которыми они разводились, казались Лиз противоестественными, а разного рода хитрости, уловки и откровенная ложь, к которым они прибегали, чтобы добиться своего, вызывали в ней раздражение и протест. Похоже, она начинала ненавидеть бракоразводные процессы и только удивлялась, как удалось Джеку уговорить ее заняться семейным правом.

Примерно так она и сказала Виктории, когда разговаривала с ней в последний раз. Лиз было трудно встретиться с подругой, так как трое детишек Виктории еще ходили в ясли, зато по телефону они разговаривали часто и подолгу — особенно по ночам, когда дети давно спали.

— Ну а чем бы ты могла заниматься? — резонно возразила Виктория, когда Лиз пожаловалась, что ей все меньше нравится помогать людям разводиться. — Когда я занималась случаями нанесения личного вреда, ты говорила мне, что не могла бы иметь дело ни с чем подобным. Уголовное право тебе тем более не подходит.

— Но ведь есть и другие разновидности права. Не знаю, может быть, я могла бы заниматься чем-то связанным с защитой детства. Все мои нынешние клиенты не стесняются поливать друг друга грязью, а меня от этого мутит. В особенности, если при этом они забывают о своих детях...

По правде говоря, Лиз давно хотелось заниматься защитой прав детей, но, пока был жив Джек, он каждый раз напоминал ей, что эта работа почти не приносит денег. Нельзя сказать, что Джек был чрезмерно сребролюбив — просто он отличался практическим взглядом на вещи и никогда не забывал о том, что ему прежде всего необходимо содержать пятерых собственных детей. Специализируясь на семейном праве, они зарабатывали очень прилично. Слава богу, при такой работе не приходилось считать каждый цент, и забывать об этом было бы глупо.

Однако сердце ее по-прежнему не лежало к делам о разводах. Она лишний раз убедилась в этом, когда вечером в Валентинов день вышла из зала суда, добившись для одной из своих клиенток положительного решения по какому-то незначительному иску. Но никакого удовлетворения она при этом не испытала. Это ходатайство Лиз подала, поддавшись на уговоры своей клиентки, хотя на самом деле отлично знала, что делалось это не из принципиальных соображений, а из желания побольнее уязвить противную сторону. И судья тоже это понял; в перерыве он сурово отчитал Лиз. Хотя ходатайство в конечном итоге оказалось удовлетворено, победительницей она себя не чувствовала.

— Со щитом или на щите? — спросила Джин, когда Лиз в тот же день вернулась в офис. Выглядела она усталой и подавленной, и секретарша решила, что уж во всяком случае дело было нелегким.

— Мы выиграли, — отозвалась Лиз, рассеянно перебирая разложенную на столе почту. — Но судья сказал, что мы пытаемся сделать из мухи слона, и он был прав. Просто не знаю, что на меня нашло, когда я позволила клиентке уговорить себя подать это прошение. Единственное, чего она хотела, это лишний раз потрепать нервы своему бывшему. Джек бы ни за что не стал возиться с подобными пустяками.

Но Джека, с которым она могла обсудить ситуацию, больше не было рядом, и некому было ни подбодрить ее шуткой, ни дружески пожурить за промах. Кроме того, на его плечах фактически лежала вся организационная сторона их совместной работы. Лиз, правда, не знала, кто лучше справился бы с этим, он или она, но факт оставался фактом: именно Джек решал, какие дела взять, а от каких отказаться; он умел осадить чрезмерно настойчивого клиента и даже планировал очередность рассмотрения дел в суде, так что Лиз была полностью избавлена от, так сказать, технических проблем. Теперь же ей приходилось заниматься и этим тоже. Она чувствовала, что не справляется или, во всяком случае, делает для клиентов меньше, чем могла бы.

— Может быть, — добавила она, — мама была права, и я никуда не гожусь. В этом случае мне действительно лучше заняться чем-нибудь другим.

— Я так не думаю, — негромко возразила Джин. — Конечно, вы можете оставить практику, но только если сами этого хотите. *Действительно* по-настоящему хотите.

Она знала, что неделю назад Лиз получила деньги по страховому полису Джека и могла позволить себе на некоторое время закрыть контору — хотя бы для того, чтобы решить, чего она на самом деле хочет. Но сама Джин придерживалась мнения, что сидеть дома и думать, думать, думать об одном и том же будет невыносимо тяжело. И вряд ли Лиз сможет это выдержать. Во всяком случае, это не пойдет ей на пользу. Лиз еще недостаточно успокоилась, к тому же слишком привыкла работать постоянно и помногу, чтобы вот так просто взять и все бросить. Кроме того, что бы Лиз ни говорила, заниматься юриспруденцией ей нравилось; это доставляло ей удовольствие. Стоило ли в таком случае отказываться от работы? Особенно теперь, когда работа была совершенно н е о б х о д и м а Лиз, чтобы забыться, отвлечься от воспоминаний о происшедшем с ней несчастье.

— Дайте себе время, — посоветовала Джин. — Может быть, пройдет сколько-то месяцев, и ваша работа снова будет вам в радость. Или вы просто научитесь быть более разборчивой в отношении дел, за которые беретесь.

— Может быть, — кивнула Лиз, хотя слова Джин ни в чем ее не убедили. Для того чтобы спорить или хотя бы пытаться рассуждать разумно, Лиз чувствовала себя слишком усталой и разбитой.

В этот день она уехала с работы раньше

обычного, однако, куда направляется, Лиз никому не сказала. На выезде из города она остановилась, чтобы купить дюжину роз, а потом решительно свернула на дорогу, ведущую к кладбищу.

Лиз долго стояла у могилы Джека, опустив голову и теребя в руках носовой платок. На могиле еще не было надгробного камня, поэтому она положила розы прямо на траву — упругую, молодую траву, которая уже скрыла черную землю невысокой насыпи.

— Я люблю тебя... — прошептала она наконец и, повернувшись, медленно пошла обратно к машине. Руки она засунула глубоко в карманы плаща. Пронизывающий зимний ветер налетал порывами, но Лиз не чувствовала холода. Она вообще ничего не чувствовала, кроме острой боли в сердце, боли, так и не оставившей ее с самого утра.

На обратном пути Лиз не выдержала и снова расплакалась. Слезы, потоком катившиеся из ее глаз, ослепляли ее; в результате она не заметила красный сигнал светофора и выскочила на перекресток как раз в тот момент, когда проезжую часть пересекала какая-то молодая женщина. Лишь в последнюю секунду Лиз нажала на тормоза, но было уже поздно: передний бампер ее «Вольво» толкнул женщину в бедро, и она повалилась под колеса, успев лишь повернуть голову и испуганно вскинуть брови. В следующий миг машина остановилась, и Лиз выскочила на дорогу, чтобы помочь пострадавшей.

Позади нее остановилось еще три машины, а на тротуаре стала собираться толпа.

— Эй ты, я все видел! — крикнул Лиз сердитый краснолицый толстяк. — Ты что, ослепла? Или напилась до чертиков?

— Вы сбили человека, — вторил ему другой мужчина. — Это вам даром не пройдет! Вы в порядке, мисс? — обратился он к молодой женщине, которой Лиз помогла подняться с асфальта. — Если хотите, я могу вызвать полицию.

Но молодая женщина не отвечала. Дрожа всем телом, она оперлась обеими руками о крыло «Вольво» и несколько раз тряхнула головой, словно стараясь прийти в себя. Что касалось Лиз, то она вообще не была способна что-либо воспринимать. Слезы продолжали струиться по ее лицу.

— Простите, — произнесла она наконец. — Просто не знаю, что со мной. Должно быть, я снова не заметила красный сигнал светофора.

Но на самом деле она отлично знала, а чем дело. Визит на кладбище, к Джеку, быстро разрушил мнимое спокойствие, обретенное с таким трудом. Она перестала владеть собой. И вот результат. Правильно ее предупреждали! В конце концов она сбила женщину, которая переходила улицу на разрешающий сигнал светофора. Только чудом дело не кончилось трагедией.

— Со мной все в порядке. Не беспокойтесь, пожалуйста, — ответила молодая женщина, все еще стуча зубами. — Вы меня просто толкнули.

— Я могла убить вас! — воскликнула Лиз в ужасе, поднося ладони к мокрым щекам. — Я могла задавить вас насмерть!

Молодая женщина подняла голову и внимательно посмотрела на Лиз.

— Как вы себя чувствуете? — спросила она, осторожно беря Лиз за руки.

Лиз невпопад кивнула.

— Нормально... Как всегда... — Она едва могла говорить. Искреннее раскаяние, сожаление о том, что она натворила, и страх перед тем, что она *могла* натворить, совершенно парализовали ее. — Прошу вас, простите, — снова сказала она. — У меня муж недавно умер... Я как раз еду с кладбища... Должно быть, я слишком расстроилась. Мне не следовало вести машину в таком состоянии.

— Давайте посидим где-нибудь, — предложила молодая женщина и, повернувшись к толпе, махнула рукой: — Расходитесь, пожалуйста, все в порядке!

Толпа стала понемногу редеть. Женщины забрались на переднее сиденье «Вольво». Лиз хотела отвезти пострадавшую в больницу, но та снова сказала, что чувствует себя нормально, только испугалась немного.

— Примите мои соболезнования, — добавила она. — Мне очень жаль, что с вашим мужем произошло такое несчастье.

— Вы уверены, что вам не надо в больницу? — еще раз уточнила Лиз, которая никак не могла прийти в себя после пережитого.

— Все в порядке, не волнуйтесь. В худшем случае у меня останется синяк. Мы обе должны быть счастливы... По крайней мере, я должна быть счастлива, что так легко отделалась.

Они еще немного посидели в машине, разговаривая о всяких пустяках, обменялись телефонами и адресами, а потом молодая женщина вышла из машины и отправилась по своим делам. Лиз на черепашьей скорости поехала домой. По дороге она позвонила Виктории и рассказала ей, что случилось, поскольку ее подруга когда-то специализировалась на случаях причинения личного вреда.

Выслушав ее, Виктория присвистнула сквозь зубы.

— Если эта Джейн, которую ты сбила, действительно настолько мила, как ты говоришь, в чем я лично сомневаюсь, то тебе чертовски повезло. В общем, вот мой совет, Лиз: не садись за руль, пока... Словом, еще некоторое время. Иначе это плохо кончится.

— Вообще-то я чувствую себя неплохо, — возразила Лиз. — Это только сегодня... Ведь сегодня Валентинов день, и я ездила на кладбище к Джеку. — Она начала всхлипывать и не смогла продолжать.

— Я все понимаю, Лиз. Я знаю, как тебе тяжело, и все-таки ты должна подумать о себе и о детях. Ведь тебя могут даже посадить в тюрьму! Кроме того, ты сама не простишь себе, если покалечишь или убьешь кого-то.

Виктория была права. Лиз уже подумала об

этом, и перспектива заставила ее похолодеть. «Ну ничего, больше это не повторится!» — пообещала она себе, однако ей не очень верилось, что отныне она всегда будет внимательна на дороге. Любое, самое пустяковое упоминание о Джеке способно было вывести Лиз из равновесия — и надолго.

Она рассказала детям о том, что случилось, и они очень встревожились; очевидно, даже самые младшие переживали за нее сильнее, чем она полагала. Но когда она позвонила Джейн, та подтвердила, что чувствует себя хорошо. На следующий день Джейн даже прислала Лиз в офис букет цветов, чем совершенно потрясла ее. На карточке было написано: «Не беспокойтесь, с нами обеими все будет хорошо».

Как только Лиз получила цветы, она немедленно позвонила Виктории.

— Должно быть, ты сбила ангела, а не человека, — заявила та. — Любой из моих клиентов предъявил бы тебе иск за моральный ущерб, за сотрясение мозга, за повреждение позвоночника и смещение таза, а я бы вытрясла из тебя не меньше десяти миллионов долларов компенсации.

— Слава богу, что ты больше не практикуешь, — пошутила Лиз и сама же рассмеялась — впервые со вчерашнего вечера.

— Ты чертовски права, подруга. Но не забывай: в этот раз тебе очень крупно повезло. Если повторится что-то подобное, все может закончиться гораздо хуже. Так что я надеюсь, этот случай тебя чему-то научит и ты воздержишься от вождения хотя бы на ближайшие две-три недели. А лучше — на пару месяцев.

— Я не могу не ездить, у меня еще так много дел!

— Тогда хотя бы обещай, что будешь очень осторожна, — сказала Виктория, не скрывая своего беспокойства.

— Обещаю.

Она действительно старалась быть очень осторожной, прилагая к этому большие усилия. Состояние ее несколько улучшилось, и, сравнив то, что было, с тем, что стало, она поняла, насколько рассеянной и невнимательной была в последнее время. Это неприятно поразило ее. Лиз решила, что должна как-то переломить ситуацию и взять себя в руки хотя бы ради детей. По выходным она сама водила их в кино и в кафе, играла с ними в кегли, и к Дню святого Патрика[1] — еще одному любимому празднику Джека — они чувствовали себя значительно лучше. Все пятеро если и не были счастливы, то во всяком случае заметно повеселели. Они снова смеялись за столом, врубали музыку на полную катушку, спорили из-за того, чья очередь звонить по телефону, и хотя их лица по временам выглядели не по-детски серьезными, Лиз знала, что они перешли ту грань, о которой ей говорил школьный психолог. Мир снова по-

---

[1] День святого Патрика (17 марта) отмечается в Ирландии и в США. В этот день принято надевать что-нибудь зеленое в честь св. Патрика, покровителя Ирландии. — *Здесь и далее примеч. пер.*

вернулся к ним светлой стороной, и ее дети снова начали вести себя так, как им и было положено в их возрасте. Увы, о себе Лиз ничего подобного сказать не могла. Ее бессонные ночи были по-прежнему наполнены болью и слезами, сюда еще добавился неослабевающий стресс, которому она подвергалась на работе.

Но в пасхальные выходные Лиз удивила всех. Ей невыносима была сама мысль о том, что и эти праздники пройдут, как все предыдущие, — в унынии, тоске и печальных воспоминаниях о Джеке. Лиз решила вывезти детей на озеро Тахо — покататься на лыжах и вообще развеяться.

Поездка произвела на детей поистине волшебное действие. Они обожали лыжные прогулки, но гораздо больше они радовались тому, что мама снова с ними, что она снова улыбается и даже смеется, скатываясь за Меган с ледяной горки. И это было именно то, чего им так не хватало.

А по дороге домой Лиз вдруг заговорила с ними о лете и о том, как они его проведут.

— Но ведь до лета еще несколько месяцев! — капризно сказала Энни. Она недавно влюбилась в мальчика, который жил неподалеку от них, и совершенно не хотела никуда уезжать на летние каникулы. Питер был уже слишком большим, чтобы ездить в летний лагерь, поэтому он подыскал себе временную работу на каникулы. Его брали лаборантом в одну из ветеринарных клиник. В будущем Питер не собирался посвящать себя заботе о животных, но эта работа позволяла ему занять время и даже заработать себе сколько-то денег на карманные расходы. Да и Лиз было легче: теперь ей нужно было заботиться только о Джеми и о девочках.

— В этом году я смогу взять только очень короткий отпуск — в конторе слишком много дел, а я теперь работаю одна, — сказала Лиз. — Быть может, мне удастся вырваться на недельку, и ее мы проведем вместе — обещаю. Что касается остального времени, то как все-таки насчет летнего лагеря, девочки? Было бы очень неплохо, если бы вы поехали туда на месяц или хотя бы на три недели. Что касается Джеми, то ему, я думаю, лучше побыть со мной — так мне будет не слишком одиноко. Днем он может оставаться с Кэрол или ходить в школьный лагерь, а вечером я буду его забирать.

— А можно мне будет брать с собой еду? Ну, в лагерь, я имею в виду? — озабоченно спросил Джеми, и Лиз улыбнулась ему. Прошлым летом Джеми уже ходил в лагерь при школе, и ему очень не по вкусу пришлись школьные обеды. Если не считать этого, то в лагере ему понравилось все: и занятия, и дети, и даже «мертвый час», хотя дома он уже давно не спал после еды. Впрочем, выбирать было особенно не из чего — таких, как Джеми, в загородный летний лагерь все равно не брали.

— Ты сможешь брать свой обед с собой, — пообещала Лиз, и Джеми немедленно просиял.

— Тогда я согласен ходить в школьный лагерь, — сказал он.

«Итак, с мальчиками вопрос решен — остались девочки», — думала Лиз, пока они возвращались домой. Настаивать она ни на чем не собиралась, по опыту зная, что вопрос скорее всего решится сам собой. И действительно, сестры спорили о чем-то до самого Сакраменто, но в конце концов все же решили, что летний лагерь — это не так уж плохо, особенно в июле, когда в Сан-Франциско и его окрестностях деваться некуда от жары. Когда же Лиз пообещала, что в августе свозит их на озеро Тахо еще на неделю и что остатки каникул они смогут не только прожить дома, но даже приглашать друзей в бассейн, радости их не было предела.

— А мы будем устраивать пикник на Четвертое июля?[1] — спросил внезапно Джеми, и Лиз не нашлась что ответить. Традицию устраивать пикник в этот день установил Джек. Он жарил на мангале сосиски, закупал напитки для импровизированного бара и также лихо играл одновременно на банджо и губной гармонике. И теперь, вспомнив все это, Лиз почувствовала, как ею снова овладевают подавленность и тоска.

Она покачала головой и, бросив взгляд на Джеми, увидела, как по щекам сына скатились две крупных слезы.

---

[1] Четвертое июля (День независимости) — основной государственный праздник США, отмечаемый в честь принятия Декларации независимости.

— Ты расстроился? — спросила она, но Джеми отрицательно покачал головой. Очевидно, его беспокоило что-то еще — что-то гораздо более важное. — Так в чем же дело, дружок? — негромко проговорила она, и Джеми шмыгнул носом, прежде чем ответить.

— Я только что вспомнил... Теперь я не смогу участвовать в Специальной олимпиаде.

Это действительно была серьезная причина для огорчения. В последнее время Джеми постоянно участвовал в Специальных олимпийских играх для детей с замедленными темпами развития и даже занимал призовые места. Джек сам готовил его к решающим соревнованиям. Джеми так сосредоточенно тренировался под его руководством, что забывал порой про отдых и сон. А они всей семьей ходили болеть, когда Джеми участвовал в том или ином виде программы.

— Почему не сможешь? — спросила Лиз, не желая сдаваться. Она знала, как много сил вкладывал в это дело Джек и как важно это было для Джеми. — Может быть, Питер сможет подготовить тебя не хуже папы.

— Ничего не выйдет, — с сожалением напомнил Питер. — Я же буду дежурить в клинике с восьми утра до восьми вечера. Быть может, иногда мне даже придется работать в выходные. Боюсь, у меня просто не будет времени заниматься с Джеми.

Последовала долгая, напряженная пауза. Слезы продолжали катиться по щекам Джеми, и Лиз казалось, что каждая из них прожигает в ее сердце новую рану.

— Хорошо, Джеми, — сказала она наконец. — Значит, нам придется заняться этим вплотную самим, тебе и мне. Давай для начала решим, в каких состязаниях ты хотел бы принять участие, и будем готовиться именно к ним. Вот увидишь: мы постараемся как следует, и в этом году ты непременно завоюешь золотую медаль.

Глаза Джеми удивленно расширились.

— Без папы? — произнес он наконец, продолжая смотреть на нее во все глаза и силясь понять, говорит она серьезно или просто дразнит его. Но Лиз не поступила бы с ним так ни раньше, ни тем более теперь.

— Да, без папы, — подтвердила она. — Я уверена, у нас все получится. В любом случае, будем сразу нацеливаться на победу — на самую главную медаль, иначе не стоит и пробовать. Ты со мной согласен?

— Но ты не сможешь! — воскликнул Джеми. — Ты не знаешь, как надо!

— Я научусь. Мы будем учиться вместе, ты и я. Ты покажешь мне, какие упражнения вы делали с папой, а я почитаю специальную литературу. Вот увидишь, что-нибудь мы наверняка выиграем.

Слабая улыбка озарила лицо Джеми. Вытянув руку, он легко коснулся ее плеча и не прибавил больше ни слова. Лиз было достаточно этого прикосновения. Проблема — она надеялась — была решена. Насчет лета они договорились, и теперь ей оставалось только записать девочек в летний лагерь, зарегистрировать Джеми в Специальном детском олимпийском комитете и зарезервировать на август несколько комнат или снять дом в окрестностях Тахо. Ни одно из этих дел не было простым само по себе, каждое требовало достаточно много если не усилий, то времени, но Лиз все равно имела полное право вздохнуть с облегчением. Ей удалось не только разгадать сокровенные желания детей, но и исполнить их, никого не обидев и не ущемив чьих-либо интересов, а главное — она сумела сделать это сама, одна. Лиз чувствовала, что справилась, что не обманула ожиданий детей, которые, может, и невольно, но все же вспоминали и сравнивали время, когда Джек был жив, с сегодняшним днем. И даже если ей не удалось полностью компенсировать им отсутствие отца, все же первые трудности были преодолены.

Да и вообще грешно жаловаться. Дети прилежно учились и улыбались все чаще; они с удовольствием катались с ней на лыжах и на санках, и все, что ей оставалось, это не дать им оступиться, не дать погружаться в прошлое. А еще ей предстояло работать за двоих в офисе, осваивать сложную профессию индивидуального тренера ребенка-инвалида и при этом — постоянно держать себя в руках. Никаких проявлений слабости — это свело бы на нет все, что она уже успела. И пока их машина неслась к Сан-Франциско по пустынному шоссе, Лиз чувствовала себя цирковым жонглером, который, стоя одной ногой на канате, пытается жонглировать доброй дюжиной ручных гранат со вставленными запалами. Она не имела права ошибиться, потому что внизу, под натянутым канатом, стояли ее дети и смотрели на нее.

Додумать дальше она не успела. Меган включила радио на полную мощность, так что Лиз перестала слышать даже собственные мысли. Джек непременно устроил бы по этому поводу скандал и в конце концов заставил бы Мег выключить музыку, но Лиз ничего не сказала. Она знала, что это хороший признак, свидетельствующий о переменах в настроении детей, поэтому она только посмотрела на дочь и, слегка улыбнувшись, сделала радио еще громче.

Мег удивленно приподняла брови и вдруг... расхохоталась, и Лиз засмеялась тоже.

— Да, мама, ты права!!! — воскликнула Меган, и они все начали смеяться и подпевать солисту выступавшей группы. Шум получился оглушительный, но это оказалось именно то, что им всем было нужно, и Лиз почувствовала себя почти нормально.

— Я люблю вас всех! — крикнула она, напрягая горло, чтобы перекричать шум, и дети услышали ее.

— Мы тоже любим тебя, мама! — прокричали они в ответ.

Лиз сумела провести их искалеченную лодочку через опасные рифы в спокойную и мирную бухту, где светило солнце и деревья, склонившись к самой воде, любовались своими отражениями.

Когда они вернулись домой, у всех немного звенело в ушах от шума и гама, и все же они улыбались открыто и легко, как и четыре месяца назад, и Лиз, вошедшая в прихожую последней, улыбалась тоже.

— Ну, как все прошло? — спросила Кэрол, которая дожидалась их дома. Очевидно, она имела в виду не только лыжную прогулку, но и долгий путь от Тахо до Тибурона, и Лиз, одарив ее улыбкой, какой Кэрол не видела у нее уже несколько месяцев, ответила:

— Все было просто замечательно!

С этими словами она поднялась по лестнице к себе в спальню.

## Глава 5

Занятия в школе закончились четырнадцатого июня, а две недели спустя Лиз и Кэрол уже собирали вещи девочкам, которые отправлялись в летний лагерь. Все трое были взволнованы и возбуждены сверх всякой меры, поскольку выяснилось, что в тот же самый лагерь поедут не только большинство их подруг, но и некоторые *мальчики*. Поэтому Меган, Рэчел и Энни только и говорили, что о нарядах и о своих новых купальниках, которые Лиз приобрела им на весенней презентации одежды для грядущего пляжного сезона. Иными словами, девочки выглядели почти счастливыми, и Лиз было приятно на них смотреть. Она сама отвезла их в лагерь, благо тот находился близ Монтеррея, и даже взяла с собой Джеми, чтобы было не скучно возвращаться.

Пока они ехали, в фургоне царила атмосфера самого настоящего праздника. Девочки слушали новые компакт-диски с записями музыки, которая казалась Лиз невероятно быстрой, оглушительно громкой и лишенной каких-либо признаков мелодии. Однако она не возражала. В последние полтора-два месяца она особенно полюбила общество собственных детей, и хотя трое из них уезжали, Лиз знала, что скучать у нее не будет времени. Она уже обещала Джеми, что они начнут тренировки, как только девочки отправятся в лагерь. До олимпиады оставалось всего пять недель, а к тому времени Меган, Рэчел и Энни уже должны вернуться. На соревнования они всегда ходили всей семьей, чтобы поболеть за Джеми. Эту традицию Джек установил три года назад, и, хотя теперь его не было с ними, Лиз не собиралась ее нарушать — слишком важной она была и для Джеми, и для них всех. Правда, Джеми все еще беспокоился, что мать не сумеет подготовить его так, как это сделал бы отец, но Лиз придерживалась другого мнения и пыталась внушить Джеми уверенность в успехе.

Они высадили девочек у лагеря между Монтерреем и Кармелем. Лиз помогла им донести до домиков спальные мешки, теннисные ракетки, гитару (одну на всех), два чемодана и огромное количество спортивных сумок. Вещей было столько, что их хватило бы экипировать целую дивизию. Когда их сложили в кучу на траве, получилась гора чуть пониже Эвереста. Лиз ожидала, что девочки тут же примутся носить вещи в домики, чтобы появиться в новых нарядах, но они так спешили поскорее увидеться со своими старыми воспитателями и друзьями, что чуть было не забыли поцеловать на прощание Лиз и Джеми, когда те собрались уезжать.

— Может быть, когда-нибудь и ты поедешь в такой лагерь, — сказала Лиз сыну, когда они уже мчались в обратном направлении.

— Я не хочу, — спокойно ответил Джеми. — Мне больше нравится дома, с тобой. — Он поднял голову и улыбнулся матери, и она тоже улыбнулась в ответ.

Чтобы вернуться в Тибурон, им потребовалось не меньше трех часов. Когда они наконец добрались до дома, Питер уже вернулся после очередного дежурства. Он вышел на работу в ветеринарную клинику неделю назад. Ему очень там нравилось, хотя без привычки двенадцатичасовая смена давалась нелегко. Он, во всяком случае, постарался заверить Лиз, что именно о такой подработке он и мечтал. Ему и правда неплохо платили. Питер был уже достаточно взрослым, чтобы мечтать о финансовой независимости от матери. Кроме того, в лечебнице работали двое его ровесников: одна очень симпатичная девушка из Милл-Вэли и молодой студент-первокурсник из ветеринарного колледжа в Дэвисе, так что Питер нисколько там не скучал.

— Ну, как прошел твой день? — поинтересовалась Лиз, когда они с Джеми вошли в кухню.

— Было очень много работы, — отозвался Питер. — Как насчет ужина, мам?

Несмотря на занятость, Лиз до сих готовила для детей ужины, совершенно освободив Кэрол от этой обязанности. Сначала ей казалось, что она должна это делать, чтобы чем-то занять унылые, тоскливые вечера, но после того, как на Пасху они побывали на озере Тахо, Лиз почувствовала, что она и дети снова стали чем-то

единым, хотя даже самой себе она еще не решалась признаться, что они более или менее на-
учились обходиться без Джека. Как бы там ни
было, она пока не решалась снова поручить
ужины Кэрол, боясь разрушить установивший-
ся в их доме хрупкий мир и порядок.

Впрочем, этот мир был, похоже, много
прочнее, чем она думала. Это замечали многие,
в том числе и мать Лиз, которая по-прежнему
регулярно ей звонила. Теперь ее пророчества
не были и вполовину такими мрачными, как
когда-то. Однажды Хелен и вовсе сказала, что
самое страшное уже позади.

И по большому счету Лиз не могла с ней не
согласиться. Она неплохо справлялась с работой и сумела не только закончить все дела
Джека, но и взять несколько новых. Ее дети
были здоровы и довольны жизнью, к тому же
лето началось как нельзя более удачно. И хотя
Лиз по-прежнему тосковала по Джеку, ей удавалось держать свои чувства в узде не только
днем, но и ночью. Правда, она спала не так
много и не так крепко, как когда-то, но по крайней мере теперь Лиз засыпала часам к двум, а
не под утро. Это позволяло ей кое-как восста-
навливать потраченные за день силы и сохра-
нять спокойствие или по крайней мере его ви-
димость. Правда, иногда она срывалась. Тогда
боль овладевала ею едва ли не сильнее, чем в
первые недели после смерти Джека, и все же в
последнее время хорошие дни выпадали значительно чаще, чем плохие.

В этот вечер она приготовила для себя и сыновей макароны и салат, а на десерт у них было сливочное мороженое с фруктами, взбитыми сливками и орехами. Готовить его Лиз помогал Джеми — он сбивал миксером сливки, посыпал мороженое тертым орехом и при этом так старался, что сливки и орехи были у него даже в волосах.

— Получилось прямо как в ресторане! — объявил он, явно гордясь собой, пока Лиз раскладывала готовое блюдо по тарелкам.

— А вы с мамой уже начали готовиться к олимпиаде? — поинтересовался Питер, стремительно расправившись со своей порцией.

— Мы решили, что начнем завтра, — ответила Лиз.

— А в каких видах ты будешь участвовать в этом году? — обратился Питер к Джеми. В последнее время он разговаривал с ним не как старший брат, а как отец, и это очень ему шло. За прошедшие полгода Питер возмужал, стал серьезней и ответственнее, как и полагается настоящему главе семьи. Учебный год он закончил с хорошими оценками, подтянув даже те предметы, которые раньше ему не давались. У Лиз были все основания гордиться старшим сыном. Осенью он должен был пойти в последний класс, а в сентябре Лиз планировала побывать с ним в нескольких колледжах, расположенных на Западном побережье. Так захотел сам Питер, решив, что ему не следует уезжать слишком далеко от дома, хотя когда-то он и

Джек всерьез обсуждали возможность поступления в Принстон или Йель. Теперь же Питер склонялся к тому, что Лос-Анджелесский университет, Беркли или Стэнфорд будут для него самым походящим вариантом.

— Я хотел бы выступать в прыжках в длину, в спринте на сто ярдов и беге в мешках, — с гордостью заявил Джеми. — Еще можно было бы попробовать подбрасывать яйцо, но мама говорит, что я для этого уже слишком большой.

— Что ж, неплохая программа. Готов спорить, ты снова завоюешь призовое место, — одобрил Питер, и Лиз взглянула на сыновей с теплой улыбкой. Они оба были славными мальчиками, и она была рада, что они остались с ней дома. Их общество отвлекало ее от мрачных мыслей, и хотя каждый из них время от времени напоминал ей Джека если не внешним видом, то жестом или интонацией, это странным образом не причиняло ей боли.

— Мама думает, что в этот раз я сумею выиграть главный приз — золотую медаль и двести долларов, — сказал Джеми, но в его голосе звучало сомнение. Он все еще не верил, что Лиз сможет стать для него умелым тренером. Джеми слишком привык тренироваться с отцом, и радикальная перемена в этой области его беспокоила.

— Не сомневаюсь: ты выиграешь «золото», если только постараешься как следует, — заявил Питер, как бы между прочим накладывая себе в тарелку еще одну порцию мороженого.

— Я мог бы завоевать и последнее место — все равно мне дадут грамоту и значок участника, — ровным голосом произнес Джеми, похищая из тарелки брата особенно аппетитный кусочек.

— Спасибо за доверие, сынок, — пошутила Лиз. — Я всегда знала: ты считаешь меня самым лучшим тренером в мире.

Она принялась составлять тарелки в посудомоечную машину. Когда Джеми доел мороженое (Питер поделился с ним своей порцией), Лиз велела ему идти готовиться спать — завтра Джеми предстояло впервые ехать в дневной детский лагерь.

На следующий день, когда по пути на работу Лиз отвозила Джеми в лагерь, она поцеловала его и сказала:

— Я люблю тебя, малыш. Не скучай — думаю, ты прекрасно проведешь время. Я вернусь домой в шесть, и мы сразу же начнем готовиться к олимпиаде, договорились?

Он кивнул и, выбираясь из машины, послал матери воздушный поцелуй, как его научили сестры. Лиз помахала в ответ рукой и не спеша поехала в контору.

Этот день в округе Марин выдался теплым и солнечным, но дальний конец моста через залив скрывался в тумане. Лиз подумала, что в Сан-Франциско, должно быть, довольно прохладно. И все же это был чудесный день, и когда она неожиданно подумала о Джеке, ее как будто что-то кольнуло прямо в сердце. Время от времени Лиз еще испытывала подобные приступы боли, особенно когда видела что-то, что они оба любили. Но к тому моменту, когда она добралась до офиса, яркие солнечные лучи сумели рассеять мглу в ее сердце, и Лиз чувствовала себя почти нормально. Но только почти, ибо что бы она ни делала, чем бы ни занималась, она все равно тосковала.

— Есть что-нибудь важное? — спросила она у Джин, входя в кабинет, где на столе была разложена сегодняшняя корреспонденция. Два письма от клиентов, с которыми она встречалась на прошлой неделе; два послания от коллег-адвокатов, которые просили позвонить, чтобы посоветоваться по поводу того или иного дела, а еще две открытки от неизвестных адресатов. Последним Лиз взяла в руки листок бумаги, на котором было написано: «Звонила ваша мать. Просила связаться с ней, срочно».

Тихонько вздохнув, Лиз села к телефону. Сначала она поговорила с теми, кто просил ее позвонить по делу, и только потом набрала номер матери.

— Как там девочки? — спросила Хелен, взяв трубку. — Они не капризничали насчет лагеря?

— Нет, нисколько, — заверила ее Лиз. — Я вчера отвезла их в Монтеррей, и, по-моему, они были просто счастливы — ведь там оказалось столько их друзей! Питер работает, у него тоже все нормально. Ну а Джеми остался со мной. Днем он ходит в летний лагерь при школе, а по вечерам возвращается домой.

— А ты сама, Лиз? Как насчет тебя?..

— Что — насчет меня?

— Все то же, Лиз!.. Ты решила, что ты будешь делать со своей жизнью? Не кажется ли тебе, что пора что-то изменить в твоем су-щест-во-ва-ни-и? — Последнее слово она произнесла подчеркнуто по слогам.

— Я пока ничего не собираюсь менять в своей жизни, мама. Я работаю, воспитываю детей, занимаюсь домашними делами... — Интересно, задумалась Лиз, чего ждет от нее мать? Чтобы она записалась в отряд астронавтов?

— Вот я и говорю: это не жизнь, а существование. Тыква на грядке живет более насыщенно, чем ты!

— Мама, ради бога, мне вполне хватает того, что у меня есть.

— Этого мало, — безапелляционно заявила Хелен. — Особенно для женщины в твоем возрасте. Тебе сорок один год, ты молода, но не настолько, чтобы позволить себе тратить время впустую. Ты должна встречаться с мужчинами!

О боже, только этого и не хватало! Если Лиз о чем-то *не* думала, так это о том, чтобы завести интрижку. Она не собиралась об этом думать! В глубине души Лиз все еще ощущала себя женой Джека; именно поэтому она по-прежнему носила обручальное кольцо.

— Господи, мама, о чем ты говоришь?! Ведь прошло только шесть месяцев с тех пор, как... Кроме того, я слишком занята, чтобы заниматься подобной ерундой.

Но дело было, конечно, не в том и не в другом. Просто когда-то Лиз поклялась себе, что не изменит Джеку с другим мужчиной, и намеревалась придерживаться этой клятвы даже теперь. *Особенно* теперь.

— За те же шесть месяцев некоторые женщины успевают не только выйти замуж, но и развестись. Полгода, детка, это очень, очень много!

— Девятнадцать лет — тоже приличный срок, мама. Но ты почему-то так и не вышла замуж. Или, может быть, ты с кем-нибудь *встречаешься?*

— Я для этого слишком стара, — отрезала Хелен, хотя обе знали, что она не только не считала себя старухой, но и на самом деле не была ею. — А вот ты — нет. И ты прекрасно знаешь, что еще можешь изменить свою жизнь так, чтобы и тебе, и всем было хорошо!..

Да, подумала Лиз. Продать дом. Бросить работу. Найти себе мужа и так далее, и тому подобное... Ее мать обожала раздавать советы — очень хорошие, по ее собственному мнению, советы. От кого только Лиз не слышала таких советов. Умом она понимала, что, возможно, эти люди не так уж не правы, но прислушиваться к тому, что они говорили, она не собиралась.

— Кстати, когда у тебя отпуск? — спросила мать.

— Наверное, в августе. Я собиралась отвезти детей на озеро Тахо.

— Прекрасная мысль. Поездка, безусловно,

пойдет тебе на пользу. Это именно то, что тебе нужно.

— Спасибо, мама. А теперь извини — мне нужно работать. — Она действительно хотела побыстрее положить трубку, пока Хелен не заговорила о чем-нибудь еще. Тем для разговоров у нее всегда было предостаточно, и все они были достаточно щекотливыми.

— Да вот еще что, ты уже убрала вещи Джека? — Хелен как будто не слышала ее. Впрочем, она всегда пропускала мимо ушей то, чего *не хотела* слышать.

— Нет, — ответила Лиз и вздохнула. — Мне вполне хватает места, так что они мне не мешают.

— Мешают, дорогая. Они мешают тебе прийти в себя! — перебила Хелен. — И ты сама отлично это знаешь!

— Ловко у тебя выходит, мама. Мне, значит, мешают, а тебе нет. Разве папины костюмы не висят в твоем стенном шкафу до сих пор?

— Это совсем другое. Мне просто некуда их убрать.

— Убрать? Для кого? Зачем их вообще хранить? — Обе знали, что здесь был тот же самый случай, но Хелен ни за что бы в этом не призналась.

— Я не готова убрать их, мама, — сказала Лиз. «И, возможно, никогда не буду готова», — добавила она мысленно. Лиз страшно было подумать, что когда-то наступит такой момент, когда она захочет выбросить из своего дома вещи Джека. Она не могла этого сделать, как не могла сказать ему «прощай».

— Пока ты этого не сделаешь, тебе не станет лучше! — предупредила мать.

— Мне уже лучше, — сердито возразила Лиз. — Намного лучше. И вообще — я сама решу, как мне поступить с его вещами.

— И когда это будет?

— Я сама пойму — когда.

— Ты просто не хочешь разговаривать об этом, вот и все, — заявила Хелен. — Но в глубине души ты понимаешь, что я права.

«Почему права? Кто сказал, что она права? Кто решил, что необходимо обязательно выбросить вещи Джека?» И снова Лиз почувствовала болезненный укол в сердце. Нет, беседы с матерью нисколько не успокаивали ее, а только смущали.

— Я позвоню тебе в выходные, — пообещала Лиз, начиная терять терпение.

— Старайся все-таки поменьше работать, — попросила Хелен. — Я по-прежнему считаю, что тебе было бы лучше оставить практику, но...

— Возможно, в конце концов мне так и придется поступить, потому что ты не даешь мне работать.

— Ну хорошо, Лиз, хорошо. Только не сердись. Поговорим в воскресенье.

Попрощавшись с матерью, Лиз повесила трубку и долго сидела неподвижно, глядя в окно. Она думала о Джеке и о том, что сказала ей мать. Убрать вещи Джека, отбросить прошлое, отсечь его одним ударом и попытаться начать жизнь заново — все это она слышала уже не раз. В этом была своя логика, но Лиз знала, что не сможет этого сделать. Она все еще испытывала слишком сильную боль, а вид костюмов Джека, висящих в кладовой, дарил ей своеобразное утешение. Порой она заходила туда, чтобы прикоснуться к рукаву его пиджака, вдохнуть знакомый запах лосьона после бритья, и тогда ей начинало казаться, что Джек вовсе не умер, что он все еще с нею, и вот, может быть, сейчас он войдет в спальню и засмеется, как бывало... Единственное, на что она в конце концов решилась, это спрятать подальше его бритвенные принадлежности и выбросить его зубную щетку. Ей *нравилось*, что вещи Джека до сих пор находятся в стенном шкафу. Вздохнув, Лиз решила, когда это начнет ее раздражать, тогда она и подумает о том, что с ними делать. Пока же все должно было оставаться как есть.

— С вами все в порядке? — спросила Джин, заглядывая в кабинет, и Лиз, слегка вздрогнув, с неловкой улыбкой повернулась к ней.

— Да. Это все моя мама — у нее всегда находится для меня какой-нибудь совет.

— Матери — они такие. — Джин с понимающим видом кивнула. — Извините, если помешала, но я хотела напомнить, что после обеда у нас назначено слушание дела Кемпински.

— Я помню, — улыбнулась Лиз, — хотя не могу сказать, что жду этого заседания с нетерпением.

Работу Лиз до сих пор старалась строить так, как было при Джеке. Она брала те дела, которые он бы одобрил и за которые готов был сражаться. Используя те же критерии, к каким прибегал Джек, Лиз без колебаний отказывалась от тех дел, от которых отказался бы он, так как по-прежнему считала, что Джек был лучшим адвокатом, чем она сама. Ей казалось, что она не вправе менять установленные им стандарты, но порой Лиз все же испытывала сомнения. В семейном праве было слишком много такого, что было ей не по душе. Большинство дел вообще представлялось ей незначительными. Подумать только, взрослые люди не могут договориться, кому достанется гараж, а кому — прадедушкина качалка. Кодекс чести адвоката вынуждал ее браться и за такие дела, но ей частенько было трудно совладать с собой, когда она сталкивалась с неприкрытой алчностью, ненавистью, желанием облить бывшего супруга грязью, чтобы самому выглядеть невинным как младенец. Постоянно имея дело с людьми, которые так и норовили нанести удар ниже пояса или побольнее уязвить друг друга, Лиз часто чувствовала себя угнетенной, подавленной. Джин не могла этого не замечать. Смерть Джека сильно изменила взгляды Лиз, заставила пересмотреть свою систему ценностей, и теперь ей просто не хватало сил, чтобы оставаться такой, как прежде, как бы она этого ни хотела. Разумеется, Лиз ни за что бы в этом не призналась, но дело обстояло так, что иметь дело с разводами, дележом имущества и прочими претензиями, которые порой предъявляли друг другу мстительные супруги, ей было противно.

Но когда после обеда она вошла в зал судебных заседаний, ни одна живая душа не догадалась бы, что Лиз ненавидит свою работу. Как обычно, она была собранна, внимательна и вооружена всеми возможными фактами и свидетельскими показаниями, какие только можно было собрать, чтобы до последнего отстаивать интересы своей клиентки. И, как и в большинстве случаев, дело было выиграно, хотя претензии миссис Кемпински к бывшему мужу самой Лиз казались просто смехотворными. Как бы там ни было, по окончании слушаний судья поблагодарил ее за блестящую подготовку дела и за то, что она сумела убедительно доказать — выдвинутый противной стороной встречный иск не имеет под собой никаких оснований.

Было почти пять часов, когда Лиз наконец вернулась в контору. Ответив еще на несколько деловых звонков, она заторопилась, чтобы вернуться домой хотя бы к половине шестого.

— Вы уже уходите? — спросила Джин, входя в ее кабинет с новой кипой бумаг, которые только что прибыли со специальным курьером. Это были документы, которые могли пригодиться Лиз в самое ближайшее время для очередного дела о разводе и поступили от одного из самых уважаемых детективных бюро Сан-Франциско.

— Мне нужно пораньше попасть домой, чтобы потренировать Джеми. В этом году он снова собирается участвовать в Специальной олимпиаде для детей-инвалидов.

— Это замечательно, миссис Сазерленд, — сказала Джин. Ради Лиз она продолжала поддерживать все традиции и высокие стандарты, установленные Джеком как для клиентов, так и для нее самой. Лиз не хотела никаких перемен, и Джин организовывала ее рабочий день точно так же, как было при Джеке. Единственное, от чего Лиз отказалась, это от привычки работать в кабинете мужа, хотя эта комната, выходившая окнами на восток, всегда нравилась ей больше. Она велела Джин запереть дверь и почти никогда не входила туда, разве только ей необходимо было разыскать какую-то бумагу. Лиз словно ждала, что Джек вернется и снова сядет за свой стол, чтобы разобрать какое-то новое, запутанное дело. Поначалу это казалось Джин странным, но со временем она привыкла и перестала обращать на запертую дверь внимание. В отличие от Лиз она не заходила туда вовсе, поскольку все нужные ей бумаги лежали у нее в столе.

— Увидимся завтра. — Лиз кивнула Джин на прощание и выскользнула за дверь.

Когда она вернулась домой, Джеми уже ждал ее. Кэрол привезла его из лагеря и дала ему чаю с бисквитами. Лиз успела переодеться в джинсы и майку и спуститься вниз. Через пять минут оба были уже на просторном заднем дворе, где Джек когда-то устроил яму с песком для прыжков в длину.

— Ну что ж, начнем, пожалуй, — сказала Лиз, растягивая вдоль ямы рулетку.

Джеми разбежался и прыгнул. Прыжок вышел слабеньким, и он сам это понял. Опустив голову, Джеми подошел к Лиз и, ковыряя землю носком кроссовки, пробормотал:

— У меня не получается...

Он выглядел так, словно уже проиграл. Джеми, похоже, готов был отступиться, хотя они едва начали. Лиз решила, что настал тот самый случай, когда она обязана настоять.

— Ты можешь прыгать лучше, — жестко сказала она. — Смотри, как надо.

Она отошла подальше, разбежалась и прыгнула, стараясь, чтобы прыжок был не особенно далеким, но максимально правильным по исполнению.

— А теперь я покажу, как прыгнул ты...

Разбегаясь, она нарочно переваливалась из стороны в сторону, словно ей не хотелось никуда прыгать, и неловко оттолкнулась от стартовой черты левой ногой. В результате она «улетела» на каких-нибудь два с половиной ярда, и Джеми, не сдержавшись, фыркнул.

— Ну, понял, в чем разница? — Лиз знала, что Джеми гораздо лучше воспринимает картинку, чем слова, и надеялась, что ее представление вышло достаточно наглядным. — Ну-ка, попробуй еще!

Во второй раз Джеми прыгнул немного лучше, и Лиз удовлетворенно кивнула.

— Давай, давай еще, — подбодрила она сына.

Через некоторое время на задний двор вышла Кэрол.

— Ну, как успехи? — осведомилась она, и Джеми с мрачным видом покачал головой.

— Не очень хорошо. Наверное, мне не стоит даже выходить на старт.

— Ничего подобного, — твердо сказала Лиз. Она очень хотела, чтобы Джеми не только участвовал в олимпиаде, но и победил — ведь она знала, как много это для него значит. Когда он тренировался с отцом, он однажды выиграл «серебро» в беге на сто ярдов и «бронзу» в прыжках в длину. Она не сомневалась, что ему по плечу по крайней мере повторить этот успех. Она велела сыну попробовать снова, и на этот раз он прыгнул намного удачнее.

— Вот видишь, — сказала Лиз. — «Я хочу победить, но даже если этого не случится, я клянусь, что буду стараться», — напомнила она ему слова клятвы юных спортсменов-олимпийцев.

После этого Джеми повторил прыжок еще несколько раз, затем они перешли к бегу. Джеми дважды промчался через двор, длина которого составляла чуть больше ста ярдов, и оба раза показал вполне приличное время. Бег на короткие дистанции всегда давался ему лучше, чем прыжки в длину, — он был быстрее, чем большинство мальчиков, с которыми ему приходилось соревноваться, к тому же во время бега не так нужна была координация движений, и ему удавалось лучше сосредоточиться на том, что он делает. Несмотря на задержку умственного развития, Джеми умел собираться, как никто другой; этой зимой он наконец-то выучился читать и ужасно этим гордился. Теперь он читал все, что попадалось под руки, — надписи на пакетах с овсянкой, вывески в витринах магазинов, ярлычки от новых платьев сестер, листовки, которые рекламные агенты засовывали под стеклоочистители машины Лиз, и даже деловые письма, которые она оставляла на кухонном столе или на холодильнике. Насколько Лиз помнила, ни один из ее детей не любил читать так сильно и не читал так много, как Джеми.

В семь вечера Лиз решила, что на сегодня, пожалуй, хватит, но Джеми уговорил ее позаниматься еще хотя бы десять минут, и в результате они закончили только в половине восьмого.

— Не будем так уж спешить — у нас впереди еще целый месяц, — сказала Лиз, помогая сыну стащить через голову мокрую от пота майку. — Вовсе не обязательно загонять себя насмерть в первый же вечер.

— Как ты не понимаешь, мама, ведь я *должен* победить! — с негодованием возразил Джеми. — Кроме того, папа всегда говорил, что тренироваться надо до тех пор, пока можешь стоять на ногах. А я все еще могу! — добавил он простодушно, и Лиз не сдержала улыбки.

— Думаю, нам все же стоит прерваться на ночь. Пока ты еще действительно держишься на ногах, — сказала она. — А завтра обязательно потренируемся еще.

— О'кей, — в конце концов согласился Джеми.

На самом деле он неплохо потрудился и совершенно выбился из сил. Но когда они вошли в кухню, где ждал приготовленный Кэрол ужин, Джеми вновь оживился. Жареный цыпленок с картофельным пюре, глазированная морковь и яблочный пирог были его любимыми блюдами.

— Ум-м, как вкусно! — воскликнул он, уписывая за обе щеки пюре, а затем пирог. При этом он не переставал болтать с матерью о том, как будет участвовать в олимпиаде и постарается занять одно из первых мест.

Усталость вскоре взяла свое, и сразу после ужина Джеми отправился в ванну, а потом — спать. Лиз не возражала. Она видела, что у сына уже слипаются глаза. К тому же завтра ему предстояло рано вставать и снова ехать в лагерь. У Лиз тоже были кое-какие дела. Поцеловав Джеми на ночь, она взяла кейс с бумагами и поднялась к себе в спальню.

Там она положила кейс на кровать и заглянула в кладовую. Кладовой они с Джеком называли встроенный стенной шкаф — такой большой, что в него можно было входить, как в комнату. Вдоль одной его стены висели ее вещи, а напротив — вещи Джека. Сейчас, остановившись перед ними, Лиз сразу вспомнила, что сказала ей этим утром мать.

На протяжении всего дня она очень старалась принять точку зрения Хелен, но стоило ей снова вдохнуть знакомый запах, почувствовать под пальцами плотное тепло добротной шерстяной ткани, как знакомая тоска стиснула ее сердце. Нет, решила Лиз, она не расстанется с его вещами еще очень долго, быть может, никогда! Джек, любая память о нем все еще значили для нее слишком много, чтобы она могла добровольно расстаться хоть с одной запонкой, хоть с одним носовым платком. Ее чувство было таким сильным, что Лиз даже испытала легкий приступ неприязни к матери и ко всем, кто пытался отнять у нее память о Джеке.

Шагнув вперед, она зарылась лицом в пиджак, который все это время бессознательно поглаживала рукой. От пиджака все еще пахло Джеком, и Лиз спросил себя, сколько пройдет лет, прежде чем этот запах окончательно выветрится, исчезнет. Она знала, что рано или поздно так и случится, но сама мысль об этом была настолько невыносима, что она поскорее прогнала ее от себя.

Лиз не слышала, как дверца шкафа-кладовки отворилась и внутрь заглянул Питер. Она заметила его присутствие, только когда он осторожно тронул ее за плечо, и подскочила от неожиданности.

— Ах, это ты... — пробормотала она, оборачиваясь. — Боже, Питер, как ты меня напугал!..

— Не стоит этого делать, мама, — серьезно сказал он, глядя на ее заплаканное лицо. У него в глазах тоже стояли слезы, а нижняя губа дрожала как у маленького, но взгляд был совсем взрослым, а голос — уверенным и... властным.

— Почему? — спросила она, и Питер протянул вперед руки и прижал ее к себе. Повзрослев сразу на несколько лет в день, когда не стало его отца, он был теперь не только ее сыном, но и другом. Лиз все чаще обращалась к нему за поддержкой и советом.

— Я все еще очень сильно скучаю по нему, — честно призналась она, и Питер кивнул.

— Я знаю. Но если ты будешь ходить сюда и плакать, этим ты ничего не изменишь. Слезами горю не поможешь, только сделаешь хуже себе. И нам тоже, — добавил он, решив, что так действие его слов будет сильнее. — Еще недавно, — признался он после небольшой паузы, — я сам приходил сюда, чтобы делать то же, что ты сейчас, но потом мне всегда бывало так плохо, что я перестал. Мне кажется, разумнее всего было бы собрать папины вещи и убрать куда-нибудь. В подвал, например. Или в гараж. Если хочешь, я тебе помогу, — тут же предложил он.

— Твоя бабушка тоже так говорит, — печально кивнула Лиз. — Но я не хочу. Не хочу и не могу!

— Тогда не надо, — неожиданно согласился Питер. — Не будем спешить. Когда ты будешь готова, ты сама скажешь.

— Что, если я никогда не буду готова?

— Будешь. И я уверен — когда такой момент настанет, ты это сразу поймешь.

Лиз медленно высвободилась из его объятий и, поглядев на Питера снизу вверх, медленно улыбнулась. Боль отступила, и ей стало намного легче — быть может, от того, что ее собственный сын оказался таким взрослым и мудрым.

— Я люблю тебя, мама.

— Я тоже люблю тебя, дорогой. Спасибо, что поддержал меня и остальных.

Питер кивнул, и они вернулись в комнату. Лиз посмотрела на брошенный на кровать «дипломат» с бумагами, но работать не хотелось. Питер был прав: после того, как она вспоминала Джека, трогала его костюмы и вдыхала запах его одеколона, ей действительно становилось хуже, хотя в первые минуты она и получала некоторое облегчение. Но потом все начиналось сначала. Снова наваливались тоска, одиночество, боль, которые были намного сильнее, чем раньше. Питер первым открыл это; именно поэтому он перестал заглядывать в кладовку в поисках утешения.

— Почему бы тебе не устроить себе небольшой праздник? — спросил Питер. — Скажем, просто принять ванну, посмотреть кино по телику или сделать что-то в этом роде?

— Мне нужно работать, — виновато сказала Лиз.

— Работа не убежит, — мудро заметил он. — Если бы папа был жив, он бы обязательно сводил тебя в ресторан или еще куда-нибудь.

Даже он не работал каждый вечер, как работаешь ты.

— Возможно, но все-таки он работал достаточно много. Больше, чем я, во всяком случае, тогда.

— Но ты все равно не можешь быть собой и им одновременно и выполнять все, что вы делали вдвоем. Одному человеку это не под силу. К тому же ты — это ты, и будет лучше, если ты это, гм-м... останешься собой.

— Ума не приложу, когда ты успел стать таким взрослым! — улыбнулась Лиз, но они оба, конечно, знали ответ. Питер вырос и возмужал в одно рождественское утро примерно шесть месяцев назад. Ему пришлось сделать это быстро, чтобы помочь матери, брату и сестрам. Даже девочки при всем их легкомыслии изрядно повзрослели за прошедшие шесть месяцев; Меган делала первые, неуклюжие пока попытки помогать матери.

Лиз знала, что, пока ее дочери будут в лагере, ей будет их не хватать. Но с другой стороны, они заслуживали того, чтобы немного отдохнуть и отвлечься после всего, что им пришлось пережить. Им всем не помешала бы смена обстановки.

В конце концов Питер ушел к себе, а Лиз села на кровать и разложила на покрывале бумаги. Она уже привыкла работать допоздна — главным образом потому, что ложиться спать ей все еще было тяжело. Каждый раз, лежа в темноте без сна, Лиз начинала одну и ту же битву с воспоминаниями, в которой до сих пор не научилась выигрывать.

В час ночи, когда Питер давно уже спал, она наконец погасила свет, а заснула где-то в начале третьего, чтобы в семь быть уже на ногах. Она отвезла Джеми в лагерь, потом отправилась на работу, разобрала бумаги, сделала около дюжины телефонных звонков, продиктовала несколько писем и в половине шестого вечера опять была дома.

Все повторилось еще раз. Стоя на заднем дворе с секундомером в руках, Лиз засекала время, за которое Джеми успевал пробежать заранее отмеренный стоярдовый отрезок дорожки, и думала о том, насколько приятно ее времяпрепровождение. Дети, работа, работа, дети, короткий сон — и снова все сначала. На данном этапе ее жизни ничего, кроме этого, у нее не было, но ничего другого Лиз и не хотела.

К тому времени когда девочки вернулись из лагеря, Джеми показывал отличные результаты в беге на сто ярдов и очень неплохо прыгал в длину. Несколько раз они даже приступали к тренировкам по бегу в мешке, который Лиз раздобыла в бакалейной лавке, но зрелище было настолько уморительное, что она часто не выдерживала и начинала хохотать в самый неподходящий момент. К счастью, Джеми не обижался, понимая, что она смеется вовсе не над ним. В целом же он набрался не только сил, но и уверенности в себе. Желание победить вполне компенсировало ему недостаток координации.

Когда сестры наконец приехали из лагеря, Джеми так радовался, что, казалось, забыл даже про свою олимпиаду. Девочки тоже были очень рады видеть его. Джеми всегда был для них особенным. Он был больше, чем просто младший брат. Сестры привезли ему подарок — диковинной формы корень неведомого дерева, напоминавший сказочное лесное чудище. Джеми тотчас поставил его на книжную полку в своей комнате, предварительно сняв оттуда игрушечную собачку. («Я уже слишком большой», — смущенно объяснил он.)

У него тоже был для них сюрприз — несколько ярких океанских раковин, которые Лиз купила буквально накануне, когда водила Джеми с приятелем в дельфинарий «Морской мир». Джеми очень понравились дельфины и касатки; он сам кормил их рыбой и визжал от удовольствия каждый раз, когда они били хвостами, обрызгивая его водой. В итоге Джеми промок буквально насквозь, и когда они вернулись в машину, Лиз пришлось завернуть его и приятеля в сухие полотенца, чтобы они не простудились. Одним словом, это был великолепный день, и Джеми было о чем рассказать сестрам.

Олимпийские игры должны были состояться в следующие выходные. Лиз тренировала Джеми каждый вечер. Накануне состязаний они устроили на заднем дворе что-то вроде показательных выступлений, и девочки громко аплодировали Джеми, когда он показал отличное время в беге на сто ярдов и побил свой личный рекорд в прыжках. Он действительно был в отличной форме. Сазерленды не сомневались, что по меньшей мере одну золотую медаль Джеми завоюет.

В ночь перед соревнованиями Джеми долго не мог заснуть — так он был возбужден. Как это часто бывало, он снова спал в одной постели с Лиз. Ей даже пришлось спеть сыну колыбельную, чтобы успокоить его. То, что Джеми спал с ней, было, возможно, не совсем правильно с точки зрения строгих канонов нравственности, однако Лиз не возражала. Во-первых, Джеми было десять только по метрике, а кроме того, когда он забирался к ней под одеяло, ей было не так одиноко в большой темной спальне.

Утро следующего дня было теплым и солнечным, и Лиз с Джеми отправились на стадион как можно раньше, захватив видеокамеру Джека. Лиз также взяла с собой свой «Никон», которым не пользовалась почти год — с прошлого праздника Четвертого июля. Питер с девочками и Кэрол обещали подъехать попозже. У входа на стадион они зарегистрировались. Джеми получил номер участника, который тут же надел на себя. Несмотря на ранний час, на стадионе было уже полно детей; многие из них выглядели вполне здоровыми, но лишь на первый взгляд. Наметанный глаз Лиз выхватывал из толпы и даунов с их характерными лицами, и имбецилов, и просто детей с задержкой психического развития, как Джеми. Многие сидели в инвалидных креслах. Лиз знала, что в этом году в программу Специальных олимпийских игр впервые включен баскетбол для колясочников. Раньше они участвовали только в гонках на разные дистанции. Но несмотря на то что ни одного абсолютно здорового ребенка здесь не могло быть просто по определению, Лиз неожиданно поразилась тому, насколько все они веселы и счастливы. Воздух то и дело оглашался взрывами звонкого смеха, и она подумала, что эти маленькие калеки могут научить ее многому. Стойкости и мужеству, например, или умению не пасовать перед жизненными трудностями.

Она бы с удовольствием побыла среди этих детей подольше, но тут по стадиону объявили, что на старт вызываются участники забега на сто ярдов. Джеми уже переобулся в шиповки, и Лиз оставалось только отвести его к столику судьи-стартера. Казалось, все было в порядке, но когда мальчики уже выстроились на стартовой линии, Джеми вдруг обернулся и посмотрел на мать с каким-то затравленным выражением лица.

— Я не могу! — пробормотал он сдавленным голосом. — Не могу — и все!

— Можешь, — негромко, но твердо ответила Лиз, пожимая его холодную, влажную от пота ладошку. — Ты сам знаешь, что можешь. А какое место ты завоюешь — не имеет значения. Ведь ты бежишь не ради медали, а просто для собственного удовольствия, не так ли? Вот и постарайся получить это удовольствие, ладно?

— Я не могу без папы... — прошептал Джеми побледневшими губами, и Лиз почувствовала, как у нее беспомощно опускаются руки. К этому она была не готова, и ее глаза невольно наполнились слезами.

— Папа тоже хотел бы, чтобы ты бежал ради своего удовольствия, — сказала она наконец. — *Это* было для него главным — это, а не медали и места. Вот увидишь, даже если ты прибежишь последним, он... и мы все будем ужасно рады, что ты участвовал в этой олимпиаде. Не каждый мальчик способен выступать на таких ответственных соревнованиях третий год подряд.

Она постаралась скрыть слезы, и ей, похоже, это удалось — Джеми ничего не заметил.

— Ты ничего не понимаешь! — воскликнул он дрожащим голосом. — Я не хочу бежать *без* папы!

Слезы брызнули из его глаз и, бросившись к матери, Джеми зарылся лицом в ее старую клетчатую ковбойку. Лиз обняла его, гадая, как ей лучше поступить: разрешить ему не бежать или, напротив, сделать все, чтобы заставить справиться с собой и преодолеть свою слабость. Принять правильно решение было нелегко; впрочем, что́ в этой жизни легко? В последнее время все, что они ни делали, давалось им огромным напряжением сил. Но стоило справиться с болью, и чувство победы над собой становилось им достойной наградой.

— Ну попробуй хотя бы бег, ведь именно в беге у тебя были отличные результаты! — напомнила Лиз, гладя его по голове. — За остальным можно просто понаблюдать с трибун, а если не хочешь — поедем домой... Ты только пробеги эти несчастные сто ярдов — и все!

Джеми довольно долго колебался, потом на лице его появилось выражение упрямой сосредоточенности. Не сказав больше ни слова, он повернулся, чтобы идти на старт. Свой забег он пропустил, но во втором забеге не хватало участника, и судья поставил его на свободное место. До старта оставалось всего несколько секунд. Лиз послала сыну воздушный поцелуй, чего никогда бы не сделал Джек. Он старался обращаться с сыном, как с мужчиной, и не раз упрекал Лиз, что она сюсюкает с ним, словно с несмышленым младенцем. Но ведь Джеми и в самом деле был совсем еще маленьким. И сколько бы лет ему, в конце концов, ни исполнилось, Лиз знала, что для нее он всегда останется ребенком — *ее* ребенком.

Сквозь пелену слез она следила, как Джеми бежал по дистанции. Что бы она ни говорила ему перед стартом, на самом деле Лиз очень хотелось, чтобы он победил — ради себя, ради отца, ради нее, наконец. Эта победа доказала бы, что все не так плохо и что они могут жить даже без Джека. Прежде всего сам Джеми нуждался в подобном доказательстве едва ли не больше, чем все остальные.

С замиранием сердца Лиз следила за тем, как бегуны приближаются к финишу. Джеми бежал третьим или четвертым, но перед самым концом дистанции у него за спиной словно выросли крылья. Стремительный рывок, и Джеми вырвался вперед. Он не вертел головой по сторонам, не оглядывался назад, как делали другие мальчики, он смотрел только вперед и несся — нет, летел к финишной черте. Что произошло дальше, Лиз поняла не сразу. Лишь через несколько мгновений до нее дошло, что Джеми прибежал первым. Он грудью бросился на ленточку и, задыхающийся и счастливый, остановился у дальнего конца беговой дорожки, ища взглядом мать, пока специальная болельщица из добровольцев обнимала и поздравляла его.

Разделявшие их сто ярдов Лиз преодолела едва ли не быстрее Джеми. Подбежав к сыну, она крепко обхватила его обеими руками и прижала к груди, не замечая, что слезы потоком текут по ее щекам.

— Я выиграл! Выиграл! Выиграл все-таки!!! — захлебываясь от счастья, восклицал Джеми. — С папой я никогда не выигрывал первого места, а с тобой — выиграл! Правда, мы молодцы, а?

— Конечно, родной, — ответила Лиз, думая о том, как был бы рад за сына Джек. В эти секунды она почти физически ощущала его довольную улыбку, и, крепче прижав Джеми к себе, тихонько поблагодарила бога — и Джека — за то, что они сделали эту победу возможной. Потом она поцеловала Джеми в нагретую солнцем темную макушку и сказала, что ужасно им гордится.

Джеми посмотрел на нее и удивленно вскинул брови.

— А ты разве не рада, мама?

У него была настолько озадаченная мордочка, что Лиз не выдержала и рассмеялась сквозь слезы.

— Конечно, я рада! Ты молодец, Джеми! — Лиз нашла взглядом Питера и девочек, которые сидели на трибуне, и они с Джеми помахали им. Тут по стадиону стали объявлять имена победителей, и Джеми пошел на пьедестал почета — получать свою золотую медаль. Питер и сестры торжествующе завопили. Лиз тоже едва удерживалась, чтобы не визжать от радости и не прыгать на одной ножке. Джеми одержал важную победу, и — что бы ни ожидало его в других видах — сегодняшний день можно было считать удачным.

После бега на сто ярдов Джеми принял участие в прыжках в длину и занял второе место, а в беге в мешках снова стал первым. Таким образом, он завоевал две золотые и одну серебряную медаль и был буквально на седьмом небе от счастья. Когда вечером они наконец собрались уезжать, Джеми повесил сразу три медали себе на шею и ни за что не хотел снимать. Это был действительно знаменательный день для всей семьи. Лиз решила завершить его, отметив успех Джеми в кафе «Олений глаз» в Саусалито.

— С папой я никогда не выигрывал «золото», — снова сказал Джеми, когда они уже сидели в кафе. — Ты отличный тренер, мама. Я думал, ты не справишься!

— Я тоже сомневалась, — вставила Меган, глядя на Лиз с гордостью и любовью, а Энни и Рэчел пошутили, что теперь, когда Джеми стал олимпийским чемпионом, он, чего доброго, задерет нос и перестанет здороваться со своими родными сестрами. Лиз же пообещала сыну, что вставит его медали под стекло, чтобы он мог повесить их на стену.

— Нет, мам, ты и вправду отлично поработала, — сказала Энни. — Мы и не знали, что у тебя такие замечательные способности. Похоже, тебе по силам сделать из Джеми чемпиона *настоящих* игр. Мне, во всяком случае, очень бы хотелось, чтобы, завидев меня, люди говорили: «Смотрите, вон идет Энни Сазерленд, родная сестра пятикратного чемпиона Олимпийских игр...»

Лиз улыбнулась.

— Дело тут не во мне, а в Джеми, — ответила она. — Все, что я делала, это засекала время, пока он бегал по дорожке на заднем дворе. Занятие легче легкого!

Но это было не совсем так. Пять недель тренировок, которые в конце концов принесли свои плоды, были трудны не только для Джеми, но и для нее. Но теперь, видя, как горд и счастлив ее сын, Лиз готова была забыть о своих сомнениях и колебаниях.

Когда вечером она укладывала его в постель, Джеми обнял ее за шею и еще раз поблагодарил за все, что она сделала.

— Я люблю тебя, мамочка, — сказал он. — Я еще скучаю по папе, но я все равно очень тебя люблю.

— Ты прекрасный сын, и я тоже тебя люблю, — ответила она. — И я тоже скучаю без папы, но знаешь что я тебе скажу? Я думаю, сегодня он радовался вместе с нами, что у него такие замечательные дети. И, конечно, он был очень рад твоим успехам.

— Я тоже так думаю, — серьезно согласился Джеми и зевнул. Потом он повернулся на бок и заснул прежде, чем Лиз успела выйти из комнаты.

Входя в свою спальню, Лиз все еще улыбалась. Питер поехал в кино и взял с собой Меган; Рэчел и Энни смотрели видео, и она была предоставлена самой себе. Как всегда, когда у нее не было никаких особенных дел, Лиз стала думать о муже, но на этот раз она не чувствовала ни одиночества, ни тоски. В темной спальне, разумеется, никого не было, но она почти физически ощущала присутствие Джека — его тепло, силу и любовь.

— Мы сделали это! — негромко сказала она в темноту и добавила: — Спасибо тебе.

Потом Лиз включила свет, но, в отличие от предыдущих вечеров, она не ждала, что увидит его. Джек ушел, она уже поняла это умом и начинала принимать сердцем, но ушел не в пустоту. Он следил за ними откуда-то сверху, и еще он оставил им нечто такое, чему не было ни названия, ни цены.

## Глава 6

Через три дня после олимпиады они всей семьей отправились на озеро Тахо. Старинный приятель Джека предложил им пожить неделю в своем доме в Хоумвуде, и Лиз с радостью согласилась. Правда, дом был не в лучшем состоянии, поскольку жена этого человека не особенно любила Хоумвуд, да и дети его давно выросли и бывали там не часто, но Лиз это не смущало. В доме было достаточно комнат и широкая крытая веранда, с которой открывался прекрасный вид на озеро и склоны прилегающих холмов. Сам дом стоял на довольно большом участке, где рос самый настоящий лес. Когда дети оказались там, радости их не было предела.

Сразу по приезде Питер и девочки помогли матери вымести из комнат мусор и вымыть полы, а Джеми отнес в кухню сумки и пакеты со съестными припасами. Он же помог распаковать их и разложить по полкам ветхого буфета, которые Лиз застелила чистой бумагой. Кэрол уехала погостить к сестре в Сан-Франциско, поэтому хозяйничать им пришлось самим, но никто не возражал. Детям нравилось чувствовать себя взрослыми и самостоятельными.

— Как насчет того, чтобы искупаться? — предложил Питер, когда с делами было покончено. Спустя полчаса все они уже весело плескались в теплой воде и ныряли с мостков, к которым была привязана старая прогулочная лодка. Лодка никуда не годилась, но это никого не огорчило. Ведь Лиз уже договорилась, что завтра они пойдут кататься на настоящих водных лыжах.

Вечером Лиз приготовила салат, а Питер пожарил шашлыки. Делать это его научил отец, когда Питер помогал ему устраивать барбекю на праздник Четвертого июля. После ужина они долго сидели у костра, пекли в золе корни алтея и рассказывали друг другу разные истории. Энни первой рассказала смешной случай про Джека, и Лиз поймала себя на том, что, слушая дочь, она улыбается. Лиз вспомнила другую веселую историю, которая случилась с ней и Джеком очень давно, когда у них родился Питер. Она рассказала ее, и дети просто покатывались со смеху, слушая, как их отец приготовил Питеру овсянку на молоке, опрокинул ее на пол и потом собирал ее ложкой обратно в кастрюлю, потому что больше овсянки в доме не было, а Питер уже проголодался и требовал еды (басом, как сказала Лиз. Даже когда Питер был младенцем, он плакал исключительно басом). А потом Рэчел вспомнила, как Джек случайно заперся в домике, который они сняли на лето, и не мог открыть дверь. В конце концов ему пришлось выбираться наружу через окно. После этого между детьми началось своего рода соревнование, кто вспомнит самую смешную (и самую дурацкую) историю про папу, и Лиз это не казалось кощунством. Просто такой способ ненадолго оживить Джека — способ, против которого никто не возражал. За прошедшие месяцы терзавшая их боль притупилась, и они обнаружили, что умеют не только плакать, но и смеяться.

Когда далеко за полночь дети наконец разошлись по комнатам, Лиз неожиданно подумала о том, что уж давно не чувствовала себя так хорошо. Она все еще тосковала по Джеку, но это не мешало ей чувствовать себя счастливой. Лиз была именно счастлива, потому что счастливы были ее дети; и она благословляла тот день и час, когда ей в голову пришла идея поездки на озеро. Эти маленькие каникулы были именно тем, в чем все они так нуждались. Даже Питер договорился, чтобы ему дали в клинике недельный отпуск, и не потому, что Лиз его просила, а потому, что он сам захотел немного побыть со своими родными.

На следующий день они, как и было задумано, пошли кататься на водных лыжах, а после обеда Питер повел Рэчел и Джеми ловить рыбу в ручье, который протекал за домом. Они рыбачили три часа подряд и поймали одну маленькую рыбку, которую тотчас отпустили, но удовольствие получили огромное. А на следующий день они взяли напрокат лодку и отправились рыбачить уже на озеро. Мальчики снова поймали две или три рыбешки величиной с ладонь, а Меган, которая взяла в руки удочку в первый раз в жизни, удалось вытащить почти фунтового полосатого окуня. На обратном пути они наловили у причала раков, и Лиз сварила их на ужин. Спать легли прямо на террасе, завернувшись в одеяла и спальные мешки, потому что так им было удобнее смотреть на звезды.

Это была счастливая, беззаботная неделя, но увы — она пролетела как одно мгновение. Когда в воскресенье утром настала пора собирать вещи, все были искренне огорчены. Уезжать никому не хотелось, и дети заставили Лиз пообещать, что при первой возможности они снова приедут в Хоумвуд. Возможно, им удастся побывать на озере Тахо в День труда[1]; это, кстати, избавляло Лиз от необходимости приглашать гостей на вечеринку, которую они с Джеком всегда устраивали в этот день. Как и пикник на день Четвертого июля, это была одна из семейных традиций, но они уже решили, что по крайней мере в этом году не станут предпринимать ничего подобного. Поездка на озеро, таким образом, снимала сразу несколько проблем.

Обещание, данное Лиз, вернуло детям радостное настроение, и на обратном пути они были веселы и беззаботны. Когда они ненадолго остановились в Оберне, чтобы съесть по гамбургеру с молочной болтушкой, Лиз сказала Питеру:

— Знаешь, мне так понравилось на озере,

---

[1] День труда — национальный праздник США, отмечается в первый понедельник сентября (*прим. пер.*).

что даже не хочется снова идти на работу! Хотела бы я, чтобы остаток лета прошел так же весело.

— Так устрой себе каникулы, — посоветовал он, но Лиз только покачала головой. Даже теперь, после недельного перерыва, она не могла без содрогания думать о той куче дел, которая ждала ее в конторе. Кроме всего прочего, у нее было запланировано несколько судебных слушаний и один сложный процесс, к которому она еще даже не начинала готовиться.

— Не могу, — ответила она. — Дел по горло, просто не представляю, как я со всем справлюсь.

— Ты слишком много работаешь, мама. — Питер в свою очередь покачал головой. И Лиз, и он слишком хорошо знали, что она по-прежнему пытается нести груз, рассчитанный на двоих. Немудрено, что Лиз буквально тонула в потоке дел.

— Почему бы тебе не нанять какого-нибудь молодого адвоката, чтобы он помогал тебе? — предложил Питер, немного поразмыслив.

— Я думала об этом, — призналась Лиз. — Но мне почему-то кажется, что твой отец не одобрил бы такое решение. Пока мы с Джеком работали вместе, это было чисто семейное предприятие; мы отвечали только друг перед другом и, теоретически, могли в любой момент прикрыть фирму. Но как только в деле появляются наемные работники или, не дай бог, младшие партнеры, частная практика сразу превращается в полноценную юридическую фирму, а это — огромная ответственность. И не только перед клиентами, но и перед теми, кто у тебя работает. Нет, я не могу...

— Но папе не понравилось бы и то, что ты готова загнать себя в гроб работой, — заявил Питер.

Джек действительно всегда знал, когда нужно сделать перерыв и развлечься, хотя своей работе он был предан ничуть не меньше, чем Лиз. И неделя, которую они провели на озере Тахо, доставила бы ему огромное удовольствие.

— Ладно, я подумаю, — неуверенно произнесла Лиз. — Может быть, к зиме я действительно найму помощника, но пока я неплохо справляюсь одна.

Она, конечно, справлялась, но ни на что другое у нее просто не оставалось времени. Лиз уже забыла, когда в последний раз она брала в руки книгу или журнал, ходила с подругой в кафе или в ресторан или просто была у парикмахера. Она отдавала работе каждую минуту, когда не была с детьми, и каким-то невероятным образом успевала сделать все необходимое. Но это не было нормальной жизнью для женщины ее возраста, и дети, похоже, поняли это раньше ее.

— Не стоит откладывать на завтра то, что можно сделать сегодня, — сказал Питер и, встав из-за столика, пошел к кассе, чтобы расплатиться и купить каждому по пакетику сладостей — засахаренных орешков, цукатов и мармелада. Они делали это каждый раз, когда ездили на озеро Тахо кататься на лыжах. Питер решил не нарушать традиции, несмотря на то что на дворе стояло лето, а не зима.

Когда они вернулись домой, Кэрол уже ждала их. Она вернулась от сестры раньше, чем планировала, и успела привести в порядок дом, купить продукты и даже приготовить ужин. И Лиз была благодарна ей за это. Она знала, что оставшиеся до начала нового учебного года недели будут для нее не самыми легкими. Правда, Питеру предстояло до сентября работать в ветеринарной клинике, но остальные — особенно девочки — собирались провести оставшееся время дома. Лиз нисколько не сомневалась, что они будут с утра до вечера вертеться у бассейна и наводнять дом друзьями и подругами. Это означало, что Кэрол придется ежедневно готовить обеды и ужины для полутора-двух десятков подростков, а Лиз — следить за тем, чтобы никто из гостей случайно не утонул. Но пусть лучше девочки будут дома, чем неизвестно где.

Ужин показался детям невероятно вкусным, к тому же, как ни хорошо им было в Хоумвуде, дома все же лучше, и они разошлись по комнатам счастливые и довольные. Лиз тоже была рада вернуться домой. Она чувствовала себя посвежевшей и отдохнувшей. Но когда на следующий день она приехала в офис и увидела горы бумаг на столе, настроение ее сразу упало. Очевидно, с горечью подумала Лиз, перебирая списки тех, кому должна была срочно перезвонить, она работала слишком хорошо, и все знакомые адвокаты и бывшие клиенты считали своим долгом направлять ей новые и новые дела. В связи с этим совет Питера насчет помощника-юриста показался ей куда более заманчивым, чем вчера. После обеда она поделилась этой идеей с Джин.

— Вы имеете в виду кого-нибудь конкретного? — Джин, как всегда, подошла к проблеме по-деловому, не отвлекаясь на пустое теоретизирование. Мысль о том, что Лиз необходим квалифицированный помощник, приходила в голову и ей, и сейчас она мысленно аплодировала Питеру за это мудрое предложение.

— Нет. Пока нет, — призналась Лиз. — Я даже еще не решила, нужно это мне или нет.

— Что ж, подумайте, — кивнула Джин. — Но если хотите знать мое мнение — ваш сын прав. Еще до того, как погиб мистер Сазерленд, у вас было слишком много дел даже для двоих, а теперь вы везете все это одна. Кроме того, вы, быть может, этого не заметили, но за последнее время ваша практика еще расширилась. На данный момент у вас клиентов едва ли не вдвое больше, чем когда вы работали с мужем.

— Хотела бы я знать, как это могло случиться! — Лиз удивленно подняла брови. Джин скорее всего права; просто Лиз не представляла себе, когда она успела набрать столько работы.

— Все очень просто, миссис Сазерленд. Вы — отличный адвокат, к тому же за свои услуги вы берете не слишком дорого. Вы никому не отказываете, и некоторые из ваших не слишком добросовестных коллег норовят спихнуть вам дела посложнее.

— Джек тоже был хорошим адвокатом! — немедленно возразила Лиз. — Я всегда считала, что он был много лучше меня!

— Я так не думаю, — честно сказала Джин. — Но разговор сейчас не об этом. Мистер Сазерленд сам выбирал дела, которыми он бы хотел заниматься, а вы беретесь за все подряд. Я могу прямо сейчас, не сходя с места, назвать не меньше полудюжины дел, которые мистер Сазерленд наверняка передал бы другим адвокатам, но вы-то от них не отказались!

— Что ж, попробую научиться отказывать, — задумчиво промолвила Лиз.

— Это будет нелегко, — покачала головой Джин. — Я вообще считаю, что у вас это вряд ли получится.

На самом деле она была уверена в этом даже не на сто, а на все двести процентов. Джин слишком хорошо знала Лиз, знала ее отношение к делу и к людям и не могла представить себе, чтобы она кому-то отказала.

— Боюсь, ты права, — вздохнула Лиз и тут же негромко рассмеялась. — Хорошо, я еще подумаю. А сейчас я хотела бы продиктовать несколько писем. Тащи-ка сюда свой компьютер. Начнем с дела Питти против Питти...

В тот день она вернулась домой в половине девятого вечера, но ведь должен же был кто-то заплатить за неделю счастливых каникул. Несмотря на поздний час, дети все еще сидели в бассейне, а Кэрол готовила пиццу.

— Привет, ребята! — сказала Лиз и улыбнулась. Она была рада, что Питер вернулся с дежурства и присматривает за остальными, однако радость ее несколько померкла, когда она заметила в воде двух приятелей Питера, которые, по мнению Лиз, относились к ее младшим детям недостаточно снисходительно. В бассейне шла игра в некое подобие водного поло. Девочкам и Джеми было нелегко увернуться от стремительно летящего мокрого мяча. Призвав гостей быть поаккуратнее, Лиз прошла на кухню, где Кэрол доставала пиццу из микроволновки.

— Боюсь, это может плохо кончиться, — негромко сказала Лиз, ставя кейс с бумагами на стул. Кэрол была с ней вполне согласна: она весь день говорила то же самое приятелям Меган. Больше других Лиз волновалась за Джеми, который только недавно научился держаться на воде. Чтобы он чувствовал себя увереннее, она даже немного спустила воду. Но ведь хорошо известно, захлебнуться можно и в ванне.

Поздно вечером, когда друзья Питера уходили, она еще раз напомнила им о необходимости быть поосторожнее.

— Я не хочу, чтобы кто-нибудь получил травму, — сказала она. — И мне не нужны судебные преследования, ясно?

— Ты зря беспокоишься, мама, по-моему, все

в порядке, — ответила Энни, которой приглянулся один из друзей Питера — стройный, белокурый юноша, но Лиз была настроена серьезно. На следующий день, уезжая на работу, она повторила еще раз, чтобы они были поаккуратнее и не играли в игры, которые могут закончиться плачевно. Ее слова, видимо, произвели впечатление, и когда она вернулась, в бассейне было намного спокойнее, но в четверг Лиз, приехав домой поздно, застала там около полудюжины друзей Питера. Они ныряли в воду с четырехфутовой тумбы. Как показалось Лиз, ребята слишком рисковали, красуясь перед девочками.

Ей это очень не понравилось. Отозвав Питера в сторонку, Лиз совершенно недвусмысленно заявила, что запретит сыну приглашать друзей, если они не будут соблюдать элементарных правил безопасности и внимательнее относиться к младшим.

— Во-первых, в бассейне слишком мало воды, чтобы прыгать в него вниз головой с тумбы. Если хотите нырять, ныряйте с бортика, — потребовала она. — Во-вторых, прежде чем прыгнуть, нужно дождаться, пока предыдущий ныряльщик выберется из воды. В-третьих, — и это относится лично к тебе, — следи за Джеми; кто-то может нечаянно его толкнуть, и этого хватит, чтобы он захлебнулся. Надеюсь, ты все усвоил и мне больше не придется напоминать тебе о том, как надо вести себя в воде, — сурово закончила она.

— По-моему, ты устала, мама, — ласково сказал Питер.

— Да, я устала, но это к делу не относится. Повторяю: я не желаю, чтобы кто-нибудь из вас получил увечье! Либо вы ведете себя цивилизованно, либо я запрещу вам пользоваться бассейном.

— О'кей, мама, я понял. — Питер неохотно кивнул. За последнее время он, конечно, сильно повзрослел, но был достаточно молод, чтобы увлечься примером своих друзей — безответственных шалопаев, которые напрочь теряли рассудок при виде Меган в новом открытом купальнике. Случись что с кем-нибудь из них, и Лиз пришлось бы отвечать в судебном порядке как хозяйке бассейна, а это было ей совершенно ни к чему. За прошедший год она и так слишком много пережила.

Потом Лиз ушла к себе в спальню и снова работала допоздна. Лишь сильнейшая головная боль, вызванная усталостью, заставила ее наконец лечь. Лиз помнила, что утром должна быть свежей и бодрой.

Ей удалось немного отдохнуть перед слушаниями, но когда на следующий день Лиз выходила из зала суда, она чувствовала себя совершенно разбитой. Заседание затянулось почти до полудня, слушания были напряженными и нервными, и Лиз окончательно вымоталась.

И тут зазвонил ее сотовый телефон. Это была Кэрол.

— Вы должны немедленно приехать, — сказала она, и хотя ее голос звучал спокойно, Лиз явственно ощутила, как от недоброго предчувствия у нее болезненно сжалось сердце.

— Что случилось, Кэрол? Что-нибудь с детьми? — Она была почти уверена, что что-то случилось с Джеми, но ошиблась.

— Да, миссис Сазерленд. — Кэрол называла ее «миссис Сазерленд», только когда проблема была очень серьезной. — Питер сегодня не работал, и к нему пришли друзья...

— *Что случилось, черт побери?!* — Она сказала это так громко и так пронзительно, что люди, выходившие из здания суда, начали оборачиваться. Лиз и сама не подозревала, что может до такой степени потерять над собой контроль, но с другой стороны, ее нервы уже давно никуда не годились.

— Я пока не знаю, мэм. Питер прыгнул в бассейн с тумбы и ударился головой о дно. «Скорая помощь» уже здесь.

— Он разбил голову?! — ужаснулась Лиз. Перед глазами снова встал залитый кровью ковер и свинцово-серое лицо Джека.

— Нет, — ответила Кэрол, и ее голос прозвучал на редкость спокойно, хотя никакого спокойствия она не ощущала. Ей очень не хотелось быть тем человеком, который сообщит Лиз недобрые вести, но что поделаешь. — Он... он без сознания.

Кэрол не хватило мужества сказать Лиз, что Питер, возможно, сломал себе шею или, по крайней мере, серьезно повредил позвоночник. Медики, прибывшие по вызову через считанные минуты, не решились поставить диагноз. Они могли только оказать ему первую помощь и доставить в ближайшую больницу.

— Питера отвезут в центральную клинику округа, — добавила Кэрол. — Поезжайте прямо туда. Простите, что я не доглядела.

— Ты не виновата, — отмахнулась Лиз. — Остальные в порядке? — Этот вопрос она задала уже на бегу, торопясь к своей машине.

— Больше никто не пострадал. Только Питер.

— Но он поправится? С ним все будет в порядке?

Пауза, которую выдержала Кэрол, прежде чем ответить, была красноречивее всяких слов. В трубке Лиз слышала, как взвыли сирены отъезжающей «Скорой».

— Я думаю — да, — сказала наконец Кэрол. — По правде сказать, я знаю совсем немного. Я говорила им, что... — Кэрол внезапно разрыдалась, и Лиз дала отбой.

Она запустила мотор машины и отъехала от тротуара, молясь про себя, чтобы с Питером все обошлось. «Пусть с ним не случится ничего страшного! — снова и снова твердила Лиз. Она бы не перенесла, если бы ее старший сын, ее мальчик... Нет, даже в мыслях она не смела произнести слова «погиб». Если бы Питер умер, это была бы самая настоящая катастрофа, и Лиз старалась не думать об этом. — Боже, сделай так, чтобы все было хорошо!»

Она неслась по улицам, не замечая ни светофоров, ни машин. Ей повезло: она ни во что не врезалась, никого не сбила и была на стоянке возле больницы минут через десять после того, как Питера отвезли в приемный покой. Но там она его уже не застала. Питера немедленно отправили в реанимацию травматологического отделения, и Лиз бросилась туда.

Она увидела его почти сразу. Он лежал на каталке за невысокой пластиковой ширмой, а вокруг столпились врачи. Питер был еще мокрым после бассейна, и Лиз поразила неестественная бледность его губ. Они были даже не белыми, а какими-то синевато-серыми. Лиз испугалась, что он умирает. Врачам было не до нее; они подсоединяли к Питеру какие-то приборы, вводили капельницы, давали кислород. Одна из сиделок ненадолго повернулась к Лиз, чтобы объяснить, в чем дело. У Питера была серьезная черепно-мозговая травма; кроме того, врачи подозревали, что может быть поврежден шейный отдел позвоночника. Сейчас шли приготовления к тому, чтобы сделать рентгеновский снимок.

— Но он поправится? — спросила Лиз, не отрывая глаз от лица Питера и еле справляясь с подступающей паникой. — Скажите, поправится?

— Пока неизвестно, — честно сказала сиделка. — Вам нужно поговорить с доктором. Он выйдет к вам, как только осмотрит вашего мальчика.

Лиз хотелось хотя бы прикоснуться к Питеру, может быть, сказать ему пару слов, но ей не удалось даже близко подойти к нему. Оставалось только стоять у ширмы и грызть ногти, стараясь не закричать от ужаса. Врачи прикатили громоздкий рентгеновский аппарат и освободили Питера от одежды, которая была на нем. Он остался лежать обнаженным в мертвенном свете ламп дневного света.

Питеру сделали рентген головы и шеи, однако этим осмотр не закончился. Казалось, врачи исследуют каждый дюйм его тела. Лиз беспомощно следила за их манипуляциями. Казалось, прошла целая вечность, прежде чем к ней подошел какой-то мужчина в бледно-зеленом костюме, и она поняла, что это врач. Лицо его было суровым и усталым, глаза смотрели холодно и равнодушно. Лиз заметила седину на его висках и подумала, что, должно быть, врач опытный и по крайней мере знает, что делает.

— Ну что?! — воскликнула она, не сдержав волнения.

— Состояние пока тяжелое, — ответил врач. — Ваш сын получил серьезную черепно-мозговую травму, которая чревата самыми неожиданными осложнениями. Рентген показал большую опухоль, поэтому через несколько минут мы сделаем электроэнцефалограмму и измерим внутричерепное давление. Впрочем, многое будет зависеть от того, насколько быстро больной придет в сознание. Что касается шейного отдела позвоночника, то вашему сыну, похоже,

крупно повезло. Сначала я подозревал смещение одного или нескольких позвонков, но этого не произошло. Впрочем, нужно посмотреть,
что покажет рентген...

Врач поправил висевший у него на груди сте-
тоскоп. На своем веку он видел немало людей, у
которых была сломана шея. В основном это
были подростки, которые неосторожно вели
себя в бассейне или ныряли в незнакомых местах. Парню действительно повезло! У него не
было никаких признаков паралича конечнос-
тей, неизбежного при такого рода травмах. Как
показал рентгеновский снимок, принесенный
из лаборатории минуты через три, он отделался лишь небольшой трещиной в теле четвертого позвонка, но спинной мозг задет не был.

Однако травмы головы представляли собой
опасность не менее грозную, и врач так и сказал потрясенной Лиз.

— Последствия могут быть какими угодно.
Сейчас я ничего не могу сказать. Подождите,
возможно, через какое-то время мы будем знать
точнее.

За мгновение до того, как Питера увезли,
Лиз удалось дотронуться до него.

— Я люблю тебя, Питер! — шепнула она, но
он был без сознания и не услышал ее слов.

Врач снова вышел к ней примерно через
час. За это время Лиз успела узнать, что он воз-
главляет травматологическое отделение больницы и что его зовут Дик Вебстер. Выглядел он

еще более хмурым, и Лиз почувствовала, как у нее упало сердце.

— У вашего сына сильное сотрясение мозга, — сказал он. — И большая внутренняя гематома. На данном этапе мы ничего не можем сделать — только ждать, пока спадет опухоль. Если она не спадет или будет увеличиваться, потребуется срочное хирургическое вмешательство.

— Вы хотите сказать, придется вскрывать череп?

Врач кивнул, и Лиз негромко ахнула от ужаса.

— Но ведь это... Скажите, Питер будет... Он будет... — Ей не хватило слов, и она замолчала.

— Пока ничего не известно. Возможны любые варианты — от самых худших до наиболее благоприятных. На данный момент вашему сыну необходим полный покой, а там посмотрим.

— Можно мне побыть с ним?

— Можно при условии, что вы не будете мешать врачам и не станете его тревожить. Только покой может ему помочь. — Дик Вебстер разговаривал с Лиз сквозь стиснутые зубы, словно она была его личным врагом, а ей казалось, что это он ее враг — уж больно он был жестким, профессионально бесчувственным. Она мгновенно возненавидела его за это. Единственное, что несколько оправдывало Дика Вебстера в ее глазах, это то, что он, похоже, сделает все, чтобы Питер был здоров.

— Я не стану мешать, — сказала она тихо, и

Дик отвел ее в палату и показал, где ей следует сесть, чтобы «не путаться под ногами», как он выразился. Опустившись на стул в изголовье кровати Питера, Лиз осторожно взяла сына за руку. На одном из его пальцев был надет кислородный датчик. Стол за изголовьем тоже был заставлен какими-то медицинскими приборами с экранами, по которым медленно ползли светящиеся зигзаги. Лиз ничего в них не понимала, но, судя по тому, как спокойно Дик Вебстер смотрел на них, состояние Питера было стабильным.

— Где вы были, когда это случилось? — грубовато спросил он, и Лиз захотелось отвесить ему пощечину.

— В суде. Я адвокат. С детьми оставалась наша домработница. — Тут она вспомнила, что сама спустила из бассейна часть воды, и острое чувство вины пронзило ее словно удар кинжала.

Дик хмыкнул.

— Я так и понял, — коротко сказал он и вышел в коридор, чтобы поговорить со своим ординатором и дежурным врачом. Через несколько минут он вернулся.

— Дадим ему еще часа два, а потом — наверх, в операционную, — сказал он, и Лиз тупо кивнула. Все это время она сидела, сжимая руку Питера, и ей начинало казаться, что его пальцы стали чуть теплее.

— Могу я поговорить с ним? — спросила она. — Он меня слышит?

— Вряд ли, — ответил Дик Вебстер и нахмурился. Лиз показалась ему совсем бледной — едва ли не бледнее Питера, но, в конце концов, она, видимо, была очень светлокожей, как все рыжие.

— С вами все в порядке? Как вы себя чувствуете? — осведомился он.

— Нормально, — произнесла Лиз.

— Вот и хорошо, — с удовлетворением заметил врач. — А то здесь некому с вами возиться, если вы грохнетесь в обморок. Почувствуете, что вам невмоготу, лучше выйдите в коридор, посидите там. Если будут какие-то изменения, вас позовут.

— Я никуда не пойду, — твердо ответила Лиз. Даже когда погиб Джек, она выдержала все. Еще не хватало — терять сознание! Ей, правда, очень не нравилось, как с ней разговаривает этот человек, но сиделка в коридоре сказала, что Дик Вебстер — один из лучших врачей в клинике. Ради Питера Лиз готова была терпеть его сколько угодно. Что до его манер, подумала она в его оправдание, то, возможно, это от того, что Дику Вебстеру просто некогда думать о вежливости. В конце концов, он спасает жизни людям, а это занятие требует предельной сосредоточенности — где уж тут думать о родственниках, которые действительно чаще мешают, чем помогают! И все же чувство обиды не проходило, и когда он вышел, Лиз даже не поглядела ему вслед.

— Питер!.. — позвала она негромко. — Очнись, Питер! Поговори со мной. Скажи хоть что-нибудь! Это же я, твоя мама, неужели ты меня не слышишь?!

Он не отвечал. Лиз почувствовала, как отчаяние овладевает ею, но она постаралась взять себя в руки. Она не могла, не имела права проигрывать. Только не в этот раз!

— Очнись, Питер! — снова позвала она. — Ну пожалуйста! Я люблю тебя, милый, проснись!

Она повторяла это заклинание снова и снова, не замечая, что слезы градом катятся из ее глаз.

— Услышь меня, Питер! Ответь! Где бы ты ни был, ответь своей маме. Не уходи, не оставляй меня, Питер!.. — звала Лиз, но Питер не отвечал.

Так прошло полтора часа. В четыре пополудни в палату снова заглянул Дик Вебстер. Он знал, что никаких изменений нет, но решил дать Питеру время самостоятельно прийти в сознание, чтобы потом точнее оценить его состояние.

Питер пока так ни разу и не пошевелился, но его руки стали ощутимо теплее, а цвет лица улучшился. Что касалось Лиз, то она выглядела даже хуже, чем вначале, когда она в панике ворвалась в клинику и увидела сына на каталке. Она выглядела просто ужасно, и Дик немного смягчился. Он даже спросил, не хочет ли Лиз позвонить отцу мальчика, но она только покачала головой, ничего не объясняя.

— Нет.

— Но отчего же? По-моему, это было бы разумно, — осторожно сказал Дик. Он собирался настаивать, но в глазах Лиз было что-то такое, что заставило его передумать. Быть может, недавний развод, подумал он, или что-то в этом роде...

— Как угодно. — Он пожал плечами.

— Его отец погиб восемь месяцев назад, — неожиданно сказала Лиз. — Мне некому звонить.

Она уже позвонила домой и сказала детям и Кэрол, что Питер жив, но без сознания, и что она не будет звонить снова до тех пор, пока сын не придет в себя. Пока Лиз разговаривала с детьми, голос ее звучал спокойно, не выдавал, что она чувствовала в действительности. Зачем давать волю чувствам и пугать семью. Но про себя Лиз не переставая молилась, чтобы бог спас ее сына и не дал ему соединиться с отцом на небесах. Она очень надеялась, что бог позволит доктору Вебстеру этому помешать.

— Прошу прощения, мне очень жаль, — пробормотал Дик и снова исчез, а Лиз опять стала смотреть на неподвижное лицо сына. Она так пристально вглядывалась в его застывшие черты, что у нее заслезились глаза. Прошло еще немного времени, и Питер, и приборы на столе, и вся комната начали медленно вращаться, но Лиз скорее бы умерла, чем призналась в этом даже самой себе. Она просто не могла позволить себе упасть в обморок. Только не сейчас, когда она могла потерять сына! Лиз уже решила, что не даст ему умереть, но для этого ей нужно было сначала преодолеть собственные страх, растерянность и малодушие. Ей необходимо было собраться, и она опустила голову и прикрыла глаза, не выпуская руки сына. Постепенно тошнотворное головокружение прекратилось. Она рискнула открыть глаза и, не поднимая головы, снова заговорила с Питером.

И сын как будто услышал ее. Он слегка пошевелился и попытался повернуть голову, но ему мешал шейный гипсовый корсет, который на него надели перед тем, как поместить в палату. Глаза Питер так и не открыл. Лиз заговорила громче. Она просила, _требовала_, чтобы он посмотрел на нее, ответил или по крайней мере моргнул в знак того, что он слышит и понимает, что ему говорят. Долгое время Питер никак не реагировал. Потом Лиз услышала стон, но он был таким тихим, что понять, пытался ли он что-то сказать, или это вырвалось у него непроизвольно, было совершенно невозможно.

Услышав этот звук, из коридора прибежала сиделка. Она проверила показания приборов, посветила Питеру в глаза специальным фонариком и поспешно выбежала вон, чтобы позвать доктора. Лиз не знала, добрый это знак или нет. Когда в палату вошел Дик Вебстер, Питер снова застонал, и его веки слегка затрепетали и приоткрылись на долю секунды.

Лиз вскочила и смотрела на сына со страхом и надеждой.

— М-а-а-а-ам... — снова простонал Питер, и на этот раз Лиз поняла, что он хотел сказать.

Понял это и доктор. Питер звал маму, но каждый звук давался ему с невероятным трудом. Лиз, склонившись над ним, снова заплакала — на этот раз от чувства облегчения и вновь проснувшейся надежды. Когда же она посмотрела на Дика, то увидела, что врач улыбается.

— Он возвращается, — сказал Дик Вебстер. — Продолжайте разговаривать с ним — так ему будет легче оставаться в сознании. А я тем временем проведу несколько тестов.

Питер опять закрыл глаза, но Лиз заговорила с ним очень нежно и убедительно, и он снова посмотрел в потолок и застонал — еще громче и мучительнее. Одновременно он несильно сжал руку матери. Лиз убедилась, что Питер действительно постепенно приходит в себя.

— Ооооо!.. — простонал он, и лоб его пересекла глубокая морщина. — О-о-о-о-о...

Лиз повернулась к врачу.

— Ему больно? — спросила она, и Дик Вебстер кивнул.

— Больно, и еще как! Готов поспорить, сейчас у него просто голова раскалывается! — С этими словами он влил флакон какого-то лекарства в одну из капельниц, а вошедшая медсестра взяла у Питера кровь для анализа. Потом в палату зашел еще один врач — нейрохирург, — и Дик Вебстер сказал ему: — Парень приходит в себя.

При этом он выглядел очень довольным, и Лиз почувствовала, как у нее немного отлегло от сердца. Она спросила, что думают врачи, и выяснила, что состояние больного вполне удовлетворительное и на данный момент острой необходимости в операции нет.

— Будем ждать, — сказал в заключение Дик Вебстер. — Посмотрим, как дело пойдет дальше. Если повезет, можно будет вообще обойтись без вмешательства.

Лиз провела с Питером уже без малого четыре часа. Все это время она не отходила от него ни на минуту. Дик предложил ей немного посидеть с Питером, пока она сходит и выпьет чашечку кофе, но Лиз только покачала головой. Она твердо решила, что никуда не пойдет до тех пор, пока Питеру не перестанет грозить опасность. Она будет ждать, пока врачи не скажут что-то более определенное, чем «подождем» и «посмотрим». Ни усталости, ни голода Лиз не испытывала, хотя не ела с самого утра, да она, наверное, все равно бы не смогла проглотить ни кусочка.

Прошел еще почти целый час, прежде чем Питер издал еще один звук.

— Ма-ама!.. — совершенно отчетливо произнес он и добавил: — Бо-ольно...

Его голос был хриплым и совсем негромким, но Лиз слышала его совершенно ясно. Кроме того, Питер слегка приподнял руку и пожал ее пальцы. Сил у него было не больше, чем у котенка, и все же это было сознательное, а не рефлекторное движение. Очевидно, он очень страдал от боли, но врачи не хотели давать ему успокоительное, боясь, как бы он снова не впал в коматозное состояние.

— Домой... Хочу домой... — проговорил он еще через некоторое время, и на этот раз его услышала не только Лиз, но и Дик Вебстер.

— Хочешь домой? — переспросил он, и Питер, поглядев на него, несколько раз моргнул.

— Что ж, это отлично. Мы тоже не прочь поскорее отправить тебя домой, но сначала мне нужно с тобой кое о чем поговорить. Для начала ответь мне, Питер, как ты себя чувствуешь?

С Питером Дик говорил значительно мягче, чем с Лиз, и она подумала, что доктор, наверное, не такой уж плохой человек, каким показался ей поначалу.

— Плохо, — ответил Питер слабым голосом. — Очень... болит.

— Где болит?

— Голова.

— А шея?

— Тоже, но меньше. — Питер попытался кивнуть и сразу сморщился от боли. Ему было трудно шевелиться, и Лиз снова подумала, как близко все они были к еще одной трагедии.

— Где-нибудь еще болит?

— Н-нет. А где мама?

— Я здесь, малыш. Не бойся, я никуда не ухожу.

— Я хотел сказать... Прости меня, пожалуйста. — Он смотрел на нее полными слез глазами. — Мне очень жаль, мама, правда, это было глупо с моей стороны.

Лиз покачала головой. Она считала, что Питер должен радоваться, что все кончилось так хорошо.

— Да, очень глупо, — ответил за нее Дик Вебстер. — Тебе очень повезло, что ты не сломал себе шею. Хорошенький сюрприз для мамы, не так ли? — Он сердито хмыкнул. — Ну коль скоро ты не умер, сделай одолжение: пошевели руками и ногами. Так, хорошо. А теперь отдельно ступнями и пальцами рук. Ну вот, отлично!..

Это восклицание вырвалось у него, когда Питер исполнил все, о чем просил доктор. И Дик Вебстер, и врач-нейрохирург, который уже успел присоединиться к нему, были, по всей видимости, очень довольны состоянием Питера, хотя мальчик был еще очень, очень слаб.

В девять вечера Вебстер сказал Лиз, что собирается перевести Питера в обычную палату травматологического отделения.

— Теперь вы можете поехать домой и немного отдохнуть, — сказал он. — Я думаю, главная опасность миновала. Во всяком случае, вашему сыну становится лучше. Если хотитс, можете вернуться утром.

— А можно мне остаться здесь?

Дик Вебстер внимательно посмотрел на нее.

— Как хотите. Я только не вижу в этом особенного смысла. Питеру нужно спать, и я думаю, мы в конце концов дадим ему что-нибудь болеутоляющее, чтобы он поскорее заснул. До утра никаких новостей не будет — это я вам обещаю. Вам, кстати, необходимо отдохнуть — сегодня у вас был не самый легкий день...

Он почти жалел ее, хотя давно дал себе зарок не обращать внимания на родственников своих пациентов. Как правило, никакой пользы от них не было, а мешали они изрядно. Но эта миссис Сазерленд выглядела так, словно ее пропустили через центрифугу стиральной машины.

— Вы говорили, у вас дома остались другие дети? — спросил он, и Лиз кивнула. — Вот и поезжайте к ним, они наверняка волнуются, — добавил Дик Вебстер. — Кто-нибудь из них видел, как это случилось?

— Думаю, все видели, — с усилием отвечала Лиз. — Пожалуй, я действительно позвоню домой и скажу, что все в порядке. Ведь все в порядке, доктор?

— Меня зовут Дик. Дик Вебстер, — сказал он устало. — Да, я думаю, что в конце концов все будет в порядке. Так что поезжайте домой и ни о чем не беспокойтесь. Если случится что-нибудь непредвиденное, я вам позвоню. — Последние слова он произнес не терпящим возражений тоном.

— Но вы будете с ним до утра? — спросила она. Дик Вебстер по-прежнему не очень ей нравился, но Лиз чувствовала, что на него можно положиться.

— Я пробуду здесь до полудня завтрашнего дня. — Он вдруг улыбнулся, и Лиз с удивлением поняла, что Дик вовсе не такой уж неприятный тип. Когда он не хмурился и не разговаривал с ней своим железным голосом, его можно было даже назвать симпатичным.

— Мне не хочется оставлять его одного, — честно призналась она.

— Вам необходим отдых, — повторил он твердо. — К тому же вы будете мешать, когда мы начнем готовить Питера к переводу в другую палату.

Лиз улыбнулась его настойчивости. Она повернулась к сыну и сказала, что поедет домой, к Джеми и девочкам, и что вернется завтра утром.

— Я приеду как можно раньше, — пообещала она, и Питер улыбнулся в ответ.

— Прости меня, мама, — снова сказал он. — Это было глупо.

— Что было, то было, но теперь все позади. Не волнуйся, я люблю тебя. Мы все тебя любим. А теперь будь умницей и скорей поправляйся.

— Передай Джеми, что со мной все будет в порядке, ладно? — Он говорил с видимым усилием, но Лиз все равно была рада. С тех пор как Питер пришел в себя, он еще не произносил такой длинной и связной фразы.

— Обязательно передам, — пообещала она. — До завтра, сынок.

— Со мной все будет в порядке... — повторил Питер, закрывая глаза. Он очень старался как-то подбодрить ее, что само по себе было добрым знаком. Кроме того, Питер был в сознании и ясно отдавал себе отчет в том, где он находится и что с ним. Лиз с ужасом подумала, что было бы, если бы он так и не вышел из комы. Трепанация черепа, сказал Дик Вебстер, и бог знает, чем бы все закончилось тогда.

— Надеюсь, что, когда я вернусь, ты уже будешь бегать по коридору, — пошутила она, и Питер негромко рассмеялся, не открывая глаз. Все-таки он очень ослаб и держался лишь одной силой воли. Лиз, пожав ему на прощание пальцы, тихонько вышла из палаты.

Дик последовал за ней.

— Пожалуй, парню повезло больше, чем мне казалось, — сказал он, не скрывая своего восхищения. Он не представлял, как могла эта женщина продержаться столько времени и не дрогнуть. — Признаться откровенно, — добавил Дик, — поначалу мне казалось, что без операции не обойтись. Я не думал, что ваш сын придет в себя, да еще так быстро. Конечно, организм у него молодой, здоровый, но, по-моему, это вы его вытащили. Вы позвали его, и он откликнулся.

— Что бы это ни было, — серьезно ответила Лиз, — слава богу, что он пришел в себя.

При мысли о том, что Питер мог и *не* прийти в себя, колени у нее подогнулись, а голова закружилась от слабости.

— Скажите, Дик, сколько... сколько он здесь пробудет?

— Не меньше двух недель, я думаю. Так что

не стоит выкладываться в первые же дни. Ваша помощь может понадобиться ему позднее. Лучше поезжайте домой, а утром вернетесь.

— Я бы предпочла остаться здесь хотя бы в первую ночь, но мне действительно нужно домой. Я должна успокоить других детей.

— Сколько их у вас? — спросил Дик. Почему-то его заинтересовала эта женщина. Он не знал о ней ровным счетом ничего, кроме того, что она работает адвокатом, но ему было очевидно, что она прекрасная мать и очень сильно любит своего сына.

— Пятеро, включая Питера. Он старший.

— Оставьте дежурной сестре ваш телефон. Я позвоню, если будут какие-нибудь изменения. И, пожалуйста, если вам нужно будет остаться дома — оставайтесь. Другие дети, наверное, очень переживают, особенно если видели, как все случилось. Кстати, сколько лет вашему младшему?

— Десять. Младшему сыну — десять, а девочкам — одиннадцать, тринадцать и четырнадцать.

— Должно быть, вы целыми днями крутитесь как белка в колесе, — предположил он.

— Они славные ребята и помогают мне, — улыбнулась Лиз.

Дику захотелось сказать ей, что она очень хорошая мать, но он сдержался. Вместо этого он пошел к Питеру, чтобы еще раз взглянуть на него, а Лиз поехала домой.

Когда она вернулась, было уже без малого

десять, но никто из детей так и не ложился. Девочки плакали, а Джеми беспокойно слонялся из угла в угол. Глаза его были сухими, но на лице застыло выражение такого страдания, что Лиз чуть не зарыдала сама.

Едва завидев мать, все четверо бросились ей навстречу, стараясь по ее лицу угадать, как дела у Питера. Лиз постаралась улыбнуться как можно спокойнее.

— С ним все будет в порядке, — сказала она прежде, чем они успели о чем-то спросить. — У него сильное сотрясение мозга и маленькая трещина в позвонке, но он обязательно поправится. У него прекрасный доктор, — добавила она неожиданно для себя.

— А когда нам можно с ним повидаться? — чуть не хором спросили дети.

— К нему пока нельзя; врач сказал, что Питеру нужен покой, — объяснила Лиз. — Я спрошу, может быть, денька через три...

Она села к столу, и Кэрол поставила перед ней тарелку с остатками мясного пирога, но у Лиз не был сил даже поднять вилку.

— А когда Питер вернется? — с беспокойством спросила Меган.

— Не раньше чем через пару недель, — честно ответила Лиз. — Смотря по тому, как быстро он будет поправляться.

Они задавали ей еще вопросы, но Лиз старалась избегать лишних подробностей, которые могли только напугать детей. Все, что им нужно было знать, это то, что Питер жив и что он поправляется.

Примерно через час дети наконец разошлись по спальням, и Кэрол еще раз попросила у Лиз прощения. Она считала, что во всем виновата только она одна.

— Не говори глупости! — возразила Лиз. Она так устала, что едва могла ворочать языком, но ей казалось, она обязана успокоить домработницу. — Ни один человек не может держать под контролем такую ораву. Нет, Кэрол, как ни горько это сознавать, но основная вина лежит на самом Питере. В семнадцать лет человек может и должен контролировать себя сам. Он забылся — и вот что из этого вышло. Впрочем, я тоже виновата: наверное, мне нужно было почаще и понастойчивее напоминать ему и его друзьям о том, как надо себя вести. — Она вздохнула. — Ладно, Кэрол, давай забудем об этом. Главное, Питер остался жив. Его даже не парализовало.

— Господь всемогущий! — воскликнула Кэрол. — С ним действительно все будет в порядке?

— Врачи говорят — он поправится. Правда, Питер пришел в сознание всего каких-нибудь два часа назад, но он уже разговаривает и может двигать руками и ногами. Сначала я думала, что он... что он может... «...Умереть», — хотела сказать Лиз, но выговорить это слово так и не смогла. Кэрол поняла ее и так. Все время, пока Лиз отсутствовала, она думала о том же и готова была предположить самое худшее. Впрочем, дела и так обстояли далеко не блестяще.

— Я должна вернуться в больницу, — сказала Лиз, вставая. — Пойду наверх, соберу кое-какие вещи.

— Почему бы вам не переночевать здесь, Лиз? Вы выглядите очень усталой. — «Смертельно усталой», — хотела сказать Кэрол, но вовремя прикусила язык. — Если вы хотите быть с Питером завтра, вам просто необходимо отдохнуть!

— То же самое сказал мне его доктор, но я знаю, *чувствую*, что должна быть сегодня ночью с ним, с моим мальчиком. Правда, Питеру уже семнадцать, но он все равно нуждается во мне.

— Бедный Питер! — вздохнула Кэрол. — Как скверно кончается для него лето. Как вы думаете, он сможет пойти в школу в сентябре?

— Не знаю. — Лиз пожала плечами. Сейчас она меньше всего думала о школе. Сегодняшний день действительно был слишком тяжелым, и она чувствовала себя так, словно побывала под колесами самосвала. Выглядела она, во всяком случае, ужасно, без кровинки на лице. У Кэрол от жалости болезненно сжалось сердце.

Поднявшись наверх, Лиз заглянула в спальню к Джеми, чтобы поцеловать его на сон грядущий, но время было позднее, и мальчик крепко спал. Во всем доме царила непривычная тишина, и Лиз поймала себя на том, что напряженно прислушивается, ловя каждый звук, каждый шорох. Войдя в спальню, она хотела собрать сумку, но вместо этого села на кровать, не в силах пошевелить ни рукой, ни ногой. Она могла думать только о том, что чуть было не произошло сегодня, и благодарить бога за то, что все обошлось.

Было уже около полуночи, когда Лиз наконец вышла из дома, чтобы вернуться в больницу к Питеру. Уже сидя в машине, она, поддавшись неожиданному порыву, достала сотовый телефон и позвонила матери в Коннектикут.

Узнав о происшествии, Хелен пришла в ужас.

— Скажи правду, Лиз, с ним все будет в порядке? — спросила она сдавленным голосом, и Лиз пообещала, что, когда Питер будет чувствовать себя лучше, он сразу же позвонит бабушке.

Когда Лиз добралась до больницы, Питер еще не спал. За то время, что ее не было, его состояние, несомненно, улучшилось. Во всяком случае, разговаривал он уже почти без усилий; Лиз убедилась в этом, когда, войдя в палату, обнаружила Питера болтающим с одной из моло-деньких сиделок.

— Привет, мам! — воскликнул он, завидев ее. — Как там Джеми?

— Хорошо. Все просили передать, что они тебя любят. Они хотели прийти, чтобы повидаться с тобой, но я сказала, что нужно немного подождать, пока ты окрепнешь.

Пока они разговаривали, сиделка приготовила постель в комнате для посетителей, и Лиз, переодевшись в спортивный костюм, легла и накрылась одеялом. Она просила, чтобы ее разбудили, если Питер будет звать ее или если ему станет хуже, однако, по мнению сиделки, и то и другое было маловероятно. С каждым часом Питер чувствовал себя все лучше. Чтобы боль не так беспокоила, ему сделали укол успокоительного, после которого он должен был проспать до утра.

Лиз уже засыпала, когда в комнату для посетителей заглянул Дик Вебстер. Увидев его, Лиз в страхе вскочила, чувствуя, как бешено стучит сердце в груди.

— Что?! Что случилось?!

— Ничего, ничего, лежите! С Питером все в порядке, он спит. Я хотел только спросить, не нужно ли вам снотворное. Извините, если я вас напугал. — Ему явно было очень неловко. На самом деле он оказался не таким уж бесчувственным.

— Спасибо, но я думаю, что засну и так, — ответила она, садясь на край кровати. — Спасибо за все, что вы сделали для Питера.

— Не за что. — Дик Вебстер видел, что Лиз смертельно устала. «Как она только на ногах держится!» — подумалось ему. — Питер быстро поправляется, —добавил он. — Если так и дальше пойдет, нам действительно придется выписать его через две недели.

Лиз внимательно посмотрела на него, пытаясь определить, шутит он или пытается подбодрить ее, но врач говорил серьезно.

— Я очень рада, — сказала она. — Просто не знаю, как бы мы пережили, если бы он... если бы ему было хуже.

— Простите, что я спрашиваю, но ваш муж... Он что, долго болел? Чем?.. — Дик Вебстер предпочел сменить тему. Почему-то он решил, что муж Лиз умер от рака, и долго колебался, прежде чем задать этот вопрос, но ее, похоже, только позабавила его профессиональная докторская любознательность.

— Нет, он не болел. Он был адвокатом, как и я, и его застрелил муж одной из наших клиенток. Это случилось на Рождество, — объяснила она.

Эти слова подстегнули память Дика, и он понял, почему фамилия Сазерленд показалась ему такой знакомой. Разумеется, он читал об этом случае в газетах и даже, кажется, смотрел репортаж по телевизору.

Но что сказать ей, он не знал. Больше того, он даже представить себе не мог, что пережила эта рыжеволосая женщина с бледным, измученным лицом.

— Извините, — промолвил он наконец. — Кажется, я действительно читал об этом в газетах. Мне очень жаль, миссис Сазерленд.

С этими словами Дик выключил свет и вышел, оставив ее одну. Он не мог не восхищаться этой женщиной, на которую обрушилось столько бед и которая тем не менее не потеряла себя, не сломалась и продолжала нежно заботиться о детях.

От нее Дик пошел в палату Питера. Там был полный порядок. Отлично. То, что этот парень поправлялся, было вполне заслуженным подарком для его матери.

Дик вернулся к стойке дежурной сестры, чтобы записать кое-какие рекомендации для других пациентов. Он тоже устал, но настроение у него было приподнятым. Дик любил такие дни, как сегодняшний, — дни, когда он выигрывал, отнимая кого-то у смерти. Ради этого стоило жить и работать. И все же сегодня он радовался не только за себя или за Питера, но и за его мать, с которой судьба наконец-то обошлась по справедливости.

Потом он сел в свое кресло и ненадолго прикрыл глаза. Впереди была долгая ночь, ночь, наверняка полная новых тревог, но Дик не возражал. Сегодняшнее дежурство уже можно было считать удачным.

## Глава 7

Проспав несколько часов в комнате для посетителей, Лиз вернулась в палату к Питеру. Он еще не проснулся. Когда же он наконец открыл глаза, то сразу сморщился от невыносимой головной боли. Кроме этого, Питер жаловался на боль в шее, но она была не такой острой.

— Почти терпимо, — сказал он, стоически улыбаясь.

В шесть утра в палату заглянул Дик Вебстер. Он в очередной раз пришел проведать Питера, как делал это ежечасно в течение всей ночи, но никаких тревожных симптомов не обнаружил. Нейрохирург, который навестил Питера позднее, был и вовсе доволен тем, как продвигаются дела. Лиз он сказал, что ее сын поправляется очень быстро и, по-видимому, отличается завидным здоровьем. Впрочем, добавил врач, ему повезло, что все закончилось так благополучно, поскольку ни одна операция не дает стопроцентных гарантий.

После врачебного обхода Лиз помогла сиделкам вымыть Питера и переложить на чистую простыню. Это заняло почти все утро, так что домой она поехала только после полудня. Как только она появилась в дверях, девочки засыпали ее вопросами, поэтому Лиз не сразу заметила что Джеми не вышел встречать ее вместе с сестрами.

Как выяснилось, Кэрол тоже не видела его с самого завтрака. Лиз, бросившись на поиски, довольно скоро обнаружила Джеми в его комнате. Джеми сидел и смотрел в окно, и лицо у него было скучное.

— Здравствуй, родной. Что ты делаешь здесь один? — спросила она, и Джеми повернулся в ее сторону. Выражение тупой сосредоточенности на его лице сменилось гримасой такого глубокого отчаяния, что у Лиз сжалось сердце.

— Что случилось, дружок? — спросила она и, подойдя к Джеми, взяла его за руку. — Может быть, ты плохо себя чувствуешь?

— Нет. — Он покачал головой.

— Тогда в чем же дело?

— Как там Питер?

— О, превосходно!.. Он просил передать, что любит тебя и постарается выздороветь как можно скорее, чтобы вернуться домой.

— Нет. — Джеми снова покачал головой, и две слезинки скатились вниз по его щекам. — Ты говоришь неправду, мама. Питер не вернется. Он умер, как папа. Сегодня ночью мне приснилось, что он умер.

— Посмотри-ка на меня, дружок, — негромко сказала Лиз и, взяв его за подбородок, заставила приподнять голову. — Посмотри на меня! — повторила она. — Я не лгу тебе, Джеми. Питер поправится, я обещаю! Он повредил шею, и теперь ему надели очень смешной твердый воротник, чтобы она поскорее срасталась. Кроме того, у него сильно болит голова, но я уверена, что скоро он вернется домой. И его врач тоже так думает. У него очень, очень хороший врач, Джеми. Ты веришь мне?

Несколько мгновений Джеми внимательно смотрел ей в глаза, потом чуть заметно кивнул.

— А можно мне с ним повидаться?

— Повидаться? — Лиз задумалась. Питер был весь обвит проводами и трубками, в которых что-то бурлило и булькало. Приборы, к которым он был подключен, время от времени принимались сигналить и подмигивать разноцветными лампочками. Эта картина могла напугать и взрослого человека. Но Лиз почему-то казалось, что Джеми просто необходимо увидеть Питера своими глазами и убедиться, что он жив.

— Если ты действительно этого хочешь... — начала она неуверенно. — Знаешь, вокруг него много специальных машин вроде компьютеров, которые иногда принимаются пищать или гудеть, к тому же ему в нос и в вены вставлены такие трубки...

— Какие трубки? — заинтересовался Джеми.

— Прозрачные. Пластмассовые. Вроде соломинок, через которые пьют кока-колу...

— А мне разрешат их посмотреть?

Лиз знала, что детей не допускали в травматологическое отделение. Но, может быть, если она, предварительно объяснив ситуацию, попросит Дика Вебстера сделать для нее исключение, он пойдет ей навстречу. Вечером Дик снова должен был выйти на дежурство, заменяя заболевшего коллегу, а Лиз обещала Питеру, что опять приедет к нему сегодня. Надо попробовать.

— Я спрошу, — пообещала она, нежно прижав сына к груди. — Я люблю тебя, Джеми. — Голос ее дрогнул. — Не бойся, Питер поправится, и все опять будет хорошо.

— Ты обещаешь, что он не умрет, как папа?

— Обещаю, — кивнула она, стараясь скрыть слезы. — Честное слово!

— Честное-пречестное?

— Честное-пречестное, — улыбнулась Лиз. — Сегодня вечером я снова поеду в больницу и узнаю, можно ли тебе навестить брата. Кстати, ты же можешь поговорить с ним по телефону! Сейчас я позвоню в больницу и попрошу, чтобы ему дали трубку!

— Правда можно? — Глаза Джеми загорелись от восторга.

— Конечно, — решительно кивнула Лиз, коря себя за то, что эта мысль не пришла ей в голову раньше. Не только Джеми, но и девочки были бы рады услышать голос Питера.

Они вместе спустились вниз, и Лиз, набрав номер травматологического отделения, попросила передать аппарат сыну. Через несколько секунд она услышала в трубке слабый, хриплый, но до боли родной голос. Разговаривая с Джеми и сестрами, Питер обещал вернуться домой как можно скорее и велел им вести себя хорошо, чтобы не огорчать маму. Он также предупредил Джеми, чтобы он был как можно осторожнее в бассейне и не повторял его глупостей.

— Мне вас очень не хватает, — закончил он. Лиз, которая слушала по второму аппарату, показалось, что в его голосе прозвучали слезы, словно Питер снова стал маленьким мальчиком. Поэтому она поспешила заверить его, что через пару часов снова подъедет в больницу.

— Но если ты действительно чувствуешь себя хорошо, — сказала она, — я хотела бы поужинать дома.

— Да, мам, конечно! — отозвался Питер. — Слушай, а может быть, ты и мне привезешь что-нибудь перекусить?

— Что например? — Насколько она знала, его пока кормили только жидкой пищей. Дик Вебстер планировал перевести его на пюре и каши только завтра.

— Например чизбургер, — сказал Питер, и Лиз, не удержавшись, рассмеялась.

— Похоже, ты действительно поправляешься! — воскликнула она. Вчерашний день, когда она буквально _умоляла_ его открыть глаза и сказать хоть что-нибудь, вспоминался ей теперь как страшный сон. — И все же мне кажется, с чизбургерами и прочим лучше подождать хотя бы день-два. Потерпи немного, милый, ладно?

— Я так и знал, — разочарованно протянул Питер.

— Ладно, увидимся вечером.

Она положила трубку и вернулась в гостиную. Джеми тут же взобрался к ней на колени и сунул в рот палец. Теперь он выглядел значительно веселее, чем полчаса назад, — разговор с братом буквально вернул его к жизни.

Когда Джеми успокоился окончательно и отправился поиграть во двор, Лиз позвонила в контору. Она боялась, что из-за чрезвычайного происшествия с Питером ей придется полностью менять свои планы, но Джин заверила, что за время ее отсутствия ничего важного не произошло. Ей удалось перенести несколько деловых встреч и одно судебное слушание на конец следующей недели. Лиз поблагодарила секретаршу за принятые меры, однако этот разговор еще раз напомнил ей о том, что вся ответственность за финансовое благополучие семьи лежит теперь только на ее плечах. Подменить, поддержать, наконец, просто взять на себя сложное дело теперь было некому — Лиз приходилось самой отвечать за все. Едва ли не впервые за прошедшие девять месяцев она полностью осознала, насколько это нелегкое бремя.

Она все еще думала об этом, когда ближе к вечеру вернулась в больницу и поднялась в травматологию. Дик Вебстер уже вышел на дежурство. (Оказывается, он даже никуда не уезжал — просто пообедал и поспал в ординаторской несколько часов.) Когда Лиз появилась в коридоре, он улыбнулся ей и помахал рукой. Примерно через час он зашел в палату, чтобы проведать Питера и немного поболтать с ним.

— Ну, как поживает наш главный пациент? — спросил он шутливо, внимательно разглядывая установленные возле кровати мониторы.

— Неплохо, мне кажется, — ответила за Питера Лиз. — Когда я звонила сюда из дома, он просил привезти чизбургер. По-моему, это неплохой знак. А вы как считаете?

Она тряхнула головой, стараясь убрать упавшую на глаза рыжую прядь. Когда Дик вошел в палату, Лиз как раз массировала сыну плечи. Он жаловался, что от долгого лежания они затекают. Кроме этого, Питер все еще страдал от головной боли, несмотря на болеутоляющие таблетки, которые сиделка приносила ему через каждые полтора часа.

— Я считаю, все идет просто отлично, — ответил Дик Вебстер. — Думаю, завтра ему уже будет можно переходить на твердую пищу.

— Правда? — восхитился Питер.

— Правда. Мне кажется, ты из тех парней, которые чем больше едят, тем скорее поправляются, — пошутил он, но Питер воспринял эти слова с восторгом. Жидкие овощные бульоны, каши и протертые овощи никогда не были ему по вкусу.

Тем временем Дик Вебстер сделал несколько пометок в карте Питера и вышел в коридор. Лиз последовала за ним.

— Я хотела просить вас об одном одолжении, доктор... — начала Лиз, и Дик повернулся к ней. Сегодня на нем был костюм жизнерадостного светло-голубого оттенка, но серое от усталости лицо и всклокоченные волосы выглядели так, словно он не спал по меньшей мере неделю. И Лиз знала почему. Из обрывков разговоров сиделок она поняла, что два часа назад в больницу поступили жертвы крупной автомобильной аварии, случившейся на скоростной трассе при выезде из Сан-Франциско, в том числе — трое детей. Двое из них умерли, не приходя в сознание, и Дик чувствовал себя подавленным.

— Что вы хотите? — спросил он суше, чем намеревался.

— Я знаю, что к вам в травматологию обычно не пускают детей, — сказала Лиз, и Дик Вебстер кивнул. Он считал этот запрет оправданным — каждый ребенок был ходячей фабрикой микробов, а его пациенты зачастую были не способны противостоять даже самой слабенькой инфекции. Но выражение лица Лиз было слишком серьезным, чтобы Дик мог отказать, не выслушав ее до конца.

— За последние несколько месяцев, — проговорила она медленно, — мы все пережили слишком многое. И детям досталось больше моего. После того, как их отец погиб... — Голос ее дрогнул. Лиз все еще было трудно произносить это слово. — В общем, мой младший сын очень расстраивается из-за брата. Он боится, что Питер тоже умрет, как папа.

— Сколько лет вашему младшему?

И снова Лиз заколебалась, прежде чем ответить. Внимательно глядя на Дика, она пыталась понять, как следует говорить с ним. В конце концов Лиз все же решила довериться врачу.

— Десять, — ответила она. — Но Джеми не совсем обычный ребенок. Он родился раньше положенного срока и мог умереть. В больнице его держали в специальной барокамере, но кислород, который ему давали, вызвал необратимые изменения... В общем, это ребенок с задержкой умственного развития, и именно поэтому он переживает и боится больше, чем девочки. Вот почему я и прошу вас разрешить ему навестить брата. Когда он увидит, что Питеру ничто не угрожает, он успокоится.

Дик Вебстер долго молчал, внимательно глядя на нее. Наконец он кивнул. Да, подумал он, эта женщина действительно пережила многое. И она, и ее дети.

— Ума не приложу, чем еще вам можно помочь, — промолвил он. — Ведь вам приходится нелегко, не так ли?

Было в его голосе что-то такое, отчего глаза Лиз невольно наполнились слезами. Она быстро отвернулась, чтобы взять себя в руки. До сих пор, стоило кому-то пожалеть ее — пожалеть от всей души, — самообладание начинало ей изменять.

— Просто разрешите Джеми навестить Питера, — сказала она тихо. — Этого будет достаточно.

— Приводите мальчика, когда вам будет удобно, — сказал Дик. — И его, и остальных. Они, наверное, тоже хотят повидать брата.

Ему хотелось что-то сделать для этих детей, которые еще не оправились от прошлой потери и чуть не столкнулись с новой. Теперь Дик лучше понимал, кем был для них старший брат, занявший после гибели отца место главы семейства. Или, точнее, ставшего в доме единственным мужчиной, потому что главой семьи была, конечно, эта хрупкая рыжеволосая женщина.

— Мне кажется, девочкам это не обязательно, хотя они, конечно, тоже хотели бы повидать Питера. Но если нельзя, они поймут. А для Джеми это действительно важно.

— Тогда приводите его завтра.

— Спасибо, — с чувством сказала Лиз. Она была до глубины души тронута словами доктора и не знала, как его благодарить.

Лиз вернулась к Питеру и сидела с ним до тех пор, пока он не уснул. Потом она пошла в комнату для посетителей и, не раздеваясь, легла. Свет она погасила, но когда в комнату заглянул Дик, Лиз еще не спала.

Прежде чем заговорить, Дик долго стоял в дверях, вглядываясь в темноту. Наконец он спросил:

— Вы не спите, миссис Сазерленд?

— Зовите меня просто Лиз, — откликнулась она. — Нет, я не сплю. А что, что-нибудь с Питером?! — В тревоге она села на кровати, отбросив в сторону одеяло, которое ей принесла дежурная сиделка.

— Нет-нет, не волнуйтесь. С ним все в порядке. Извините, что побеспокоил... Лиз. Я хотел только убедиться, что с вами все в порядке. Кстати, раз уж вы не спите, не хотите ли выпить чашечку чаю? — Времени было начало первого, и Дик не рискнул предложить ей кофе. Сам он практически жил на нем — на крепком кофе, сваренном по рецепту, который сообщил ему когда-то коллега-врач, долго работавший в Уругвае. Без этого напитка, по виду больше похожего на расплавленный асфальт, он вряд ли сумел бы выдержать два дежурства подряд, но Лиз вовсе не обязательно было бодрствовать, когда можно было спать.

— Вы нисколько меня не побеспокоили — я еще не спала. В последнее время я вообще сплю мало, не то что... — Лиз не договорила, но Дик понял, что она имеет в виду. — Да, я, пожалуй, выпила бы чаю или даже бульона.

Автомат для продажи бульона, чая и других напитков стоял в конце коридора, но когда Лиз, сунув ноги в кроссовки, направилась к нему, Дик неожиданно остановил ее.

— Я мог бы заварить вам чаю у себя в кабинете, — сказал он. — Получится намного ароматней, и сахару можсте положить сколько хотите.

Она улыбнулась и молча пошла за Диком в его кабинет. Там она села в кресло и, пока Дик возился с чайником и заваркой в пакетиках, попыталась привести в порядок прическу. Мятый спортивный костюм и растрепанные волосы создавали у нее ощущение дискомфорта, но Дику, похоже, было совершенно все равно, как она выглядит. Он и сам выглядел не лучшим образом, и если бы не накрахмаленный светло-голубой костюм, вполне мог бы сойти за бродягу, ночующего под мостом.

— На каком виде права вы специализируетесь, Лиз? — спросил он, наливая ей чай, а себе — кофе.

— На семейном. В основном на разводах.

— Я сам в свое время столкнулся с этой проблемой. К счастью, все кончилось достаточно быстро, так что услуги адвоката не понадобились. — Он слегка нахмурился, и Лиз поняла, что, несмотря на кажущееся безразличие, воспоминания были ему неприятны.

— Значит, вы разведены? — уточнила она, и Дик кивнул. — А дети у вас есть?

— Нет. Нам было не до этого. Когда мы поженились, я был ординатором, а моя жена — интерном в той же больнице. Мы оба обязаны были жить при лечебном корпусе. Сами понимаете, это не особенно располагает к тому, чтобы заводить детей. Правда, некоторых моих коллег это не останавливало, но лично я считал, что разумнее подождать, пока мы сможем уделять нашему ребенку достаточно внимания. — Он улыбнулся и добавил: — Хотя, боюсь, в моем случае это произошло бы не раньше, чем мне бы стукнуло восемьдесят или около того.

Улыбка у него была очень приятная — добрая и чуть-чуть печальная. Лиз еще раз подумала, что стоит пересмотреть свое первоначальное мнение. Дик показался ей бесчувственным только потому, что во время разговора с ней его мысли были заняты другими, более важными вещами — Дик спасал людям жизни, и ему некогда было отвлекаться на то, что говорит и чувствует какая-то Лиз Сазерленд, которой к тому же ничто не грозило. Таким он был позавчера, когда Питера только привезли. С тех пор Лиз уже не раз ловила себя на том, что думает о нем совсем иначе.

— Мы развелись больше десяти лет назад, — продолжал он, хотя Лиз ни о чем его не спрашивала. Впрочем, ничего удивительного в этом не было. Многие из ее клиентов точно так же сообщали больше, чем она хотела узнать. В данном случае, однако, дело обстояло несколько иначе: она *хотела* узнать о нем побольше, хотя зачем ей это нужно, Лиз вряд ли могла бы сказать.

— Отчего же вы не женились снова? — спросила она, и Дик рассмеялся:

— Не испытывал особенного желания. И к тому же у меня не было на это времени. Ну а если серьезно, то первая попытка отбила у меня всякую охоту к семейной жизни. Я сказал, что наш развод был быстрым, но это относится к, так сказать, финальной стадии, которой предшествовало много горьких месяцев непонимания, взаимных обид и прочего... У моей жены, видите ли, возник роман со старшим ординатором, что, как вы понимаете, не могло мне нравиться. А самое главное, я узнал об этом последним, как, собственно, и полагается мужу.

Все знали и жалели меня, а я не мог понять, в чем дело. В конце концов они поженились, и теперь у них трое детей. Все-таки мы были слишком разными — теперь-то я это понимаю. Я, например, не могу бросить медицину, а моя бывшая жена ушла из больницы, как только родила первого ребенка. Для нее работа врача была всего лишь хобби.

— Мне тоже кажется, что у мужа и жены должны быть общие интересы, — негромко сказала Лиз. — Мы с Джеком... с моим мужем восемнадцать лет работали вместе, и сейчас мне кажется, что работа была одним из главных объединяющих факторов. Хотя, — тут же добавила она, — некоторые люди считают, что если муж и жена занимаются одним делом, между ними рано или поздно возникает что-то вроде профессиональной ревности.

Лиз замолчала, стараясь взять себя в руки. Она очень устала, и все ее эмоции лежали буквально на поверхности. Лиз боялась, что расплачется, если Дик станет задавать ей слишком острые вопросы. Но он ни о чем не спросил, и она, отдышавшись, продолжила:

— По правде говоря, Джек любил семейное право больше, чем я. Мы работали в паре, но меня всегда прельщали дела безнадежные — мне нравилось сражаться за права обиженных и оскорбленных. Должно быть, поэтому Джек часто называл меня бессребреницей. Сам он всегда отлично чувствовал, где можно заработать больше денег, но ничего недостойного в этом не было. В конце концов, нам нужно было думать не только о себе или о клиентах, но и о наших детях.

— А теперь? — спросил Дик. — Вы все еще занимаетесь разводами?

— Увы. — Лиз кивнула.

— А почему? — снова поинтересовался он. — Что мешает вам заниматься чем-нибудь другим?

— Теоретически — ничего. — Лиз улыбнулась. — А практически... У меня все те же пятеро детей, они растут, а одежда и обувь с каждым годом становятся все дороже и дороже. Я уже не говорю об образовании. Недалек тот день, когда и Питер, и девочки пойдут учиться в колледж. Кто-то должен будет за это платить! Нет, Джек был прав: семейное право — самое прибыльное, пусть даже порой мне бывает нелегко защищать кого-то, кто этого не очень заслуживает. Видите ли, при разводе в людях часто проявляются все самые худшие качества. Самый приличный человек начинает вести себя как последний негодяй, когда дело касается его бывшей супруги или супруга. Порой это отвратительно, но я чувствую, что не имею права просто взять и бросить практику. Джек потратил очень много сил, создавая наше семейное предприятие. Я буду продолжать работать, по крайней мере до тех пор, пока дети не вырастут. Сейчас я просто не могу позволить себе уйти.

Дети, дом, практика — теперь за все отвечала она, и Дик это понял.

— Но ведь существуют и другие виды права. Почему бы вам не попробовать себя, скажем, в наследственных делах? — спросил он, чувствуя, что эта женщина начинает интересовать его все больше и больше. Ум, такт, сочетание внешней мягкости и алмазной твердости характера весьма ему импонировали, а беззаветная любовь к детям трогала до глубины души. Кроме того, Лиз была очень хороша собой; впрочем, это он заметил, как только впервые увидел ее.

— Я иногда думаю об этом. — Она улыбнулась. — А вы? Разве вы согласились бы бросить травматологию и пойти в дантисты?

Дик рассмеялся и налил себе еще кофе.

— Никогда! Мне нравится то, что я делаю, хотя здесь мне, пожалуй, слишком часто приходится принимать решения, от которых зависит чья-то жизнь. Но даже это мне по душе, хотя порой на принятие решения у меня есть всего несколько секунд. Я не имею права ошибаться, потому что ставки слишком высоки. Конечно, это выматывает, но, с другой стороны, если работаешь с полной отдачей, получаешь удовлетворение, какого нет ни у зубных врачей, ни у косметологов.

— Примерно так я себе это и представляла. Получается, вы каждый день выходите на бой со смертью, хотя никто не гарантирует вам победы. — Лиз подумала о Питере и о тех двух несчастных детях, которые умерли сегодня. Да, иногда Дик проигрывал, и все же ему хватало мужества уже на следующий день начинать все сначала.

— Да, к сожалению, медицина не всесильна. Я это понимаю и все равно терпеть не могу проигрывать, — ответил он.

— Джек тоже не любил. — Лиз улыбнулась. — Если он проигрывал дело, для него это была просто личная трагедия. Я-то отношусь к этому спокойно, но ему нужно было побеждать каждый раз, когда он шел выступать в суде. В конечном итоге это стоило ему жизни. Он слишком круто обошелся с человеком, с которым следовало вести себя предельно осторожно. Я предупреждала Джека, но он мне не поверил. Сейчас я думаю, что все равно никто не мог предвидеть подобного поворота событий. Только самый настоящий безумец мог поступить так, как муж нашей клиентки. Но, увы, он сделался безумным! Джек загнал его в угол, и человек буквально сошел с ума. Вы ведь читали, должно быть, как все было? Он убил сначала свою жену, потом Джека и, наконец, застрелился сам... — Забрызганная кровью стена, кровавое пятно на полу и серое лицо Джека со всей ясностью возникли перед ее мысленным взором, и Лиз на мгновение прикрыла глаза.

— Для вас и для детей это была настоящая трагедия, — с сочувствием сказал Дик Вебстер.

— Да, это было ужасно. И даже сейчас нельзя сказать — было. Это ощущение всегда с нами. Нам понадобится еще много времени, чтобы прийти в себя, и в первую очередь — мне. Ведь мы были женаты девятнадцать лет, а этого не забудешь за несколько месяцев.

— Понимаю. — Дик кивнул. — Вы были счастливы. Трудно смириться с тем, что счастье осталось в прошлом.

Сам он никогда не был счастлив с женщиной — даже с той, на которой был женат. Даже в самом начале совместной жизни — не был. В первое время после развода Дик еще искал свой идеал, что вылилось в несколько непродолжительных романов, которые закончились ничем. С одной женщиной он несколько месяцев жил обычной семейной жизнью, словно они были женаты. После этого в его жизни было еще много женщин, но они уходили так же легко, как и появлялись. В конце концов он разуверился в том, что его поиски могут когда-нибудь увенчаться успехом. Ни одна из этих случайных подружек не оставила в его сердце сколько-нибудь глубокого следа, и Дик решил, что так и должно быть. Теперь ничего, кроме этих кратковременных связей, он не желал, ни к чему особенному не стремился.

— Мы были *очень* счастливы... — эхом отозвалась Лиз и, поднявшись, поблагодарила Дика за чай. — Простите, но я все-таки должна немного поспать, пока Питер не проснулся. Если с ним все будет в порядке, завтра я ненадолго съезжу на работу, а после обеда вернусь вместе с Джеми.

— Приезжайте. Думаю, я еще буду здесь. — Дик улыбнулся. — Мне очень хочется познакомиться с вашим младшим. Должно быть, он очень интересный маленький человечек.

Лиз кивнула и пошла к двери. На пороге она остановилась и, оглянувшись через плечо, посмотрела на Дика. Кошмар для нее еще не закончился, и она была благодарна Дику за то, что он дал ей выговориться.

— Спасибо за чай, — еще раз повторила она, — и за компанию. Мне просто необходимо было с кем-то поговорить.

— Не за что, Лиз, — ответил Дик. — Мне тоже было приятно поболтать с вами.

Он знал, что одинокой женщине, на которую свалилось столько несчастий, просто необходимо иногда поделиться своими мыслями и чувствами с кем-нибудь посторонним. Но роль психотерапевта Дик взял на себя не только ради ее прекрасных зеленых глаз. Ему понравилось разговаривать с Лиз, понравились ее трезвые суждения и оценки, к тому же он искренне сочувствовал и ей, и ее сыну и хотел хоть как-то облегчить их боль.

Лиз вернулась в комнату для посетителей и легла, но сон не шел. Укрывшись до подбородка колючим шерстяным одеялом, она думала о Дике и о той одинокой жизни, которую он вел. Похоже, единственной радостью была для него эта адски трудная и ответственная работа. Поначалу Лиз удивляло, как он может столько времени оставаться в больнице, дежуря, подменяя или просто консультируя коллег, но теперь ей многое стало ясно. Дик жил этим, а крошечный кабинетик, в котором она только что побывала, стал его вторым домом. Или, может быть, даже первым, самым настоящим домом, откуда ему не хотелось уходить, да и некуда было идти.

Сама Лиз не понимала, что это за жизнь такая, но она тут же подумала, что для нее прошедшие девять месяцев тоже не были жизнью в полном смысле этого слова. Только дети и работа — и ничего больше, так как же она может осуждать Дика?

В конце концов она заснула, и ей приснился Джек. Он что-то говорил, но она не могла разобрать — что. Тогда он вскинул руку, словно предостерегая ее: Джек указывал куда-то за спину Лиз. Она обернулась, чтобы посмотреть, что там такое, и увидела облицованный голубым кафелем бассейн с трамплином для прыжков. На трамплине стоял Питер. На ее глазах он раскачался и прыгнул в бассейн вниз головой, а Лиз вдруг поняла, что в бассейне нет воды! Она хотела крикнуть, но крик застрял в горле. Лиз в ужасе проснулась, задыхаясь и обливаясь холодным потом.

Первые несколько мгновений она лежала, стараясь унять сердцебиение. Острое чувство потери, которое она всегда испытывала, когда просыпалась, охватило ее сегодня. До сих пор ей еще ни разу не удавалось избежать этого. В первые секунды Лиз не понимала, в чем дело. Она только чувствовала — случилось что-то страшное. Потом приходила внезапная, как удар, мысль: «Джек умер!» — и перед ее мысленным взором начинали разворачиваться пустые, серые дни, которые она прожила без него. Эта история повторялась чуть ли не каждый день. Из-за нее Лиз терпеть не могла просыпаться, а проснувшись — спешила встать и заняться делами, которые до некоторой степени заслоняли от нее беспощадную реальность и притупляли боль.

Так и сегодня — едва почувствовав, что сердце больше не грозит вырваться из груди, Лиз поскорее встала с кровати и принялась приводить себя в порядок. Она причесала волосы, умылась и вычистила зубы, но все равно продолжала чувствовать себя неопрятной и грязной. С этим ощущением Лиз ничего поделать не могла и, кое-как разгладив на себе измятый спортивный костюм, поспешила к Питеру.

Когда она вошла в палату, Питер уже проснулся. На завтрак ему принесли овсяную кашу, и когда Лиз присела на краешек койки, чтобы покормить его с ложечки, Питер скорчил ужасную гримасу.

— Бр-р-р! — проговорил он, проглотив первую ложку. — Ну и гадость!

— Ну-ну, Питер, будь хорошим мальчиком, — уговаривала Лиз, но он лишь крепко сжал зубы и зажмурился, словно ему было семь, а не семнадцать.

— Не буду я это есть! — заявил он упрямо, и Лиз невольно рассмеялась — до того потешно он при этом выглядел.

— Чего же ты хочешь? — спросила она.

— Я хочу вафель. Твоих вафель, и со сгущенкой, — капризничал Питер. Лиз не пекла вафель с тех пор, как умер Джек. Она просто не могла заставить себя сделать это, и дети ее понимали. Никто из них даже не просил ее испечь вафли, хотя все они ужасно их любили, но сегодня Питер словно забыл об этом негласном уговоре.

— И бекон. Пожарь мне лучше бекона, — добавил он. — Ненавижу овсянку.

— Я знаю, — терпеливо сказала Лиз. — Может быть, с сегодняшнего дня тебе разрешат есть нормальную пищу. Я поговорю с доктором Вебстером, но сейчас ты должен съесть кашку.

— С Диком? — Питер неожиданно как-то особенно лукаво улыбнулся. — Я думаю, он разрешит. По-моему, он к тебе неровно дышит.

От такого заявления Лиз опешила и едва не опрокинула тарелку ему на грудь. «Ничего себе. Должно быть, — подумала она, — я ослышалась. А может быть, Питер неудачно выразился».

— Он мне тоже симпатичен, — спокойно сказала она. — Дик Вебстер опытный, квалифицированный врач, к тому же он спас тебе жизнь. Я ему очень благодарна.

— Да нет, я хотел сказать — ты ему *нравишься*. Как женщина. Я видел, как он смотрел на тебя вчера.

— А я вижу, что ты бредишь, — парировала Лиз. — Должно быть, у тебя это от голода. Ну-ка ешь кашу, иначе я пожалуюсь сиделкам, и они

снова станут вливать в тебя бульон через тру-
бочку.

Питер фыркнул.

— Что ты будешь делать, если Дик пригласит
тебя на свидание? — поинтересовался он.

— Не говори глупости, — отрезала Лиз. —
Дик — взрослый человек, а не какой-нибудь
Ромео из старших классов. Похоже, ты здорово
поглупел с тех пор, как ударился головой. Придется, наверное, попросить, чтобы тебе сделали операцию, а то у тебя совсем мозги набек-
рень! — Она говорила строгим, почти серди-
тым тоном, но на самом деле Лиз была очень
довольна. Питер пытался шутить, а это значило, что он находится в отличном расположе-
нии духа. Что же касалось того, *что* он говорил
о ней и о Дике, то Лиз это почти не тронуло.
Да, Дик Вебстер казался вполне приличным
человеком и поговорить с ним было очень приятно, однако это ровным счетом ничего не значило.

— Так ты пойдешь к нему на свидание или
нет? — продолжал поначивать ее Питер, и Лиз
рассмеялась. Она и не думала принимать его
слова всерьез.

— Нет, не пойду, — ответила она. — Я не из
тех, кто встречается с кем попало. Дик Вебстер
не интересует меня, а я не интересую его, так
что перестань заниматься сводничеством. Постарайся лучше поскорее поправиться.

Потом она поехала в офис. Пока ее не было,
Джин весьма успешно отражала натиск клиен-

тов и коллег, так что неотложных дел у Лиз оказалось на удивление мало. Помогло и то, что стояла отпускная пора и многие уехали из города до Дня труда.

Разобравшись с текущими делами и сделав пару звонков, Лиз отправилась домой, чтобы повидаться с детьми и пообедать. Несколько раз она звонила Питеру, который был в прекрасном настроении — к нему пришли несколько приятелей, которые принесли сандвичи, пиццу и жареную картошку. С Джессикой Пит расстался еще в июне, так что сейчас у него не было девушки, которая могла бы за ним ухаживать, но друзьям он был рад.

— Ладно. Не буду мешать, — сказала Лиз. Затем позвонила сначала Виктории, а потом и своей матери. Они обе знали о происшествии с Питером, и Лиз была рада, что может сообщить им приятные новости. Правда, ее мать, как обычно, сделала несколько мрачных пророчеств относительно неизвестных и неизбежных осложнений и последствий сотрясения мозга, но даже это не могло испортить Лиз настроения. Что касалось Виктории, то она просто спросила, чем она может помочь. Лиз была благодарна подруге за внимание, однако помочь ей пока не мог никто. Тем не менее ей было приятно слышать голос подруги — болтая с ней о всякой всячине, Лиз чувствовала, как отпускает напряжение, владевшее ею с самого утра.

Поговорив по телефону, Лиз приняла горячий душ, а потом стала собираться обратно в больницу. Сегодня с ней должен был поехать Джеми — девочек она просила подождать хотя бы денек, хорошо зная, что своими бесконечными вопросами, смехом и суетой они способны уморить и здорового. Но Джеми поездка в больницу была очень нужна. Ему все еще хотелось увидеть брата своими глазами и убедиться, что ему ничто не грозит.

По дороге Джеми сосредоточенно молчал и глядел только вперед, зажав ладошки между коленями. Когда они уже сворачивали на стоянку, он наконец посмотрел на мать и спросил:

— Скажи, мам, это очень страшно? Ну, что я увижу?

Это был прямой и честный вопрос, который требовал такого же честного ответа.

— Думаю, в первые минуты ты действительно можешь немного напугаться, Джеми. Там все-таки очень много непонятных приборов, которые пищат, гудят и подмигивают. Я сама поначалу испугалась, но их бояться не надо — ведь это просто машины. А вот Питер вовсе не выглядит таким уж страшным. Наоборот, на него иногда просто смешно смотреть.

— Почему? — поинтересовался Джеми.

— У него синяки под глазами, — честно сказала Лиз. — И из-за них он стал похож на медведя-панду, которого мы видели в зоопарке, помнишь?

Джеми кивнул, и Лиз поняла, что в ближайшие несколько минут он будет думать только о медведе и о том, как Питер на него похож. Вот и отлично.

— Кроме того, — добавила она, стараясь как можно лучше подготовить Джеми ко встрече с братом, — у него пока очень болит шея, поэтому Питеру надели специальный воротник, который помогает ему держать голову. Помнишь, я тебе говорила. А еще он лежит на такой большой красивой кровати, которая может опускаться и подниматься, если нажать кнопку.

Джеми с понимающим видом кивнул, и Лиз с облегчением перевела дух. Медведь-панда и автоматическая кровать — по ее расчетам, этих двух чудес должно было с избытком хватить, чтобы надолго отвлечь Джеми от мрачных мыслей. Но следующий вопрос сына застал ее врасплох.

— А Питер когда-нибудь вернется домой? — серьезно спросил он, и Лиз поспешно кивнула.

— Ну конечно, малыш. Вернется, и очень скоро! Думаю, это случится еще до начала учебного года. Здесь есть один очень хороший врач, который тоже так считает. Кстати, он хотел с тобой познакомиться. Его зовут Дик. Дик Вебстер.

— А он не будет делать мне уколы? — испуганно спросил Джеми. Для него поездка в больницу была не только приключением, но и испытанием. Но он готов был пройти сквозь огонь, чтобы только увидеться с братом.

— Нет, он не станет делать тебе никаких уколов, — сказала она с нежностью и добавила, лукаво улыбнувшись: — Разве только ты его сам попросишь.

Джеми передернулся.

— Ненавижу уколы! А Питеру он делал уколы?

В этом вопросе прозвучали вся его любовь и забота о старшем брате, и Лиз снова не посмела слукавить.

— Да, — сказала она. — Питеру сделали целую кучу уколов, но он уже большой мальчик и не боится.

Единственное, что не нравилось Питеру в больнице, это бульоны и каши, но сегодня друзья принесли ему сандвичи и пиццу, и когда он разговаривал с ней по телефону, голос его звучал как у совершенно счастливого человека.

— Ну что, идем? — предложила Лиз, тронув Джеми за плечо. Мальчик взял ее для надежности за руку и первым шагнул в вестибюль больничного корпуса.

Джеми держал Лиз очень крепко. К тому моменту когда они поднялись на лифте в отделение травматологии, его ладошка стала влажной, но он не отступил, а только вздрогнул, когда навстречу им попалась сиделка, которая везла на каталке кого-то из пациентов.

— Этот дяденька умер? — спросил Джеми испуганным шепотом, когда каталка проехала мимо. Лиз поспешила успокоить его:

— Он не умер, а просто спит. Не бойся, все будет хорошо!

Но Джеми немного расслабился, только когда они вошли в палату. Питер сидел на кровати; увидев брата, он завопил от радости, и Джеми бросился было к нему, но остановился как вкопанный, разглядев диковинные приборы на столах и полках.

— Не бойся, — подбодрил Питер. — Ведь это просто железки вроде компьютеров, они не кусаются. Ну, еще шажок!..

Этот последний шаг, отделявший его от Питера, Джеми сделал с закрытыми глазами, словно перешагивал через ров, в котором кишели ядовитые змеи, но уже в следующую секунду брат крепко обнял его и привлек к себе. Питер улыбался во весь рот; наклонившись, он поцеловал Джеми в макушку, и тот наконец открыл глаза.

— Пит! Как же я без тебя скучал!..

— Я тоже, маленький братец! Хорошо, что ты пришел!

— Я думал, ты умер, — просто сказал Джеми. — Но мама сказала — нет, ты очень даже живой. Правда, я ей не поверил. Я все равно боялся... Ну, знаешь, из-за папы...

— Понимаю. — Питер кивнул. — Можешь меня потрогать, я действительно живой, а не чучело. Впрочем, даже у чучела, набитого опилками, ума побольше, чем у меня. Я сделал страшную глупость, когда прыгнул в бассейн с нашей тумбы. Теперь-то я ученый, поэтому предупреждаю тебя сразу: если вздумаешь выкинуть что-то в этом роде — сначала подумай о тех неприятностях, которые у тебя будут. Во всяком случае, я тебе их обещаю, если, конечно, останешься в живых. А теперь хватит о грустном. Как дела дома? Девочки в порядке?

— Дома скучно. Без тебя скучно... Меган, Рэчел и Энни всем рассказывают, какая с тобой случилась беда, и плачут. Они плакали и когда тебя увезли на машине. Я тоже плакал, — честно добавил Джеми. — Мы все думали, что никогда больше тебя не увидим. А можно посмотреть, как опускается твоя кровать? — без всякого перехода спросил он.

— Конечно. Жми сюда... — Питер показал Джеми целый ряд кнопок на боковине кровати и сморщился, когда брат сначала подбросил его вверх, потом опустил к самому полу и под конец заставил кровать превратиться в некое подобие шезлонга.

— Тебе больно? — спросил Джеми, восхищенный сложной механикой превращений.

— Немного, — неохотно признал Питер.

— Хочешь, я снова сделаю как было?

— Да. Опускай, только потихонечку. Я скажу, когда хватит. — Питер готов был потерпеть, лишь бы брату было приятно. Джеми как раз опускал изголовье кровати, когда в палату вошел Дик Вебстер. Бросив взгляд на Лиз, он посмотрел на двух ее сыновей. Питер велел Джеми отпустить кнопку, и тот выпрямился, явно гордясь хорошей работой. Ему очень хотелось все повторять, но брат попросил не делать этого. Питер все еще страдал от болей, хотя и не признавался в этом.

— Добрый день, док! — воскликнул Питер, заметив Дика, и Джеми тоже повернулся к врачу, наградив его подозрительным взглядом.

— Вы собираетесь спать? — спросил он, внимательно изучая бледно-салатовый врачебный костюм, который и впрямь напоминал пижаму.

— Нет, — ответил Дик. — В этом костюме я работаю. Вынужден работать, — уточнил он. — Ну разве не глупо, а? Зато когда я захочу спать, мне не нужно ни во что переодеваться!

Он шутил, но Джеми смотрел на него серьезно, и Дик тоже перестал улыбаться. Несмотря на то что Джеми был темноглазым и темноволосым, он был очень похож на своего брата.

— Познакомь меня с этим юным джентльменом, — сказал Дик Питеру, и тот представил их друг другу.

— Только я не люблю уколы, — предупредил Джеми, пожимая протянутую руку доктора. Он с самого начала решил избежать всякого рода недоразумений.

— Я сам их не люблю, — признался Дик, отступая на шаг, чтобы не пугать мальчика. Лиз говорила ему, что, хотя Джеми скоро исполнится одиннадцать, по уровню развития он все еще находится на уровне пяти- или шестилетнего ребенка. — Обещаю, что не буду делать тебе никаких уколов, если ты не будешь делать их мне. Договорились?

— Не буду, — торжественно пообещал Джеми и вдруг добавил без всякой очевидной связи с предыдущим: — А знаете, я выиграл целых три медали на Специальных олимпийских играх. Две золотые и одну серебряную. Меня мама тренировала.

— Надо же! — удивился Дик. — А в каких видах?

— В прыжках в длину с разбега, в спринте на сто ярдов и в беге в мешках. Это самый трудный вид на играх, — с гордостью пояснил Джеми. Лиз, внимательно следившая за их вполне светской беседой, не сдержала улыбки.

— Твоя мама, наверное, очень хороший тренер, — предположил Дик.

— Да, замечательный, — подтвердил мальчик. — С папой я никогда не выигрывал «золото». Мне еще дали целую кучу денег. Долларов сто или даже тысячу. Я положил их в копилку. Когда я накоплю много-много долларов, я куплю маме ожерелье с бриллиантами. И золотую корону.

— Вот это правильное решение, — одобрил Дик, мельком глянув на Лиз, у которой от удивления вытянулось лицо. Она и не подозревала, что у Джеми такие грандиозные планы.

— Да. Я думаю, это не совсем мои медали — они и мамины тоже, — подтвердил Джеми.

— Но ты заслужил их по праву, — сказал Дик. — Ты проявил настойчивость и завоевал первые места. Должно быть, ты был очень счастлив, когда выиграл.

— Еще как! — Джеми улыбнулся. — А можно мне еще немного поиграть с кроватью? — тут же спросил он, и Питер согласился, хотя и не очень охотно. Пока Джеми манипулировал кнопками и рычажками, Лиз и Дик вышли в коридор, чтобы поговорить без свидетелей.

— Как он? — спросила Лиз. Питер все еще казался ей слишком бледным. Она пока не могла чувствовать себя абсолютно спокойной.

— Прекрасно, — уверил ее Дик. — Правда, он еще слаб, да и голова у него еще болит, но это пройдет. По правде говоря, я должен гордиться таким пациентом. У тебя отличный сын, Лиз. Сыновья... — поправился он, не заметив, что назвал ее на «ты». — Младший — тот и вовсе чудо, самое настоящее чудо!

— Я тоже так думаю, — рассмеялась Лиз. — Спасибо, что позволил мне привести его. — (На «ты» так на «ты», решила она. Будучи адвокатом, Лиз была довольно щепетильна в такого рода мелочах. Правильная форма обращения очень важна, но ей казалось, что она уже вполне может называть Дика на «ты», как называла всех близких друзей. В конце концов, он спас жизнь ее Питеру!) — Джеми очень переживал за брата и даже боялся, что Питер может не вернуться. Зато теперь он своими глазами увидел, что все в порядке.

— Пусть Джеми приходит хоть каждый день. Я буду рад видеть его, если только он не захочет сделать мне укол. — Дик рассмеялась, и Лиз ответила ему улыбкой.

Потом она вернулась в палату, чтобы спасти Питера от Джеми, который вошел в настоящий раж, опуская и поднимая кровать.

— Я думаю, нам пора, Джеми, — сказала Лиз. — Питеру необходимо отдохнуть, да и тебе тоже, дружок. Не огорчайся: доктор говорит, ты можешь прийти в другой раз, когда захочешь.

— В следующий раз принесите мне пиццу. Две пиццы! — вставил Питер, целуя Джеми на прощание. Прежде чем выйти из палаты, Джеми помахал брату рукой, и они с матерью направились к лифтам. Они ждали, пока подойдет кабина, когда их нагнал Дик. Он хотел попрощаться с Лиз.

— Ты ведь не боялся, правда? — спросил он мальчика.

— Немножко боялся, — признался Джеми. — Но теперь я знаю — у вас здорово. Я даже хочу попросить маму, пусть она купит мне такую же кровать, как у Питера, — мне очень понравилось. — И он показал руками, как опускалась и поднималась кровать.

— Больше не будешь бояться? — уточнил Дик, пожимая ему руку.

— Нет. Я испугался потому, что машина, которая увозила Питера, очень громко выла. Но теперь я знаю — все «Скорые помощи» так шумят.

— «Скорые помощи» и вправду ужасно шумные, — подтвердил Дик. — Но обычно у нас тихо. В общем, приходи еще, договорились? Хоть завтра.

— Завтра не смогу, — серьезно ответил Джеми. — Завтра к Питеру придут мои сестры. Они вообще-то неплохие, только слишком много болтают. От них у Питера может разболеться голова, а ему это вредно.

Услышав это суждение, Дик Вебстер громко расхохотался. Ему хотелось добавить, что все женщины любят поговорить, но он сдержался. Он знал Лиз еще недостаточно хорошо и не был уверен в ее чувстве юмора. Вместо этого он сказал:

— Я постараюсь сделать так, чтобы твои сестры не очень его утомили. Спасибо, что предупредил меня заранее.

Тут подошел лифт, и Джеми, помахав врачу рукой, первым шагнул в кабину. Лиз последовала за ним — она уже решила, что переночует сегодня дома, а утром снова вернется в больницу. Она была очень благодарна Дику за то, что он так внимательно отнесся к Джеми и разговаривал с ним не хуже, чем сумел бы Джек.

Джеми, судя по всему, тоже был очень доволен посещением больницы. Когда они уже ехали обратно в Тибурон, он сказал матери:

— Мне очень понравилась кроватка Питера и доктор. Он очень добрый. И еще он не любит уколов, как я. — (Подобное родство душ, решила Лиз, должно было казаться мальчику очень важным.) — Я думаю, Питеру он тоже нравится.

— Конечно, дорогой. И не только Питеру, но и мне тоже — ведь Дик спас твоему брату жизнь.

— Тогда в следующий раз я скажу Дику, что я его люблю. Он теперь будет мне как Санта-Клаус. Нет, даже лучше — как еще один брат!

Вечером Джеми рассказал сестрам о чудесной кровати Питера, которая может подниматься и опускаться, и о замечательном докторе, который спас Питера и который тоже боится уколов. Визит в больницу явно стал для него одним из самых ярких впечатлений — ярких и *позитивных*, что было немаловажно. Правда, ночью Джеми снова пришел спать в комнату Лиз, но впервые за много недель спал он спокойно и не видел дурных снов. В последнее время ночные кошмары буквально преследовали его. Увы, для самой Лиз мало что изменилось. Эта ночь — как и бесчисленная вереница предыдущих — была наполнена для нее туманными и тревожными грезами, горькими мыслями о Джеке, беспокойством за Питера. Люди, лица, несчастные случаи, потери и другие беды — в ее сознании все это смешивалось в невероятный горький коктейль, который она пила капля за каплей каждую ночь и никак не могла выпить до дна. И не было ничего удивительного, что, проснувшись утром, Лиз чувствовала себя так, словно всю ночь ворочала мешки с углем.

— Ты устала, мама? — спросил и Джеми, который проснулся ровно в шесть, почти одновременно с матерью.

— Очень, — честно призналась Лиз, подавляя стон. Последние несколько дней, когда, терзаемая страхом за сына, она почти не ела и не спала, не могли не сказаться. Сейчас, когда напряжение немного спало, Лиз чувствовала себя совершенно разбитой. Почти то же она испытывала, когда потеряла Джека; правда, на этот раз всех их ждал счастливый конец, но до него еще следовало дожить. Как будто ничто больше не угрожало ни ей, ни детям, но после всего, что выпало на ее долю, Лиз очень боялась сглазить.

Приготовив детям завтрак, Лиз поехала в офис. Посетив судебные слушания, которые, к счастью, были достаточно короткими, Лиз отправилась в больницу, где ее уже ждали Кэрол и девочки. Джеми на этот раз остался у соседей, поскольку Лиз казалось, что ему пока хватит сильных переживаний.

Девочки тоже были рады повидать брата. Они смеялись и болтали, перебивая друг друга, они засыпали его новостями, рассказывали о своих новых увлечениях и друзьях, расспрашивали о самочувствии и в конце концов так утомили Питера, что через час после их ухода ему потребовался укол болеутоляющего. Когда же он наконец уснул, Дик и Лиз вышли в комнату для посетителей, чтобы поговорить.

— Джеми был прав! — сказала Лиз и нахмурилась. — Девочки таки уболтали его. Как ты думаешь, Питеру это не повредит?

— Что-что, а заговорить мужчину насмерть женщины способны, — улыбнулся Дик. — Нет, я не думаю, чтобы это ему повредило: положительные эмоции необходимы любому человеку, и больному, и здоровому. К тому же с помощью сестер Питер хоть немного, но приобщился к реальной жизни, от которой за эти дни успел отвыкнуть. В общем, я считаю, все прошло замечательно.

Потом они заговорили о том, когда Питер сможет вернуться домой. Дик полагал, что, если не случится ничего непредвиденного, его можно будет выписать накануне Дня труда, до которого оставалось меньше двух недель. Он сказал также, что мог бы выписать Питера и раньше, но хорошо бы убедиться, что внутренняя гематома окончательно рассосалась и ничем больше не угрожает здоровью юноши. Его слова звучали разумно, и Лиз согласилась. Спешить действительно не стоило.

Разговор с Диком неожиданно напомнил Лиз о другой проблеме, которую она собиралась обсудить с детьми. В этом году они решили не устраивать вечеринку на День труда, Четвертое июля они тоже не праздновали. Но сейчас Лиз казалось, что они могли бы как-то отметить выздоровление Питера. Правда, у них была запланирована поездка на озеро Тахо, но Лиз сомневалась, что столь далекое путешествие пойдет Питеру на пользу.

— Значит, — спросила она, — Питер сможет вернуться в школу вовремя?

— Вовремя или в крайнем случае на неделю позже. Смотря по тому, как он будет себя чувствовать, — ответил Дик. — Я бы рекомендовал не торопиться с занятиями — все-таки сотрясение мозга есть сотрясение мозга. И, безусловно, ему нельзя пока садиться за руль. Пусть потерпит пару месяцев.

Лиз задумалась. В сентябре она собиралась проехать с Питером по Западному побережью и посетить расположенные в этом районе университетские колледжи, но теперь поездку тоже приходилось откладывать до тех пор, пока он не окрепнет. Что ж, решила она, может быть, это и к лучшему. За это время Питер окончательно определится, где именно он хочет учиться, и, возможно, поездка не понадобится вовсе.

Они еще немного поговорили о том, как должен идти процесс выздоровления, а затем Дик снова пригласил Лиз к себе в кабинет на чашку кофе. На этот раз она согласилась не раздумывая — ей просто необходимо было взбодриться.

Войдя в кабинет, она буквально рухнула в уютное продавленное кресло, накрытое шерстяным шотландским пледом. Только сейчас Лиз почувствовала, как же она устала.

— Замучилась? — сочувственно спросил Дик Вебстер. Он знал, как много она везет на своих плечах, и не мог не восхищаться силой и стойкостью этой маленькой женщины с огненными волосами. Отчего-то ему казалось, какие бы испытания ни выпали на ее долю, она все равно останется спокойной, собранной, любящей и бесконечно внимательной к своим детям.

— Не больше, чем ты, — мягко ответила она и вздохнула.

— У меня нет пятерых детей, один из которых лежит в больнице, — возразил Дик. — «И сына с задержкой умственного развития, который требует особого ухода и внимания, не говоря уже о проблемах трех почти взрослых дочерей», — добавил он мысленно. — Когда я думаю об этом, мне, ей-богу, становится не по себе. Не понимаю, как ты справляешься...

— Иногда я и сама этого не понимаю, — сказала Лиз. — Я просто делаю то, что должна делать, — вот и все.

— А кто заботится о тебе, Лиз? — негромко спросил он, глядя на нее поверх своей чашки кофе.

— Иногда — Питер, а иногда — я сама. Моя секретарша, моя домработница, мои подруги, даже моя мать — все они помогают мне по мере сил. В этом отношении я счастливая женщина, — ответила она, но Дику ее слова показались более чем странными. Никакая женщина не могла считать себя счастливой после того, как потеряла мужа, на которого она опиралась в течение двух десятков лет. Он ясно видел, что Лиз работает за двоих, стараясь возместить себе и детям эту невозвратимую потерю. Как ни странно, ей это удается, вернее, почти удается.

Дик тоже вздохнул.

— Иногда я кажусь самому себе беззаботным, как мотылек, — сказал он. — Особенно по сравнению с тобой. У меня нет даже рыбок или домашней черепашки — только я сам. Должно быть, я слишком большой эгоист — или всегда был таким, или стал им с годами. Хотел бы я знать, не потому ли мой брак оказался таким неудачным?

— Я бы не стала сравнивать тебя и меня, — возразила Лиз. — У нас совершенно разные ситуации. В конце концов, каждому человеку нужно что-то особенное, что-то совсем свое. Мне важнее дети, тебе — твоя медицина. На твоих плечах — все травматологическое отделение; это огромная ответственность. Откровенно говоря, я не знаю, что труднее. Мои дети — они только мои, а ты заботишься обо всех, кто сюда попадает.

Про себя же она подумала, что Дик немного лукавит. Он был достаточно зрелым мужчиной, чтобы разобраться в себе и своей жизни. Всегда можно исправить то, что не устраивает тебя. На днях он обмолвился, что ему уже стукнуло сорок пять. Лиз знала, что к этому возрасту мужчина либо успешно преодолевает собственный эгоизм, либо начинает относиться к нему как к добродетели. Последнее никак не могло относиться к Дику. Поэтому она и решила, что на самом деле жизнь, которую он вел, его вполне устраивает.

— Кроме того, — добавила она, — если бы у меня не было детей, о которых я должна заботиться, я бы просто погибла.

— Понимаю, — кивнул Дик. — У тебя отличные дети, насколько я в этом вообще разбираюсь. Но это не случайность и не везение, Лиз. Ты так много в них вложила, и это заметно. — Он улыбнулся, вспоминая, с какой гордостью

Джеми рассказывал, как мать готовила его к олимпиаде. Интересно, где она взяла на это время и силы?

— Да, эти дети стоят того, чтобы ради них немного постараться — быть может, чуть-чуть недоспать или не отдохнуть лишний раз. Зато с ними я счастлива, — призналась она, отставляя в сторону опустевшую кружку. — Кстати, о детях, мне пора домой, пока они не забыли, как выглядит их мама. Спасибо за кофе, Дик. Надеюсь, завтра мы снова увидимся.

— Вряд ли. — Он пожал плечами. — У меня будет несколько выходных подряд, но не волнуйся — я оставляю Питера в надежных руках. Этот парень — один из лучших врачей во всей больнице. — И Дик назвал ей имя и фамилию коллеги, который должен был замещать его в ближайшие дни. Сам он собирался съездить в Мендочино, где жил его старый приятель.

— Желаю приятно провести время. Ты заслужил хороший отдых, — сказала Лиз, дружески улыбаясь.

Вечером, вернувшись домой, она поговорила с детьми насчет вечеринки на День труда и была очень удивлена, когда мнения разделились. Джеми и Меган идея пришлась по душе, но Рэчел и Энни считали, что это будет предательством по отношению к памяти отца. Они никогда не устраивали вечеринку на День труда без него.

— Кто будет жарить шашлык? — жалобно спросила Рэчел, и губы ее задрожали.

— Мы, — спокойно ответила Лиз. — Питер знает, как это делается, а мы будем ему помогать. Мне кажется, стоит как-то отпраздновать его выздоровление, и вечеринка — это самый лучший подарок, какой мы только можем ему сделать.

Когда она поставила вопрос таким образом, возражений больше не возникло. Правда, поначалу Рэчел и Энни согласились с ее предложением без особой охоты, но к концу недели они только и говорили о предстоящем пикнике. Девочки хотели пригласить на него всех своих подруг и друзей. Лиз тоже не пожелала отставать и составила свой список гостей, который оказался весьма и весьма внушительным. В нем было почти три десятка человек; общее же количество приглашенных перевалило за шестьдесят. И тут Лиз испугалась, сумеют ли они все как следует организовать. Как-никак, это был первый семейный праздник с тех пор, как погиб Джек, и ее волнение было вполне объяснимым. Но несмотря на некоторые сомнения, все они ждали праздника с нетерпением, а Питер и вовсе пришел в восторг, когда узнал, что все это затевается в его честь.

Питер должен был вернуться домой за четыре дня до праздника. Накануне этого события Лиз и Дик Вебстер снова встретились в больнице, чтобы обсудить план дальнейших лечебных мероприятий.

— А знаешь, приходи к нам на вечеринку, — неожиданно предложила Лиз. — Это будет что-то вроде праздника в честь выздоровления Питера, а поскольку ты тоже приложил к этому руку... В общем, будет просто замечательно, если ты сумеешь прийти. Да, кстати, прием не официальный, так что джинсов и свитера будет вполне достаточно.

— А можно я приду в белом халате? — улыбнулся Дик. — Чтобы всем сразу было ясно, кто я такой. К тому же я так давно не выходил в свет, что у меня, наверное, больше и нет ничего.

Он был очень доволен приглашением и пообещал Лиз, что непременно придет, если не будет дежурить.

— Мы все будем очень рады видеть тебя, — снова сказала Лиз. Она испытывала острую потребность как-то отблагодарить Дика за все, что он сделал. Приглашение на пикник было, наверное, наилучшим из всех возможных способов сделать это. Правда, Лиз уже послала ему вино, однако позвать Дика на вечеринку, посвященную возвращению Питера домой, было еще более естественно. Ведь без Дика, подумала она с внезапным страхом, пикник мог не состояться вовсе!..

Впрочем, она постаралась отогнать от себя эту мысль и сосредоточиться на рекомендациях, которые давал ей Дик Вебстер. Главное заключалось в том, что нельзя допускать, чтобы Питер переутомлялся, особенно на первых порах. Как только он попадет домой, сказал Дик, ему захочется встречаться с друзьями, участвовать во всех их делах и развлечениях, ходить на дискотеки и в кино. Пока ему это противопоказано. Необходимо соблюдать режим, больше отдыхать и ложиться спать пораньше — в этом случае Питеру удастся избежать возможных последствий сотрясения мозга: тошноты, головокружений и внезапных обмороков. Этому же должно было способствовать и специальное амбулаторное лечение, которое Дик планировал закончить к декабрю.

— Держи его в узде, хотя бы в первое время, — сказал он и строго посмотрел на Лиз. — Я знаю, это будет нелегко, но для его же собственного блага...

— Я сделаю это, — пообещала Лиз и кивнула. — Можете на меня положиться, доктор.

Она действительно была полна решимости сдержать слово, хотя это и означало, что в ближайшие месяц-два ей придется исполнять обязанности шофера значительно чаще, чем она могла себе позволить. Но с другой стороны, кто-то должен был делать это хотя бы до тех пор, пока Питеру не снимут шейный корсет. У Кэрол и без того хватало хлопот с девочками и Джеми.

— Ничего, мы справимся, — твердо сказала она.

— Вот и отлично, — кивнул Дик. — Я буду позванивать. Ты сама тоже звони мне, если возникнут какие-то проблемы.

На следующее утро Питера выписали. Дик специально зашел попрощаться с ним, хотя его дежурство давно закончилось. Он пожал Питеру руку и проводил их до машины. Лиз воспользовалась случаем и напомнила ему о Дне труда. Дик заверил, что постарается прийти. Потом он помог Питеру сесть в машину и помахал им рукой.

— Не волнуйся, он _обязательно_ придет, — сказал Питер, когда они выехали на шоссе.

— Если только не будет работать, — спокойно ответила Лиз, но при мысли о том, что сегодня она, быть может, видела Дика в последний раз, ее сердце болезненно сжалось. За прошедшие недели он стал для нее по-настоящему близким человеком, и Лиз знала, что будет благодарна ему до конца жизни.

— А я говорю — придет! — уверенно повторил Питер. — Ведь ты ему нравишься, я же вижу!

— Не говори глупости! — отрезала Лиз. — Тоже мне провидец нашелся!

Она старалась казаться строгой, но на самом деле ей было все равно. Ведь, в конце концов, Дик был просто врачом, который поставил на ноги ее сына. И не более того.

— Хочешь поспорить? — предложил Питер, поправляя свой корсет. — На пять... нет, на десять долларов.

— У тебя что, завелась лишняя десятка? — отозвалась Лиз. — Не думаю, что ты можешь позволить себе швыряться деньгами. Рокфеллер! Билл Гейтс!

Она просто поддразнивала его. На самом деле, разве важно, придет Дик Вебстер на их вечеринку или нет? Совершенно неважно, уверяла она себя, перестраиваясь в левый ряд и увеличивая скорость.

И в конце концов ей удалось убедить себя в том, что это, конечно, не имеет и не может иметь никакого значения. Себя — удалось, но Питера — отнюдь нет. Он продолжал искоса поглядывать на нее и лукаво улыбаться.

# Глава 8

Вечеринка в честь возвращения Питера из больницы получилась совершенно грандиозной. На нее пришли не только друзья и подруги детей, но и их родители, а также старые друзья Лиз, которых она не видела с самых похорон Джека. Одними из первых приехали Виктория с мужем, которые привезли с собой своих тройняшек. Следом прибыла Джин, которая тут же отправилась помогать Кэрол. Лиз и Питер взялись готовить мясо. По неопытности они так перемазались в угле, что стали похожи на двух негров. («Афроамериканцев, дружок», — машинально поправила Лиз, когда Питер сообщил ей об этом.) Потом дело пошло на лад, и вскоре Лиз обнаружила, что сын вполне способен и один справиться с жаровней, хотя шейный корсет изрядно ему мешал. Что касалось девочек, то они с самого начала смешались с толпой гостей и прекрасно проводили время. Им и в голову не пришло, что брату и матери, может быть, нужна их помощь. Лиз решила не портить им вечер и не стала читать нотации.

Примерно через полчаса после начала вечеринки (Лиз и Питер едва успели смыть сажу и привести себя в порядок) в саду появился Дик Вебстер. Поначалу он слегка растерялся, но потом заметил в толпе Джеми и подошел к нему.

— Привет, — сказал он. — Помнишь меня?

Он был одет в светло-голубые, тщательно отглаженные джинсы и рубашку из клетчатой шотландки; волосы его были аккуратно причесаны на косой пробор, однако несмотря на это Джеми узнал его мгновенно.

— Конечно, помню! Ты доктор Питера, который боится уколов, — отозвался Джеми.

— Совершенно точно, — кивнул Дик. — Как поживает твой братец?

— Очень хорошо поживает. Только он сердится, когда я на него прыгаю, — пожаловался Джеми.

— Он прав, — серьезно сказал Дик. — То есть он прав не в том, что сердится, а в том, что сейчас ему нужно себя беречь. У него еще побаливает шея, но когда она заживет, я думаю, Питер не станет возражать против твоих прыжков.

— Я знаю про шею. Поэтому он и носит этот большой воротник, да?

— Да, только мы, врачи, называем эту штуку спинальным корсетом. Или попросту ошейником, но это только в разговорах между собой, когда поблизости нет никого из начальства. А где твое начальство, Джеми?

— Ты имеешь в виду маму? — Джеми улыбнулся Дику. — Она вон там.

Он показал рукой в ту сторону, где стоял мангал. Дик сразу увидел Лиз, которая разогревала на решетке сардельки для гамбургеров.

Было совершенно очевидно, что она трудится не покладая рук. Несмотря на это Лиз не забывала приветливо улыбаться гостям. Ее рыжие волосы, огненным пятном выделявшиеся в толпе, были распущены по плечам, маленькие руки двигались проворно и изящно, и даже фартук, который она нацепила, чтобы не испачкать джинсы, выглядел совершенно очаровательно.

Словно почувствовав, что за ней наблюдают, Лиз подняла голову и встретилась с ним взглядом. Улыбнувшись, она помахала ему лопаткой, и Дик, взяв Джеми за руку, двинулся в ее сторону. Когда они подошли уже совсем близко, Дик увидел рядом с Лиз Питера в испачканном сажей ошейнике.

— Ну, как дела? — спросил доктор своего пациента, и Питер широко улыбнулся.

— Все отлично, док! Готовь десять баксов, — добавил он вполголоса, обращаясь к матери. — Ты проиграла наш спор.

— Он пришел не ко мне, а к тебе, — также шепотом ответила Лиз, притворившись, что просит сына полить сардельки кетчупом.

Потом она повернулась к Дику и приветствовала его, как самого главного гостя.

— Не хочешь бокал шампанского? — предложила Лиз. — Или, может быть, вина?

— Нет, сегодня я пью только кока-колу, — ответил Дик с улыбкой. — Хоть я и не на дежурстве, меня могут вызвать в больницу, если будет что-нибудь срочное.

Питер налил ему большой стакан кока-колы, и Дик, сделав глоток, огляделся по сторонам. Гости веселились напропалую. Повсюду царила праздничная, непринужденная атмосфера.

— В этом фартуке ты похожа на настоящего повара, — пошутил он.

— Еще бы! Не хватает только белого колпака и поварешки, — отозвалась Лиз. — Как ты находишь Питера?

— По-моему, все идет нормально, — сказал Дик, бросив на своего пациента еще один профессионально-внимательный взгляд. Питер как раз отошел к группе друзей и теперь ловко накладывал им в бумажные тарелки разогретые гамбургеры.

— Он хочет на следующей неделе пойти в школу, — сообщила Лиз, сосредоточенно хмурясь.

— Если ты считаешь, что он готов, пусть идет. Я не возражаю.

— Спасибо. Мне кажется, Питер уже может учиться, но я хотела знать твое мнение. В начале учебного года нагрузки не особенно большие.

Оставив жаровню на попечение Питера и Кэрол, Лиз сняла фартук и увлекла Дика к столу, накрытому в тени раскидистого дуба. Там они отыскали два свободных стула и сели. Дик по-прежнему потягивал кока-колу, а Лиз налила себе бокал минералки — к спиртному она была равнодушна.

— Как дела в больнице? — спросила она,

чтобы сгладить возникшую между ними неловкость. Теперь, когда заботы о Питере больше их не объединяли, обоим предстояло искать подходящую почву, на которой они могли строить дальнейшие отношения.

— В больнице? Слишком много работы, к сожалению. И, боюсь, будет еще больше. Праздники и выходные — это наше проклятие. Огнестрельные ранения, автомобильные аварии, суицидальные попытки. Просто удивительно, что может сделать с собой обыкновенный человек, если на несколько дней предоставить его самому себе.

— В таком случае я вдвойне благодарна тебе за то, что ты смог вырваться к нам.

Дик слегка покраснел.

— Честно говоря, я фактически нахожусь в самоволке. Я оставил вместо себя старшего ординатора — того самого, который присматривал за Питером в мое отсутствие, — и поехал к вам. Но мой пейджер включен. Если случится что-то из ряда вон выходящее, меня вызовут. С текучкой там справятся и без меня. Впрочем, не хватит ли о работе? Я давно хотел спросить тебя, Лиз, как проходят *твои* праздники и выходные? Должно быть, тебе нелегко приходится?

— Ты угадал. Но ведь у меня есть дети, они отвлекают меня от грустных мыслей. Что касается сегодняшней вечеринки, то она далась мне много легче, чем я ожидала. Видишь ли, День труда всегда был одним из самых любимых праздников Джека. Наверное, достаточно будет сказать, что в этом году мы не отмечали ни Валентинов день, ни Пасху, ни дни рождения девочек, ни Четвертое июля. Да и День труда мы решили отпраздновать лишь потому, что перед этим Питер вышел из больницы. Впрочем, на самом деле мне давно хотелось устроить детям праздник — в конце концов, они не могут вечно ходить в трауре.

И, похоже, она своего добилась. Ее дети прекрасно проводили время и выглядели по-настоящему счастливыми и беззаботными. Да и то сказать — с того самого трагического Рождества это был первый по-настоящему семейный праздник.

— Когда я был маленьким, я тоже любил праздники и выходные, — сказал Дик. — Теперь они для меня — такие же рабочие дни, как все остальные. Даже хуже. Почему — я уже объяснял.

Лиз такая жизнь казалась довольно безрадостной, но Дика она, судя по всему, устраивала. Лиз давно заметила, что даже в чужое дежурство он крайне редко уезжал из больницы и с удовольствием подменял коллег. Что, в свою очередь, означало, что Дик оказал ей великую честь, придя на эту вечеринку.

— А что *ты* делаешь в свободное время, когда не работаешь и не занимаешься детьми? — Он смотрел на нее с любопытством, и Лиз рассмеялась.

— А что я могу делать? Ты хочешь сказать,

что, кроме работы и детей, существует еще какая-то жизнь? Возможно, ты и прав, но я что-то не припоминаю, чтобы я когда-то занималась чем-то, *кроме* этого.

— Но тогда, быть может, кому-то стоит тебе об этом напомнить? — спросил Дик небрежно. — К примеру, когда ты в последний раз была в кино?

— В кино? — Она немного подумала, потом затрясла головой в комическом отчаянии. Ей самой не верилось, что это было так давно. Правда, Лиз возила в кино детей в Милл-Вэли, но сама она не была в кинотеатре очень давно.

— Если не ошибаюсь, в последний раз я была в кино в прошлый День благодарения[1], — ответила она и задумалась, припоминая. Они с Джеком поехали в кино, когда дети, наконец, угомонились после праздничного ужина. Они тогда прекрасно отдохнули. Подобные вылазки тоже были их семейной традицией. *Когда-то* были...

— Может, когда-нибудь сходим в кино вместе? — с надеждой предложил Дик, и Лиз растерялась. Первым ее побуждением было сказать, что это невозможно. Потом она решила отделаться уклончивым «может быть», но прежде, чем она успела открыть рот, пейджер на поясе Дика негромко зачирикал.

— Вызов из больницы, — Дик отцепил пейд-

---

[1] **День благодарения** — национальный праздник, ежегодно отмечаемый в США в четвертый четверг ноября. Посвящен первому урожаю, собранному пилигримами Плимутской колонии в 1621 году после голодной зимы в Новом Свете. Считается семейным праздником и отмечается традиционным ужином с индейкой.

жер от ремня и взглянул на экран. — Так и есть, что-то срочное.

Из кармана рубашки он достал сотовый телефон и набрал номер травматологического отделения.

— Это Вебстер, — сказал он в аппарат. — Что у вас стряслось?

Некоторое время он внимательно слушал, потом отдал несколько распоряжений, выключил телефон и повернулся к Лиз.

— Действительно сложный случай, — сказал он извиняющимся тоном. — Лобовое столкновение на шоссе, пострадали двое подростков. Извини, но мне придется вернуться в больницу. — Он вздохнул. — А мне так хотелось попробовать гамбургер, который приготовил Питер!

— Ты можешь взять гамбургер с собой, — предложила Лиз, вставая из-за стола и провожая его к выходу из сада. По дороге им попался Питер, и она велела ему завернуть пару гамбургеров в фольгу для Дика.

Автомобиль Дика стоял на улице почти у самого поворота на подъездную дорожку. Это оказался серебристо-голубой «Мерседес» прошлого года выпуска — машина дорогая и стильная. Лиз в который раз подумала, как мало она знает о Дике. Она видела его только в больничной униформе, зачастую — после тяжелого ночного дежурства, когда и одежда, и прическа были, мягко говоря, не в порядке. Теперь же оказалось, что у него неплохой вкус.

— Спасибо за гамбургеры, — улыбнулся Дик,

садясь за руль. — Ну так я позвоню насчет кино, договорились?

Снова он застал ее врасплох, и Лиз почувствовала, что краснеет.

— С удовольствием! — выпалила она и смутилась окончательно. В эти минуты она чувствовала себя совсем молодой девушкой, которую пригласил в кино ее первый мужчина.

— Вот и отлично.

Дик укатил, а Лиз медленно пошла обратно. Что за черт, думала она, он вполне приличный, респектабельный мужчина, с которым не стыдно пойти в кино или в ресторан. Со дня смерти Джека прошло уже больше полугода. Никто не может обвинить ее в легкомыслии или измене памяти мужа. Кроме того, Дик был совершенно прав. Ей просто необходимо время от времени выходить в свет, чтобы отдыхать от домашних забот и от работы.

— Он просто душка, — заметила Виктория, с которой Лиз остановилась поболтать. — И, по-моему, ты ему нравишься.

— Питер тоже так считает. — Лиз усмехнулась, но тут же снова стала серьезной. — Дик — отличный врач, он спас моего сына, и за это я всегда буду ему благодарна.

— Надеюсь, отличный врач уже пригласил тебя на свидание? — лукаво поинтересовалась Виктория.

— Не говори ерунды, мы просто друзья, — отрезала Лиз и тут же поймала себя на том, что солгала. Ну конечно же, Дик пригласил ее на самое настоящее свидание, только она боялась себе в этом признаться. Но ведь сколько бы Лиз ни повторяла про себя, что приглашение в кино — вещь совершенно обычная и что после этого они могут вообще никогда больше не увидеться, суть от этого не менялась — свидание оставалось свиданием. Впрочем, Виктории она так ничего и не сказала и, переведя разговор на другое, вскоре оставила подругу, чтобы пообщаться с другими гостями.

Вечеринка длилась несколько часов. Было уже начало двенадцатого ночи, когда последние гости отправились наконец домой. Угощение было обильным и вкусным, вина тоже было выпито немало. Похоже, все, кто побывал на вечеринке, чувствовали себя довольными и счастливыми. Что касалось Лиз и детей, то они тоже прекрасно провели время. Никто из них не жалел о том, что они вообще это затеяли. Так, во всяком случае, казалось Лиз, когда вместе с детьми она помогала Кэрол носить в дом посуду и загружать ее в посудомоечную машину.

Было уже начало первого, и дети давно спали, когда в гостиной неожиданно зазвонил телефон. «Интересно, кто бы это мог быть?» — подумала Лиз, снимая трубку. Сначала она решила, что звонит Хелен, но даже для нее звонок был слишком поздним.

Но это оказался Дик Вебстер; он звонил, чтобы поблагодарить за приятный вечер.

— Я так и думал, что ты, наверное, еще не

легла, — сказал он. — Надеюсь, гости уже разошлись?

— Совсем недавно, — ответила Лиз, подавляя зевок. Ей не хотелось ставить Дика в неловкое положение, поэтому она слегка погрешила против истины. — Правда, дети уже легли, но мы с Кэрол как раз собираемся мыть посуду. А как твои дела?

Прежде чем ответить, Дик вздохнул — ему никогда не нравилось говорить о неудачах, хотя его вины в том, что случилось, не было.

— Один из подростков умер, — сказал он наконец. — Но второй, я думаю, поправится. Печально, конечно, но ничего не поделаешь. Подобные вещи иногда случаются.

На самом деле Дик сталкивался со смертью гораздо чаще, чем ему хотелось, — просто он предпочитал не говорить на эти темы с Лиз. Смерть мужа и опасная травма Питера были все еще слишком свежи в ее памяти, слишком болезненны.

Но Лиз поняла по его голосу, что он принимает эту смерть гораздо ближе к сердцу, чем хочет показать.

— Не представляю, как ты можешь заниматься этой работой, — сказала она тихо.

— Кто-то ведь должен ею заниматься. Кроме того, это моя профессия, я сам ее выбрал и никогда об этом не жалел. — Дик действительно любил свою работу, любил за то, что его умение, интуиция, мастерство часто оказывались решающими на весах жизни и смерти. Конечно, случались и неудачи, которые он всегда очень остро переживал, но удач было значительно больше.

— Так как насчет кино? — спросил Дик, неожиданно меняя тему. — Может быть, завтра? — тут же добавил он, не дав ей ни малейшей возможности отказаться. — У меня наклевывается свободный вечер, что случается довольно редко. Мне бы хотелось, чтобы мы воспользовались этой возможностью. Слопаем по пицце, а потом завалимся в кино, идет?

— Это лучшее предложение, какое я получала за... за последние несколько месяцев, — медленно сказала Лиз, все еще не до конца опомнившись после такого решительного натиска. — Нет, мне действительно нравится!

— Мне тоже. Значит, договорились? Я заеду за тобой в семь.

— Значит, до завтра, Дик. Спасибо. Надеюсь, остаток дежурства пройдет спокойно.

— Спокойной ночи, — пожелал он, помня, как трудно ей засыпалось и какие сны тревожили ее по ночам.

Не успела Лиз положить трубку, как в гостиную вошел Питер. Вид у него был заспанный. Увидев, что Лиз улыбается, он удивленно приподнял брови.

— И кто это был? — спросил он.

— Один человек... — уклончиво ответила Лиз, и Питер, протерев глаза, посмотрел на нее испытующим взглядом. Внезапно его осенило.

— Это был мистер Вебстер, не так ли? Скажи правду, мама, это был он?!

— Да... — Лиз неожиданно смутилась, и Питер просто засиял.

— Я же говорил, что ты ему нравишься! Это просто отличная новость!

— Что за отличная новость? О чем вы говорите? — В дверях появилась Меган в ночной рубашке.

— Почему ты не спишь, позволь тебя спросить? — рассердилась Лиз, но Питер перебил ее.

— Моему доктору нравится наша мама, — сказал он, не скрывая своего удовольствия. К Дику он питал самые теплые чувства.

— Какой еще доктор? — Мег с подозрением уставилась на мать. — О ком ты, Питер?

— О Дике Вебстере, разумеется! О том враче, который спас мне жизнь, глупенькая!

— Сам ты глупенький, — отрезала Меган. — Если бы ты не прыгнул вниз головой в этот бассейн, ничего бы вообще не случилось. Кстати, что ты имеешь в виду, когда говоришь, что ему нравится мама? Может быть, ты еще не выздоровел? Или снова заболел?

— Это значит, что он только что ей звонил.

— Зачем? Он что, пригласил тебя на свидание? — Меган повернулась к матери, и ее глаза расширились от ужаса и негодования.

— Я не знаю, — сказал Питер, хотя вопрос был адресован не ему. — Вот мы сейчас и спросим. Мег правильно говорит, мама? Дик пригласил тебя в кино? Или, может быть, в ресторан?..

Он был просто в восторге, чего нельзя было сказать о Мег. Ее зеленые глаза засверкали как у разозленной дикой кошки.

— Что-то вроде этого. Дик действительно пригласил меня завтра в кино, но это совсем не то, что ты думаешь, — растерянно ответила Лиз, и Меган даже подскочила от возмущения.

— Ты в своем уме, мама?! — прошипела она, но Лиз только пожала плечами. Она не понимала, что тут такого, и не считала необходимым что-либо скрывать. В конце концов, дети все равно все узнают. Ведь завтра в семь Дик заедет за ней. К тому же Дик был не просто приятным человеком и врачом ее сына — Лиз считала его своим другом и не сомневалась, что у него на уме не было ничего недостойного. Тем не менее голос ее прозвучал так, словно она оправдывалась.

— А в чем дело? — спросила она. — Я подумала, что мне неплохо было бы отдохнуть.

— Это отвратительно! — выкрикнула Меган. — А о папе ты подумала?

— При чем тут папа? — вмешался Питер. — Его нет, понимаешь? Папа умер, но мама-то жива! Она вовсе не обязана постоянно торчать дома и заботиться о нас до скончания века.

— Почему бы нет? — запальчиво возразила Меган. То, что сказал Питер, ей очень не понравилось. Нет, она, безусловно, не думала, что мать должна заботиться о них словно о малых детях, пока они не состарятся. Напротив, она считала себя уже достаточно взрослой и была не прочь освободиться от любой опеки. Но ее матери вовсе незачем встречаться с мужчинами. Это обсуждению не подлежит. Незачем — и все!

— Маме не нужно куда-то ходить и с кем-то встречаться — ей хорошо и дома, — заявила она. — В конце концов, у нее есть мы, зачем ей кто-то еще?

— В том-то и дело, что у мамы есть только мы, — твердо сказал Питер. — А я считаю, что мама имеет право на большее. Раньше у нее был папа, а теперь...

— Это совсем другое, — упрямо перебила Меган.

— Нет, не другое! — с горячностью возразил Питер. — Ты просто не понимаешь. Или ты и вправду считаешь, что мы такое уж замечательное сокровище, что мама должна всю жизнь посвятить нам?

Лиз не вмешивалась в их спор, однако это столкновение мнений весьма ее заинтересовало. Меган продолжала считать, что мать никогда больше не должна ходить на свидания. Питер же держался мнения, что в жизни Лиз должно быть что-то еще, кроме работы и домашних забот. Он почти слово в слово повторял то, что говорил ей Дик. Лиз мимолетно задумалась, когда же это доктор Вебстер успел обратить ее мальчика в свою веру. Но Меган сама мысль о том, что в жизни матери может появиться мужчина, который не является отцом ее детей, казалась отвратительной и пугающей.

— Хотела бы я знать, что сказал бы папа, если бы узнал обо всем этом! — бросила на чашу весов свой самый главный аргумент Меган. — Каково бы ему было узнать, что ты встречаешься с другим мужчиной?!

— Я думаю, — просто ответил Питер, — он бы сказал: «Давно пора!» В конце концов, прошло уже больше девяти месяцев. У мамы есть полное право подумать о своей личной жизни. Когда в прошлом году у Энди Мартина умерла мать, его отец женился во второй раз меньше чем через пять месяцев. А мама даже ни разу ни на кого не посмотрела за все то время, что папы нет с нами.

Против этого Меган нечего было возразить, однако ее беспокойство отнюдь не улеглось. Напротив, она, казалось, разозлилась еще больше.

— Уж не собираешься ли ты замуж за этого... доктора? — спросила она едко.

— Нет, Меган, — спокойно ответила Лиз. — Я вообще ни за кого не собираюсь замуж. Я хочу только съесть пиццу и посмотреть фильм. И, что бы ты ни говорила, в этом нет ничего плохого или бесчестного по отношению к папе.

На этом разговор практически закончился, хотя каждый остался при своем мнении. Поднимаясь к себе, Лиз думала о том, какую сильную реакцию у ее детей вызвал самый обычный и естественный поступок. Безусловно, в ее решении пойти на «свидание» к Дику Меган усмотрела прямую угрозу стабильности своего существования в рамках семьи. Лиз отлично ее понимала. Но, быть может, она и сама не так уж права, как ей казалось? Быть может, ей не стоит спешить и встречаться с мужчинами? Но с другой стороны, она вовсе не «встречалась с мужчинами» — она просто шла в кино со своим новым другом. И замуж за Дика она тоже не собиралась, так что упреки и обвинения Меган не имели под собой никаких оснований. Лиз просто не представляла, как после стольких лет счастливого брака с Джеком она вообще сможет выйти замуж еще раз. Джек был для нее идеальным мужем, своего рода эталоном мужчины, до которого все остальные представители противоположного пола просто не дотягивали при всех своих бесспорных достоинствах. Нет, ее поход в кино — это не интрижка, а просто вечер отдыха, который она давно заслужила, — решила Лиз, ложась в постель.

Она считала, что тема закрыта, но Меган попрежнему пребывала на тропе войны. Когда на следующий день вечером — ровно в семь, как он и обещал, — Дик заехал за Лиз, Меган наградила его откровенно враждебным взглядом и, не здороваясь, ушла к себе, нарочно громко топая по ступеням лестницы. Ее поведение было столь откровенно вызывающим, что Лиз посчитала нужным извиниться за дочь. Впрочем, грубость Меган в полной мере компенсировал Дику Джеми. Он выбежал ему навстречу, сияя счастливой улыбкой. Он был ужасно рад видеть «доктора, который боится уколов», и Дик улыбнулся в ответ и пожал Джеми руку, как большому.

— Как тебе понравилась вчерашняя вечеринка? — спросил он у мальчика.

— Очень понравилась, — серьезно сказал Джеми. — Правда, я съел слишком много хотдогов, и потом у меня немножко болел живот. Совсем немножко, — поспешил уточнить он, заметив, как насторожилась Лиз. — Но до этого все было просто замечательно!

— Совершенно с тобой согласен, — кивнул Дик и нахмурился, притворяясь обеспокоенным. — Послушай, Джеми, ты не знаешь, в этом доме мне точно не будут делать уколов? — спросил он страшным шепотом, и Джеми звонко рассмеялся, по достоинству оценив шутку.

Потом Дик спросил, летал ли Джеми когданибудь на воздушном змее, и мальчик снова хихикнул, решив, что это тоже что-то вроде шутки. Но Дик вполне серьезно объяснил ему, что существует такой вид спорта.

— Только, — сказал он, — нужен очень большой змей. Такой, чтобы мог поднять одного взрослого мужчину и маленького мальчика примерно твоего размера. И, знаешь, у меня случайно есть такой... Это довольно старый змей коробчатой конструкции, но летает он вполне прилично. Когда-то давно я сделал его своими руками, и если хочешь, мы как-нибудь вытащим его на пляж и полетаем вместе. Договорились?

— Мне бы очень хотелось попробовать, — с

замиранием сердца признался Джеми. — Если только мама разрешит.

— Думаю, мама будет не против, — уверил его Дик. — Особенно после того, как мы дадим и ей разок прокатиться.

Заслышав в гостиной звонкий смех Джеми, Рэчел и Энни тоже спустились в гостиную, чтобы поздороваться с Диком, но Меган так больше и не появилась. Запершись в своей комнате, она дулась на мать за ее «безответственное» поведение. Что касалось Питера, то за ним заехали друзья, и он ушел с ними, попросив передать Дику привет. Дик в свою очередь попросил Джеми передать брату самые наилучшие пожелания, и тот обещал, что сделает все как надо, когда Питер вернется.

— У тебя отличные дети! — с восхищением сказал Дик, когда они наконец сели в его комфортабельный «Мерседес». — Не представляю, как ты этого добилась!

— Очень просто, — ответила Лиз. — Достаточно только любить их побольше, и результат обязательно будет.

— Тебя послушать, так нет ничего проще! Но себя в этой роли я почему-то не представляю, — сказал Дик таким тоном, словно они обсуждали детали операции на сердце.

Когда бы он ни заговаривал о семейной жизни, она непременно выглядела чем-то мучительным, невероятно трудным и изначально обреченным на провал. «Быть может, — подумала Лиз, — это потому, что у Дика никогда не было своих детей и родительские обязанности оставались для него тайной за семью печатями. Дику просто не приходило в голову, что заботиться о ком-то может быть не только трудно, но и радостно».

— В какой роли? — уточнила Лиз.

— В роли мужа и отца. Если судить по твоим словам, это совсем просто и не требует никаких усилий, но я слишком хорошо знаю, что это не так. Нужно быть *хорошим* мужем и *хорошим* отцом. А это даже не профессия, это — искусство. Тут нужен свой особый талант. Уж во всяком случае эта работенка намного сложнее медицины — в этом я уверен на все сто!

— Ну, не так все страшно, — улыбнулась Лиз. — Умение приходит, нужно только хотеть учиться. Дети сами научат тебя всему необходимому.

Но Дик только покачал головой.

— Ты прекрасно знаешь, что это не так. Большинство детей со временем выходят из-под контроля и в конце концов начинают накачиваться наркотиками или что-то в этом роде. Тебе очень повезло, что твои дети не такие. У тебя просто замечательные дочери и сыновья!

Лиз была очень рада, что он сказал «сыновья», включив таким образом Джеми в число нормальных детей. Впрочем, для нее он и был нормальным, разве что требовал внимания и заботы немного больше, чем остальные. Лиз приходилось только следить, чтобы он не поранился, не заблудился или не упал. В остальном же Джеми почти не уступал старшим и даже превосходил их в умении чувствовать малейшие нюансы обстановки.

— Странные у тебя представления о детях, — заметила Лиз. — Большинство из них отнюдь не бандиты и не хулиганы.

— Может быть, и не большинство, но очень и очень многие, — не согласился Дик. — А их матери — еще хуже, — добавил он неожиданно, и Лиз рассмеялась.

— Может, мне лучше вернуться домой, пока ты не узнал обо мне всю подноготную? Или ты все-таки рискнешь пойти со мной в кино? — спросила она.

— Ты прекрасно поняла, что я имел в виду, — продолжал настаивать Дик. — Вот скажи: у многих твоих подруг нормальные, крепкие семьи? Знаешь ли ты вообще случаи, когда брак между мужчиной и женщиной был бы по-настоящему удачным? Я не говорю — счастливым, просто удачным?

— О, кажется, я слышу речь не мальчика и не мужа, а закоренелого холостяка, — улыбнулась Лиз. — Что касается твоего вопроса, то мой брак с Джеком был и удачным, и счастливым. Мы прожили вместе много-много лет и были очень счастливы.

— Все равно большинство людей несчастны в браке. Семейная жизнь не дает ничего, кроме разочарований, — упрямо сказал Дик, стараясь убедить ее.

— Нет, ты не прав, — не согласилась Лиз. — Я бы, во всяком случае, сформулировала иначе: большинство людей действительно не так счастливы, как были мы с Джеком, но некоторые все-таки счастливы! А есть, наверное, и еще счастливее!..

— Одна пара на миллион. Или даже меньше... — вздохнул Дик, сворачивая на стоянку возле ресторана.

— Откуда у тебя такие взгляды на брак? — осторожно поинтересовалась Лиз, когда они сели за столик. — Неужели твоя семейная жизнь была столь ужасной?

— Кошмарной, Лиз, — честно ответил он. — Когда все наконец закончилось, мы ненавидели друг друга лютой ненавистью. После развода мы никогда больше не встречались. Если бы я позвонил ей, она бы, наверное, бросила трубку, да и я поступил бы так же. Вот до чего довела нас семейная жизнь! И я не думаю, что наша история — исключение из правил. Скорее наоборот — *мы* были правилом; исключением были все, чьи отношения были лучше, чем у нас.

Он, похоже, искренне верил в свои слова, и Лиз пришлось напомнить себе: это вовсе не означает, что Дик прав.

— Все-таки мне кажется, что твоя история не типична, — сказала она спокойно. — Если бы все семьи были такими, как твоя, история человеческого рода давно бы прекратилась.

— Если бы все семьи были, как *твоя*, ты осталась бы без работы, — парировал Дик, и Лиз рассмеялась, хотя веселого в его словах было мало.

Потом они ели пиццу с грибами и оливками, пили кофе и разговаривали о множестве вещей — о юриспруденции, медицине, о том, как Дик жил в Нью-Йорке, когда был ординатором, и насколько ему там понравилось. Потом Лиз рассказала, как они с Джеком мечтали побывать в Европе; ей было интересно посмотреть Венецию, а Джек предпочитал юг Франции. Они составили специальный маршрут, который соединял две эти точки, пролегая через Швейцарские и Французские Альпы. Они коснулись еще множества тем и предметов, но Лиз все никак не могла забыть того, что говорил Дик о своем отношении к браку и семейной жизни. Очевидно, его предубеждение против этих институтов было достаточно сильным. Лиз не без горечи подумала о том, какого богатства он сам себя лишил. Она-то не променяла бы прожитых с Джеком девятнадцати лет на все сокровища мира. Без любимого мужа, без детей ее жизнь была бы пуста и бессмысленна — как, очевидно, была пуста жизнь Дика. У него была только его работа. Конечно, он спасал людей, а не подтягивал брыли стареющим женам состоятельных бизнесменов, но все же Лиз казалось — это не может составлять единственное содержание человеческой жизни.

Но к этой теме они больше не возвращались. Вместо этого они заговорили о фильмах, и Лиз обнаружила, что и в этой области у Дика довольно оригинальные вкусы. Во всяком случае, выразиться она предпочла именно так. Ибо его пристрастия вообще нельзя было назвать вкусом. Он любил зарубежные, в особенности — французские фильмы, а также авангардное авторское кино, но большие коммерческие проекты вроде «Титаника» тоже не оставляли его равнодушным. Он смотрел детективы, боевики, триллеры, фантастику, исторические фильмы и фильмы о любви, а любимой его лентой были «Унесенные ветром» с Вивьен Ли и Кларком Гейблом в главных ролях. Лиз в свою очередь призналась, что ей нравились многие фильмы, которые она смотрела вместе с детьми, и даже старые диснеевские мультики, которые особенно любил Джеми.

Разговор о кино неожиданно напомнил Лиз о том, как редко она выезжала куда-то с детьми с тех пор, как погиб Джек. Лиз проводила с ними достаточно много времени дома, однако они уже давно не были в парке, где можно было поиграть в кегли или покататься на карусели. Она тут же пообещала себе, что в ближайшее время непременно вытащит их куда-нибудь, где можно развлечься.

Фильм, который они смотрели в тот день, еще больше укрепил Лиз в этом решении. Они действительно давно никуда не ездили всей семьей. Для начала стоит побывать в кино и посмотреть новый нашумевший боевик.

Когда поздно вечером Дик привез Лиз домой, она предложила ему зайти на чашечку кофе, но он отказался, сославшись на то, что завтра ему нужно рано вставать. Оказалось, ему необходимо было быть в больнице в шесть утра, и Лиз была глубоко тронута тем, что он потратил на нее столько времени. Дику оставалось спать часа четыре, и она поспешила извиниться перед ним за то, что задержала его допоздна. Она боялась, что утром Дик будет чувствовать себя разбитым, но он только улыбнулся и сказал:

— Я привык спать мало, к тому же дело того стоило. *Ты* того стоила, — добавил он смущенно, и Лиз почувствовала, что польщена его словами, хотя они и удивили ее. Она прекрасно провела время и поблагодарила Дика за то, что он вытащил ее на прогулку. В свою очередь он пообещал позвонить ей, когда у него снова выдастся свободный вечер. Пожав Лиз на прощанье руку, он укатил.

Проводив его взглядом, Лиз вошла в дом. Питер и Меган еще не спали; они сидели в гостиной и смотрели видео. Когда мать появилась на пороге, они как по команде повернулись в ее сторону. Лиз поняла, что ей предстоит допрос с пристрастием.

— Вы целовались? — требовательно спросила Меган, и в ее голосе прозвучали гнев и отвращение.

— Конечно, нет, — ответила Лиз. — Ведь мы едва знакомы.

— Вчера ты утверждала, что он твой близкий друг, — парировала Меган.

— Брось, Мег. Воспитанные девушки *никогда* не целуются на первом свидании, — вмешался Питер, и Лиз рассмеялась.

— Мне очень жаль разочаровывать вас, но мы действительно просто друзья. Дик вообще не стремится к каким-то особым отношениям. Во всяком случае, не больше, чем я. Его интересует только его работа, а у меня есть вы. Так что тебе не о чем беспокоиться, Меган, — закончила она твердо.

— Хочешь, поспорим на десять долларов, что Дик поцелует тебя в следующий раз? — предложил Питер, ухмыляясь.

— Ну, это пари ты точно проиграешь, — спокойно сказала Лиз. — Кстати, с чего ты решил, что он вообще будет — этот следующий раз? Может, Дику не понравилось мое общество и он больше не станет звонить!

— Ну, в этом я сомневаюсь, — мрачно заметила Меган. Похоже, с некоторых пор Дик Вебстер олицетворял для нее все, чего она боялась в жизни.

— Благодарю за доверие, Меган, — холодно сказала Лиз. — Но на твоем месте я бы не стала зря тратить время и беспокоиться о том, что тебя не касается. Не знаю, как у тебя, а у меня на следующей неделе очень сложные слушания, к которым надо готовиться.

— Вот и хорошо. По крайней мере будешь сидеть дома, с нами, а не бегать по киношкам, — фыркнула Меган. — Тебе не нужны мужчины, мама!

— Покуда у меня есть ты? Ты ведь это хочешь сказать? — засмеялась Лиз, но ее смех прозвучал натянуто. Ей было крайне неприятно, что дочь пытается решать подобные вопросы за нее. В глубине души она не могла не признать, что с Диком ей было хорошо. Лиз было интересно говорить с ним — ведь не все же обсуждать, кто и с кем встречается в классе Мег. Дик был незаурядным человеком, и Лиз хотелось узнать о нем побольше. Если между ними и существовало что-то вроде влечения, то оно ни в коем случае не преобладало над интересом к личности собеседника, который, как надеялась Лиз, был обоюдным. Что касалось всего остального, то они ничего друг от друга не требовали, а просто проводили время вдвоем. Лиз нравилось общаться с Диком, нравилось ощущать себя женщиной, а не просто матерью или просто адвокатом. А Дик Вебстер очень хотел сделать ей приятное — это она поняла. Кроме того, ему, несомненно, было интересно слушать, что она говорит, и Лиз подумала, что как раз этого ей очень не хватало в последние месяцы.

Она отослала Питера и Меган спать и поднялась к себе. Джеми, натянув одеяло до подбородка, уже ждал ее в кровати. Он все еще довольно часто спал с ней, а Лиз было по-прежнему приятно ощущать рядом его живое тепло. Засыпая рядом с ребенком, Лиз снова задумалась: неужели Мег права и ей не нужен мужчина? Сама она вовсе не была в этом убеждена — во всяком случае, не так твердо, как неделю назад. С того дня, когда она в последний раз занималась любовью с Джеком, прошло всего девять месяцев, но сейчас ей казалось, что с тех пор минула вечность. Какое-то время Лиз совершенно искренне полагала, что та часть ее жизни, в которой существовала такая вещь, как физическая близость с мужчиной, теперь навсегда осталась в прошлом. Во всяком случае, до сих пор у нее не было никакого желания что-либо менять.

С этими мыслями она наконец заснула, не подозревая, что Дик Вебстер тоже думает о ней и о том, какой приятный вечер они провели вдвоем. Он пока не знал, что из этого выйдет. Одно было ему ясно: Лиз Сазерленд нравилась ему — нравилась, как ни одна женщина до нее.

# Глава 9

Дик снова позвонил Лиз в конце недели и пригласил ее в театр. Перед посещением театра они поужинали, а вечером Дик зашел к ней, чтобы выпить бокал вина. Они сидели на кухне и разговаривали о только что виденной постановке, о книгах. Лиз рассказывала Дику о трудном деле, которое она как раз вела. Обычная процедура развода осложнялась требованием одной из сторон назначить опеку над ребенком, который, как подозревала Лиз, на протяжении долгого время был объектом домашнего насилия. Как и предписывал ей долг, она сообщила о своих подозрениях в органы попечительства, и вскоре выяснилось, что она была права. В результате Лиз расхотелось защищать клиента, который как раз и был виноват в жестоком обращении с ребенком. Она скорее бы выступила защитницей интересов ребенка, но отказаться от дела не могла. Единственное, на что она надеялась, это то, что судья усмотрит в возникшей ситуации конфликт интересов и даст ей официальный отвод.

— Зачем такие сложности? — спросил Дик. Ситуация казалась ему предельно простой. Он искренне не понимал, почему Лиз не может отказаться.

— Существует юридическая процедура, которой мы обязаны следовать, — вздохнула она. — Прошение об установлении опеки над ребенком направила противная сторона, а мне, как адвокату, положено оспаривать его правомочность. Но я не сделала этого. Более того, я сама сообщила в органы опеки, что, по моему мнению, иск является обоснованным. Это противоречит адвокатской этике. Поэтому я и надеюсь, что суд назначит моему клиенту другого адвоката, а мне поручит защиту интересов ребенка. Но он может не пойти на это, коль раньше я представляла интересы отца девочки... — Она вздохнула. — Словом, все очень непросто. Я не представляю себе, чем все это может закончиться. Однажды у меня уже было подобное дело, но там в жестоком обращении с ребенком были виноваты оба родителя. В конце концов мальчик попал в больницу, но родители заявили, что малыша избил сосед, с которым у них уже давно были плохие отношения. Эта пара дала очень убедительные показания. Я оказалась практически бессильна, хотя истинная подоплека дела была ясна мне с самого начала. В действительности ребенка избивал отец. Не прошло и года, как мальчик снова оказался в больнице с тяжелейшей травмой головы. Мать тоже была далеко не ангелом, так что, в конце концов, правда все же выплыла наружу. Суд вынес постановление о лишении их обоих родительских прав, но на заседании мальчик стал просить оставить его с родителями. В такой ситуации самый справедливый судья не может сделать ровным счетом ничего. Единственное, что было в его власти, это отправить ребенка в сиротский приют сроком на пять месяцев. Он так и поступил. Теоретически этот срок предназначен для того, чтобы родители образумились, но практически никто не может предсказать, как они поведут себя после того, как испытательный срок закончится. Иногда — очень редко — удается доказать, что родители не собираются менять свое поведение, но это возможно только в многодетных семьях. Если представить суду доказательства того, что родители жестоко обращаются с другими детьми, их все-таки лишают родительских прав. Но в деле, о котором я рассказываю, мальчик был единственным ребенком в семье. Когда его отправили в приют, родителям просто не на ком было вымещать свою злобу, кроме как друг на друге. Со стороны, однако, могло показаться, что они взялись за ум, поэтому через пять месяцев другой судья со спокойной совестью вернул им сына. — Лиз еще раз тяжело вздохнула, и Дик внимательно посмотрел на нее.

— А что было потом? — мягко спросил он.

— Не знаю, — ответила она. — Я боялась, что отец в конце концов убьет мальчика, поэтому поначалу старалась следить за этой семьей. Потом они переехали в соседний округ, и я потеряла их след. Конечно, теоретически я могла бы их разыскать. К сожалению, моя работа не позволяет заниматься подобными вещами; в этом отношении она сродни оперативной травматологии, которой занимаешься ты. Клиенты приходят ко мне, когда им плохо, и исчезают, когда мне удается им помочь. А я не могу следить за ними дальше, потому что ко мне приходят другие клиенты. У каждого своя беда, каждый хочет, чтобы я ему помогла.

— У меня происходит примерно то же самое, — улыбнулся Дик. — Только мои клиенты возвращаются ко мне не по доброй воле. К тому же я заметил: те, кто когда-то получил серьезную травму и выжил, ведут себя предельно осторожно. Должно быть, у них, как у собак Павлова, вырабатывается рефлекс на боль. Давно известно: кто однажды побывал в серьезной автомобильной аварии, ездит особенно внимательно и никогда не превышает скорость. Я даже знаю несколько случаев, когда люди начинали бояться садиться за руль.

— Но разве тебе никогда не хотелось снова встретиться с человеком, которого ты вылечил? — удивилась Лиз.

— Не особенно, — честно ответил Дик. — И, наверное, это одна из немногих приятных сторон моей профессии. Во всяком случае, мне не приходится задумываться над проблемами, которые не имеют и не могут иметь ко мне никакого отношения. Согласись, что это намного проще.

Дик явно не принадлежал к людям, которые находят длительные отношения любого рода привлекательными. Но Лиз он по-прежнему нравился. И каждый раз, когда Дик говорил что-то подобное, она невольно жалела его — уж очень сильно отличались его взгляды, привычки, его система ценностей и приоритетов от ее жизненной философии. Лиз всегда предпочитала прочность, надежность, искренность, а такие отношения не могли не быть продолжительными. У нее были клиенты, которые поддерживали с ней связь годами, хотя со дня их развода помощь адвоката им не понадобилась ни разу. Впрочем, Лиз подозревала, что разница между ней и Диком заключается в характере или, если угодно, в стиле жизни, который у Дика был, конечно, совсем другим. И эта мелочь не могла помешать им стать друзьями. Ведь Дик тоже, несомненно, испытывал к ней симпатию!

Был уже почти час ночи, когда Дик наконец уехал. Несмотря на позднее время, Лиз было жаль отпускать его, но им обоим нужно было рано вставать — у Лиз были запланированы очередные слушания в суде, а Дик заступал на дежурство в клинике.

На следующий день утром, когда вся семья сидела за столом и завтракала, Питер, хитро прищурившись, спросил у матери, приготовила ли она проигранные ею десять долларов.

— То есть не десять, а двадцать, — уточнил он. — Ведь ты проспорила дважды, не так ли?

— Нет, дорогой, на этот раз ты проиграл, так что мы квиты, — ответила с улыбкой Лиз.

— Ты хочешь сказать, что Дик тебя не поцеловал? Даже не попытался? — Питер выглядел по-настоящему разочарованным, а Меган залилась краской гнева.

— Какой же ты все-таки гадкий, Питер! — воскликнула она. — Хотела бы я знать, на чьей ты стороне?!

— На маминой, конечно, — ответил Питер и снова повернулся к Лиз.

— А как ты поступишь, когда он тебя поцелует, — признаешься или промолчишь, чтобы получить десять баксов? — Ему так нравилось дразнить мать, что Лиз от души расхохоталась.

— По-моему, это просто оскорбительно, — заявила она. — Неужели ты действительно думаешь, что ради лишней десятки я способна лгать родному сыну? — С этими словами она со стуком поставила перед ним тарелку с оладьями и полила их медом.

— Я не знаю, ради чего ты это делаешь, но, по-моему, ты все-таки что-то скрываешь. — Питер хитро улыбнулся.

— Ничего я не скрываю! Я уже говорила тебе, что мы с твоим доктором просто друзья. Могу повторить это снова. С тех пор ничего не изменилось, если тебя *это* интересует.

— И правильно! Пусть так и будет! — неожиданно вмешалась Рэчел.

Лиз с интересом посмотрела на дочь. «Хотелось бы мне знать, — подумала она, — с каких пор у Рэчел появилось собственное мнение в этих вопросах».

— А почему, позволь тебя спросить? — осведомилась она.

— Потому... — Рэчел слегка покраснела. — Пит говорит, ты нравишься этому доктору, а Меган твердит — ты хочешь выйти за него замуж. Дик... Мистер Вебстер действительно интересный мужчина, но это вовсе не значит, что вы обязательно должны пожениться.

Похоже, поняла Лиз, Рэчел тоже выросла, а она и не заметила — как. Из троих девочек она была самой младшей; когда умер Джек, ей было одиннадцать. Скоро Рэчел должно было исполниться двенадцать, однако за прошедшие девять с небольшим месяцев она заметно повзрослела. Как, впрочем, и все, не исключая и самой Лиз.

— Позвольте мне сделать официальное заявление, — сказала Лиз, широко улыбаясь. — Специально для тех, кто любит совать нос в чужие дела. Да-да, Питер, это и тебя касается. Так вот: если мужчина и женщина вместе сходили в кино или в театр, это еще не значит, что они помолвлены!

— Да, — кивнула Энни, строго глянув на мать, — тебе еще нельзя ходить на свидания — слишком мало времени прошло!

— А когда, по-твоему, будет можно? — с интересом спросила Лиз.

— Никогда! — ответила Меган за младшую сестру.

— Вы все просто спятили! — сердито сказал Питер, вставая из-за стола. — Мама может делать что хочет. Никто из нас не вправе ей запретить. Я уверен, папа был бы только рад этому. Если бы этот псих застрелил не его, а маму, отец бы, наверное, уже давно женился во второй раз. Во всяком случае, женщина у него бы уже была.

Это заявление показалось Лиз любопытным. Питер был прав: то, что случилось с Джеком, вполне могло произойти с ней. Лиз попыталась представить, как бы повел себя Джек на ее месте. Или нет, не так: как бы она отнеслась к тому, что Джек, оставшись один, стал бы встречаться с другой женщиной. Раньше Лиз никогда не задумывалась о подобных вопросах, но сейчас ей казалось, что это было вполне вероятно — Джек всегда любил жизнь и был не чужд плотских наслаждений. В конце концов Лиз решила, что она бы только приветствовала это. Ей никогда не хотелось, чтобы Джек оплакивал ее до конца дней своих. Лиз всегда желала ему только счастья, и ей было бы очень больно, если бы Джек похоронил себя заживо.

Да, подвела итог Лиз, если бы в прошлое Рождество умерла она, Джек к лету уже наверняка бы начал встречаться с другими женщинами. И в этом не было ничего дурного или постыдного — в конце концов, жизнь есть жизнь. Так почему же она должна вести монашеский образ жизни?

И хотя Лиз вовсе не встречалась с мужчинами и не собиралась этого делать, она с облегчением вздохнула, думая о том, что Дик снова обещал позвонить ей сегодня. Во всяком случае, теперь совесть ее была спокойна, а на душе даже как будто стало немного светлее.

Дик Вебстер позвонил ей в офис после обеда и пригласил в кино в будущую пятницу. Лиз не возражала — она находила общество Дика приятным. К тому же начинала сказываться накопившаяся за несколько месяцев психическая и физическая усталость, а дома Лиз почти не удавалось отдохнуть. Но когда в пятницу вечером Дик заехал за ней, Джеми, открывший ему дверь, недолго думая ознакомил его с положением дел.

— Мои сестры считают, что ты не должен встречаться с мамой и водить ее в кино, — заявил он. — Но Питер говорит — в этом нет ничего плохого. Я с ним согласен. В общем, получается так, что мальчикам ты нравишься, а девочкам — не очень, — несколько смягчил свои слова Джеми, и Дик серьезно кивнул.

— Я подумаю, как это исправить, — пообещал он.

Когда они уже ехали в небольшой французский ресторан в Саусалито, Дик рассказал Лиз об этом разговоре и спросил:

— Твоим девочкам действительно так не нравится, что мы встречаемся?

— А разве мы «встречаемся»? — беззаботно откликнулась Лиз. — Я думала, мы просто друзья!

— Ты действительно хочешь именно этого? — как можно мягче поинтересовался Дик.

Они уже подъехали к ресторану, и Дик, остановив «Мерседес» на стоянке, повернулся к ней. Лицо его показалось Лиз взволнованным, словно он с нетерпением ждал, что она ответит.

— Я и сама не знаю, чего хочу, — ответила она честно. — Но мне нравится быть с тобой, проводить с тобой время. Так сложилось, и я пока не собираюсь ничего менять.

Дик и сам думал примерно так же. Однако в последнее время чувства, которые он испытывал к Лиз, стали много сложнее. Сначала он тоже хотел быть ей просто другом, Но сейчас Дик жаждал чего-то большего — чего-то, что он пока не решался сформулировать.

Больше они об этом не говорили. Выбравшись из машины, они вошли в ресторан и до конца вечера старательно избегали серьезных тем.

Потом Дик отвез ее домой. Он поднялся вместе с Лиз на крыльцо, но вместо того чтобы позвонить в дверь, неожиданно привлек к себе и поцеловал. Лицо его осветилось такой нежностью, что Лиз даже не подумала о сопротивлении. Боже, ведь дверь каждую минуту может распахнуться! Что ж, тогда Питер выиграет свои десять долларов, только и всего. В первую секунду она, правда, слегка опешила, но потом справилась с растерянностью и ответила на его поцелуй.

Когда они наконец выпустили друг друга из объятий, лицо у Лиз стало грустным. Дик встревоженно спросил:

— Что с тобой, Лиз? Я не хотел тебя обидеть, но если ты...

— Все в порядке. То есть мне так кажется, — ответила она неуверенно. Целуя его, она на мгновение вспомнила о Джеке и почувствовала себя неверной женой, хотя и понимала, что это ужасно глупо. Она не искала общества мужчин, не домогалась их внимания. То, что произошло, произошло помимо ее воли и желания. Теперь она, конечно, должна была раз и навсегда разобраться со своими чувствами к Дику и к покойному мужу, чтобы не мучиться сознанием собственной вины.

— Просто я ничего подобного не ожидала, — объяснила она, отдышавшись.

— Ты не поверишь, но я тоже ничего подобного от себя не ожидал, — смущенно признался Дик Вебстер. — Это просто случилось, и все. Ты — удивительная женщина, Лиз!

— О нет! — Она улыбнулась, думая о том, как, должно быть, смешно они выглядят со стороны. Впрочем, в этом стоянии на темном крыльце были свои преимущества. Во-первых, они не видели лиц друг друга, а во-вторых, здесь их не могли слышать дети. Лиз и без того было неловко, а если бы дети узнали о том, что только что случилось, она бы и вовсе сгорела со стыда. А Дик — словно для того, чтобы еще больше усилить то, что они сейчас испытывали, — поцеловал ее снова, и Лиз ответила ему с еще бо́льшим пылом.

— Боже, что мы делаем?! — задыхаясь, пробормотала она, когда Дик наконец выпустил ее.

— По-моему, мы целуемся, — ответил он просто. Но оба чувствовали, что за этим поцелуем в темноте стоит нечто большее, чем праздное любопытство или физическое влечение двух тел. Это было непреодолимо. Не только касание губ, но и единение душ. И в Лиз, и в Дике было множество черт и черточек, которые объединяли их, хотя в целом они были очень разными. Дик предпочитал отношения непродолжительные и легкие, а в ее жизни главными ценностями были устойчивость и постоянство, солидность. Дети, карьера, крепкий брак — вот чем она дорожила. Те же Джин и Кэрол работали у нее много лет, потому что Лиз избегала перемен. В ее жизни не было ничего временного — Дик отлично это знал и все же готов был рискнуть. Он, правда, пока не мог бы ответить, будет ли Лиз для него чем-то временным, проходящим. Обычно его влекли женщины совсем иного склада — те, с которыми легко было сойтись и так же легко расстаться. Они не оставляли в его душе никакого следа.

— Знаешь, — сказал он негромко, — давай не будем форсировать события. И еще — не стоит много об этом думать, ладно? Пусть все идет своим чередом, а мы посмотрим, что из этого выйдет.

Лиз кивнула в ответ. Она не знала, что тут можно сказать, что ответить, а главное — она не знала, должно ли произойти что-то еще.

Когда Дик уехал, а Лиз вошла в дом, ее охватило острое чувство вины. Ей казалось — она изменила Джеку, предала его. Напрасно она твердила себе, что его нет, что он ушел и больше никогда не вернется. Если все так, тогда почему, целуя Дика, она испытывала столь сильную неловкость? Почему ей казалось, что она совершает что-то запретное? И почему, наконец, этот поцелуй казался ей одновременно и горьким и сладостным?

Воспоминания о том, что произошло между ними, смущали и тревожили ее. Лиз долго не могла заснуть, ворочаясь с боку на бок и вздыхая. Она думала о Дике, о Джеке, о том, что она наделала, и о том, чем все это может закончиться. Что ожидает их всех в будущем?

Утром Лиз встала, чувствуя себя совершенно разбитой. Она сумела ненадолго забыться сном лишь перед самым рассветом. Теперь ей отчаянно хотелось спать. Но бессонная ночь не прошла даром; Лиз почти решила, что ей не нужны лишние сложности и что самым разумным в ее отношениях с Диком было бы вернуться к обычной дружбе. Она, правда, не знала, было ли ее решение правильным. Но это было лучше, чем никакого решения. Лиз почувствовала себя много спокойнее.

Ее спокойствие, однако, было вдребезги разбито, когда в десять утра ей снова позвонил Дик.

— Я много думал о тебе, — сказал он, — и мне показалось, что я должен тебе позвонить.

— Зачем? — спросила она. — То есть я хотела спросить — почему ты так решил?

— Мне нужно узнать, что *ты* думаешь о... о том, что между нами было.

— Я жалею об этом, — честно сказала Лиз.

— Жалеешь? — переспросил Дик, но в его голосе почти не было удивления — только какое-то необъяснимое спокойствие и... счастье. Лиз, во всяком случае, показалось, что так мог говорить только счастливый человек. — Я-то жалею только о том, что не поцеловал тебя в третий раз. Мне было очень приятно это делать.

— Именно этого я и боюсь, Дик, — объяснила она. — Мне тоже было приятно, но я еще не готова.

— Я тебя очень хорошо понимаю, — неожиданно согласился он. — Но ведь мы не станем торопиться. В конце концов, это не скачки. Никто не вынуждает нас как можно скорее прийти к чему-то. Я тоже за то, чтобы все развивалось естественным путем. Только я хотел, чтобы мы были... просто были, понимаешь? Были друг для друга...

— Я понимаю. — Лиз улыбнулась. Она была очень благодарна Дику за то, что он не торопит ее. Ей даже стало немного стыдно, что она так напугалась.

— Слушай, — продолжал тем временем Дик, — у меня появилась неплохая идея. Хочешь, я зайду к вам в субботу вечером и приготовлю роскошный ужин для тебя и детей? У меня как раз будет свободный вечер, а повар я отличный. Обычно хвалить самого себя не принято, но это я утверждаю с полной ответственностью. Да и тебе, наверное, будет спокойнее, если ты будешь знать, что мужчина, которого ты приглашаешь в гости, кое-что может. Ну так как?

Лиз знала, что должна сказать «нет», но ей было ясно, что она не может обидеть его отказом. Ну а если совсем честно, то она очень *хотела* его видеть.

— Приходи, — просто сказала она, решив, что не будет ничего страшного, если к ней придет друг в субботу вечером и приготовит ужин.

— Я еще хотел привезти с собой кое-какие продукты. Скажи, что любят твои дети? Может быть, им нужно что-нибудь особенное? Мы могли бы это организовать.

— Ничего особенного им не нужно, они едят все — рыбу, ветчину, цыплят, бифштексы, пиццу, спагетти — что угодно. В отношении еды они достаточно неприхотливы.

— Насколько я помню, они не любят только овсянку, не так ли? — сказал Дик, и Лиз рассмеялась.

— Совершенно верно, — ответила она.

— Ладно, у меня есть одна идея — думаю, им понравится.

— Приходи, — повторила Лиз. — Джеми будет ужасно рад тебя видеть. — «А девочки — нет», — подумала она, но вслух ничего не сказала. Ей казалось, что визит Дика даст всем прекрасную возможность наладить нормальные отношения. Главное, дети увидят, что Дик ничем им не угрожает. Но действительно ли это так? Не были ли Меган и ее сестры правы, когда разглядели опасность в том, что самой Лиз казалось естественным, не стоящим особого внимания?

От этих мыслей у нее стало муторно на душе. Лиз хотелось быть Дику другом, но вместе с тем она не могла не признать, что целовать его ей было приятно. «Так что же, — спрашивала она себя, — как будут дальше развиваться их отношения в этом направлении? Или, может, дело не пойдет дальше поцелуев на крыльце и без каких-либо усилий с ее стороны?» Главное, чего Лиз никак не могла взять в толк, это отчего она колеблется. Ведь раз она решила, что все должно оставаться как прежде, значит, надо придерживаться избранной линии поведения если не ради детей, то хотя бы ради себя самой.

В субботу Дик приехал ровно в шесть и привез с собой три огромных пакета с продуктами.

— Будем готовить жареного цыпленка по-алабамски — с кукурузой и сладким картофелем, — объявил он, вываливая содержимое пакетов на стол в кухне. Он купил также несколько пачек самого дорогого шоколадного мороженого. — В качестве взятки твоим детям, — объяснил он, подмигивая.

Лиз быстренько убрала его в холодильник.

Она хотела помочь ему готовить, но Дик ей не разрешил.

— Сядь и расслабься, — сказал он, усаживая Лиз в кресло и вручая ей бокал легкого белого вина. Сам он повязал поверх джинсов фартук Кэрол и принялся за работу.

Цыпленок у него получился превосходно. Даже девочки были приятно удивлены тем, как таяло во рту чуть-чуть пряное белое мясо. Только Меган воздержалась от похвалы, хотя Лиз заметила, что ее старшая дочь съела две порции и потянулась за третьей. В целом же непринужденную обстановку за столом обеспечивал Джеми, который весело болтал с Диком на протяжении всего ужина. Питер тоже шутил со своим бывшим доктором, а за мороженым к разговору присоединились и Рэчел с Энни. Речь шла о выборе колледжа для Питера, Дик дал несколько дельных советов. В колледже при университете Беркли учиться довольно интересно, считал он, но Стэнфорд и университет Лос-Анджелеса давали лучшую фундаментальную подготовку.

Они все еще спорили об этом, когда Лиз решила, что пора убирать посуду. Рэчел и Энни вызвались ей помочь, и только Меган ушла к себе, даже не поблагодарив Дика за ужин. Этот демарш серьезно разозлил Лиз, но Дик сделал вид, будто ничего особенного не произошло. Несколько позднее он сказал Лиз, чтобы она не давила на дочь.

— Она еще привыкнет ко мне, Лиз. Дай ей время, и все будет нормально.

Он часто повторял подобные вещи, и они уже начинали слегка нервировать Лиз. Почему это она должна давать Меган время? Уж не хочет ли Дик сказать, что девочке просто *необходимо* привыкнуть к нему, поскольку в обозримом будущем он не собирается никуда исчезать? Почему он вообще решает за нее и за остальных?

Но Дик не собирался ничего решать за нее. Вечером, когда дети ушли спать, он снова поцеловал ее, и Лиз ответила на поцелуй, хотя делать это в доме ей было еще более неловко. Теперь она чувствовала себя самой настоящей осквернительницей семейного очага. Кроме того, ее беспокоило и другое обстоятельство. Поцелуи Дика как-то уж очень быстро стали для нее желанными. Лиз начинало казаться, что их отношения понемногу приобретают черты настоящего романа. И это пугало ее, поскольку Лиз до сих пор не чувствовала себя абсолютно свободной в том, что она делала или собиралась сделать. Правда, Джек погиб уже много месяцев назад, и Лиз знала, что даже с формальной точки зрения она имеет право снять траур и заняться собой. Но это была только одна сторона медали. Главная же трудность заключалась в том, что дети — особенно девочки — пока не признавали за ней права на личную жизнь. Меган только и ждала повода, чтобы ринуться в бой; Рэчел и Энни пока колебались, но в целом готовы были поддержать старшую сестру, а сыновья — как и полагалось мужчинам — просто еще не прочувствовали ситуацию до конца. Джеми вообще был слишком мал, но и у него бывали прозрения, от которых Лиз становилось не по себе. Предсказать же, как поведет себя Питер, когда п о й м е т, что его мама собирается предать память отца и выйти замуж за другого человека, Лиз и вовсе не бралась.

«Стоп, — сказала она себе. — Кажется, здесь кто-то собрался за кого-то замуж? Нет уж, голубушка, прежде чем думать о новом замужестве, разберись-ка ты сначала с собой!»

В самом деле, прежде чем решаться на подобный шаг, она должна была раз и навсегда определить для себя, в какой мере чувство к Дику Вебстеру бросает вызов ее верности Джеку. Стоит ли он ее чувств, коль скоро — по его собственному признанию — ее новый знакомый был больше склонен к мимолетным связям, чем к серьезным, длительным отношениям.

Эти мысли не оставляли ее до середины октября. Лиз даже испытала облегчение, когда в один из уикендов они с Питером все-таки отправились в поездку по колледжам Западного побережья. Все это время Дик звонил ей чуть не каждый день и даже каким-то образом разыскал ее в отеле в Лос-Анджелесе, где они с Питером остановились на одну ночь. Услышав его голос, Лиз ужасно удивилась, однако звонок Дика был ей приятен. Кладя трубку на рычаги, она улыбалась задумчиво и чуть-чуть мечтательно.

Питер видел ее улыбку, но ничего не сказал. В последнее время он вообще старался не делать и не говорить ничего, что могло бы омрачить хрупкие и не до конца определенные отношения его матери и Дика Вебстера. Дик ему искренне нравился. Желая, чтобы их роман продолжался, Питер заботился главным образом о матери, которая, как он понял из того немногого, что она говорила, никак не могла решиться ни на что конкретное.

По возвращении из этой поездки Лиз увиделась с Диком только через несколько дней, да и то ненадолго: он был на дежурстве, и они встретились в кафетерии больницы, чтобы съесть по гамбургеру и выпить по чашечке кофе. Многие сиделки помнили Лиз; некоторые дружески кивали ей и просили передать привет Питеру. Она чувствовала себя неловко оттого, что, кроме встречи с Диком, у нее не было в больнице никаких дел.

— Видишь, как тебя все любят, — посмеивался Дик, торопливо допивая кофе. Он-то знал, какое сильное впечатление произвела на персонал травматологического отделения ее преданность сыну. Далеко не все родители были так внимательны и заботливы, как Лиз. Сама она этого, казалось, не замечала. Для нее это было совершенно естественным. Таким же естественным она считала и свой интерес к работе Дика, к его повседневным делам и трудностям, о которых Лиз расспрашивала совсем не из вежливости. Ее действительно заботило, как ему живется, как работается. У Дика каждый раз теплело на сердце, когда Лиз проявляла свое отношение к нему подобным образом. Он был ей небезразличен — Дик ясно это видел, но Лиз по-прежнему не решалась назвать вещи своими именами. Подобное признание все еще было сопряжено для нее со слишком большими проблемами морального свойства, и каждый раз она малодушно откладывала решение на потом.

И все же Лиз менялась — менялась несмотря ни на что. И вовсе не случайно, что, когда через неделю после возвращения из Лос-Анджелеса она заглянула в кладовую, где висели костюмы Джека, они вдруг показались ей безжизненными и унылыми. Теперь даже смотреть на них ей было трудно, а мысль о том, чтобы прижаться к ним лицом, как она делала когда-то, и вовсе не пришла ей в голову. Глядя на эти старые костюмы (просто костюмы, ибо если раньше она воображала себе Джека, его лицо, фигуру, то теперь она видела только потускневшие пуговицы, добротную черную или синюю ткань верха и шелк подкладок), Лиз поняла, что она должна сделать ради себя, ради своего будущего. Разумеется, уверила себя Лиз, это не имеет никакого отношения к Дику Вебстеру; просто со дня гибели Джека прошло уже десять месяцев. Теперь она наконец созрела для того, чтобы расстаться с прошлым, которое не отпускало ее столько времени.

Лиз принялась один за другим снимать костюмы с распорок и аккуратно укладывать их на расстеленную по полу оберточную бумагу, которая нашлась на одной из полок. Она уже решила, что передаст их благотворительному магазину «Армии спасения». Сначала, правда, Лиз подумала, а не отдать ли их Питеру, но он был слишком высок ростом и слишком молод для столь солидных, типично «адвокатских» костюмов. Нет, избавиться от них ей было бы легче, чем видеть их на ком-то другом — пусть даже на собственном сыне.

Ей потребовалось два часа, чтобы освободить ящики комода и снять все, что висело в кладовой. Лиз уже заканчивала, когда к ней в спальню зачем-то зашла Меган.

В первую секунду с губ Меган сорвался гневный возглас, но тут же она расплакалась, громко всхлипывая. На мгновение Лиз показалось, что своим поступком она убила Джека во второй раз. Меган горько рыдала, глядя на аккуратные стопки одежды и белья на полу, а Лиз растерянно смотрела на нее и не знала, что ей делать, что сказать. Она сама едва не заплакала, но, взяв себя в руки, подумала, что Джека не вернешь, сколько ни храни это старое барахло. Уж лучше отдать его вещи кому-то, кто в них нуждается. Но стоило ей увидеть заплаканное лицо дочери, и Лиз снова заколебалась. Неужели она приняла неправильное решение?

Но Меган плакала вовсе не об отце.

— Зачем ты это делаешь? — требовательно спросила она в перерыве между рыданиями. — Это из-за *него*, да?..

Она имела в виду Дика, и Лиз отрицательно покачала головой.

— Нет, Мег, Дик тут ни при чем. Просто я должна это сделать. Уже пора. Мне слишком больно видеть эти вещи здесь. — Она попыталась обнять дочь, но Меган вырвалась и убежала к себе. Лиз слышала, как хлопнула дверь ее комнаты, и, тяжело вздохнув, последовала за дочерью. Ей хотелось как-то утешить ее, но Меган заперлась и не открывала. Лиз вернулась к себе в спальню, чтобы разложить одежду Джека по коробкам. Дверь она оставила открытой, и проходивший по коридору Питер сразу увидел, что она делает. Остановившись на пороге, он печально улыбнулся и предложил Лиз помочь.

— Хочешь, я это сделаю? — спросил он.

— Я должна сама, — ответила Лиз грустно. Если не считать многочисленных фотографий и кое-каких принадлежавших Джеку мелочей, эта одежда была едва ли не последним напоминанием о том, что он когда-то жил в этом доме. Лиз было нелегко расставаться со всем этим, что бы она ни говорила. Но когда она подумала, что у нее остаются их с Джеком дети, ей сразу стало намного легче.

Питер помог ей упаковать в ящики последние костюмы, после чего они вместе стали сносить их в гараж и грузить в фургон. Когда они возвращались, остальные дети, словно почувствовав наступление некоего критического, переломного момента, один за другим выбрались из своих комнат и собрались в гостиной. Они ни во что не играли, не смотрели телевизор — они просто стояли и смотрели на Лиз. В глазах их ясно читалось острое чувство потери.

Последней в гостиную спустилась Мег. Ее лицо все еще хранило следы недавних слез, но зеленые глаза слегка поблескивали, словно она что-то для себя решила. Посмотрев на сестер и младшего брата, Меган чуть заметно кивнула и, не говоря ни слова, каждый из них схватил что-то — коробку, мешок, убранное в чехол пальто — и тоже понес в гараж.

Для всех это было последним прощанием с отцом. У Лиз на глаза навернулись слезы, когда она подумала, чего стоило детям отбросить свои личные, эгоистические мотивы и поддержать ее подобным образом. Пока последняя коробка с ботинками не оказалась в гараже, никто из детей не произнес ни слова. Лиз была вдвойне благодарна им за это. Лишь в самом конце Меган подошла к ней и шепнула тихо:

— Прости меня, мама.

Лиз повернулась к дочери и крепко обняла.

— Я люблю тебя, Мег, — сказала она, не сдерживая слез. Рэчел, Энни и Джеми тоже плакали; даже Питер как-то странно зашмыгал носом, и Лиз поняла, что ее семья снова едина.

Одежду нужно было везти в местный благотворительный магазин, и Питер вызвался сделать это за нее.

— Не беспокойся, милый, я справлюсь, — успокоила его Лиз. Питер все еще носил шейный корсет, правда — меньшего размера, и водить машину ему все еще было достаточно трудно, хотя он уже несколько раз выезжал в школу и за продуктами. Лиз просто хотела уберечь Питера от лишнего напряжения. Но сама она чувствовала себя слишком расстроенной, чтобы садиться за руль. В конце концов Питер все же настоял, что они отвезут вещи вместе.

Они вернулись меньше чем через сорок пять минут. Лиз эта поездка далась нелегко; она выглядела измученной и опустошенной, но держалась. Уже после обеда, когда она случайно заглянула в кладовую и увидела пустые вешалки, сердце ее отозвалось сильной, но короткой вспышкой боли, которая тут же прошла, зато после нее Лиз почувствовала себя сильнее. Ей понадобилось много времени, чтобы решиться избавиться от вещей Джека, но срок не имел особого значения. Главное, она сделала это именно тогда, когда была внутренне к этому готова, и теперь у нее не осталось никаких сомнений в правильности своего поступка. Лиз была даже рада, что не поспешила и не последовала советам друзей. Она сама приняла решение, сама его осуществила, и это дало ей такую внутреннюю свободу, о какой еще недавно она не осмеливалась и мечтать.

Лиз еще долго сидела в своей комнате, глядя

в окно и вспоминая Джека. Она больше не плакала, но когда ближе к вечеру ей позвонил Дик, он сразу понял по ее голосу, что что-то случилось.

— С тобой все в порядке? — спросил он с беспокойством.

— Более или менее, — честно ответила Лиз и рассказала ему, что она сделала и как трудно ей было. Ее рассказ заставил Дика страдать — за последние два месяца он стал глубоко переживать все, что происходило в ее жизни.

— Мне очень жаль, Лиз, — сказал он негромко, когда она закончила. Дик понимал, что этот ее поступок является глубоко символичным и важным; он означал как минимум то, что прошлое начинает понемногу отпускать Лиз. Или она сама начинает освобождаться от него, навсегда прощаясь со своим давно погибшим мужем, окончательно осознавая его уход.

Разумеется, Дик знал, что Лиз вряд ли когда-нибудь сумеет забыть Джека, но это было и не нужно. «Главное, — думал он, — она перестанет ежеминутно ждать его возвращения, перестанет вздрагивать, когда ей послышится его смех или голос, перестанет думать о нем как о живом».

— Могу я чем-нибудь помочь? — спросил он, не особенно рассчитывая на положительный ответ. Как Дик и ожидал, Лиз сказала «нет». Это было ее личное дело, ее персональная мука, с которой она должна была справиться сама.

— Вообще-то я хотел тебя куда-нибудь пригласить, — добавил Дик. — Но, наверное, сейчас это не самая лучшая идея.

— Да, не самая... Извини, Дик, — ответила Лиз, и он пообещал, что перезвонит завтра утром. Но он, конечно, не вытерпел и позвонил поздно вечером, чтобы узнать, как она себя чувствует. Голос Лиз звучал еще достаточно печально, но сама она была спокойнее — особенно после того, как провела весь вечер с детьми. В отличие от нее они уже давно смирились с реальностью, приняли ее. Утренняя вспышка Меган была лишь отголоском тех давних переживаний. Рядом с детьми Лиз почувствовала, как перестают ныть и ее раны.

Утром Дик позвонил снова, и Лиз разговаривала с ним совершенно нормальным голосом. Она снова стала похожа на себя и даже согласилась встретиться с ним вечером. Правда, когда Дик привез ее в парк, Лиз часто вздыхала и отвечала на его вопросы не сразу, однако в конце концов он сумел ее разговорить, и под конец Лиз даже смеялась, совсем как прежде.

Они долго гуляли, взявшись за руки, по пустынным аллеям городского парка, и когда Дик поцеловал ее, оба знали, что это уже совсем другой поцелуй. Лиз перешагнула важный рубеж, и теперь была готова не только расстаться с прошлым, но и встретить будущее.

— Я люблю тебя, Лиз, — шепнул он, крепче прижимая ее к себе, и Лиз почувствовала ставший уже знакомым запах его одеколона. Но Дик так сильно отличался от Джека, отличался во многих, если не во всех, отношениях, что она не смогла ничего ему ответить, хотя он был ей небезразличен. *Пока* не смогла...

— Я знаю, — только и сумела она произнести, но Дик и не ждал большего. Сейчас для них обоих было достаточно, что он сумел сказать ей главное.

А остальное было вопросом времени...

# Глава 10

К кануну Дня Всех Святых[1] обоим стало ясно, что все происходящее с ними — более чем серьезно. Ни Лиз, ни Дику так и не удалось свыкнуться с этой мыслью. Единственное, что было совершенно очевидно, это то, что Дик влюбился в Лиз по уши; она отвечала ему взаимностью, хотя до сих пор не могла заставить себя признаться в этом.

Лиз вообще было труднее, чем Дику. Она не знала ни что ей делать с этим свалившимся на нее чувством, ни как сказать о нем детям. Несколько раз Лиз даже советовалась с Викторией, но подруга мало чем могла ей помочь. Единственное, что она посоветовала, это не форсировать события, а позволить им спокойно развиваться. Время покажет. Лиз этот совет показался достаточно разумным; она и сама считала, что только время способно расставить все на свои места.

Накануне Дня Всех Святых Дик приехал к ней, и они с Рэчел и Джеми пошли в сад, чтобы сыграть в «Откупись, а то заколдую»[2]. Энни и

---

[1] Канун Дня Всех Святых (Хэллоуин) — празднуется 31 октября. В этот день дети в страшных масках и маскарадных костюмах ходят по домам, поют песни и просят сладости и подарки.

[2] «Откупись, а то заколдую» — шутливое требование угощения на празднике Хэллоуин.

Меган заявили, что они уже слишком взрослые для подобных забав. Оставшись дома, они вместе с Кэрол раздавали сладости с крыльца. Питер поехал к своей новой девушке, чтобы, как простодушно объяснил Джеми, сыграть в «Откупись, а то заколдую» там.

А поздно вечером, когда дети уже легли спать, Дик спокойно посмотрел на Лиз и вдруг спросил, не хочет ли она поехать с ним на выходные за город. Лиз долго колебалась, прежде чем ответить. Дик даже испугался, что все испортил. Но они встречались уже почти два месяца, и им становилось все труднее сдерживать собственную страсть. Дик знал, что не мог ошибиться в ее чувствах; его же отношение к Лиз было предельно ясным по крайней мере для него самого. И все же он снова почувствовал себя мальчишкой, когда Лиз тихонько сказала, что согласна поехать с ним в Напа-Вэли в следующие выходные. На всякий случай они решили ничего не говорить детям. Дик обещал, что зарезервирует для них номер в отеле. Он непременно хотел, чтобы они остановились в «Оберж дю солейль», потому что этот отель казался ему самым романтичным из всех и лучше всего подходил для их первого совместного уикенда.

Дик заехал за Лиз во второй половине дня в пятницу. Перед этим он работал почти целые сутки, однако он был так счастлив и возбужден, что не чувствовал усталости. Лиз тоже пришлось потрудиться, чтобы придумать детям занятия на выходные. Чтобы объяснить свое отсутствие, она сказала им, что едет к давней подруге, с которой когда-то училась в университете, и специально выбрала для отъезда такое время, когда никого из них еще не было дома. Только Кэрол знала, куда и с кем Лиз едет на самом деле.

Все эти меры предосторожности слегка забавляли Дика, однако в глубине души он сознавал, что Лиз права — не стоит лишний раз дразнить гусей, то есть детей. Правда, Питер и Джеми наверняка восприняли бы известие нормально, но девочки во главе с Меган все еще относились к нему настороженно. Правда, они были с ним достаточно приветливы, но за их вежливым: «Добрый день, Дик!» и «Как поживаете, Дик?» — все еще чувствовалось некоторое напряжение.

По дороге в Напа-Вэли Лиз с удовольствием смотрела в окно. Открывавшиеся виды были изумительны. Листья на деревьях уже окрасились в самые разные оттенки желтого и темно-медного цветов, но трава оставалась по-летнему зеленой, и это странное сочетание приглушенных осенних тонов Новой Англии и яркой калифорнийской зелени возбуждало и пьянило, как хорошее вино.

Всю дорогу до Сент-Хелен они непринужденно болтали. Только изредка Лиз ненадолго замолкала, но Дик ни о чем ее не спрашивал. Он знал, что для нее эта поездка — серьезное испытание. Не только потому, что Лиз еще не привыкла быть с ним, но и потому, что время от времени ей начинало казаться, будто она предает Джека. Такое бывало с ней и раньше; она сама сказала ему об этом, и сейчас, заметив, как Лиз поглядывает на обручальное кольцо, которое она до сих пор носила, Дик догадался — она снова вспоминает мужа.

Они добрались до отеля почти к самому ужину. Лиз была до глубины души тронута, когда увидела, как элегантно обставлен их номер. Дик был готов на все, чтобы сделать ее хоть немножечко счастливее. Главным, однако, была не обстановка, а вид, который открывался из широкого панорамного окна. Когда сгустились синеватые сумерки и в долине замерцали огни, у Лиз дух захватило от восторга — до того это было красиво.

Лиз отправилась в ванную комнату, чтобы переодеться к ужину. Она захватила с собой темно-лиловое вечернее платье, которое купила довольно давно, но надевала редко. Этот наряд не нравился Джеку, но Дик нашел ее обворожительной. Выпив вина, которое им принесли, пока Лиз переодевалась, они спустились в ресторан отеля, чтобы поужинать, а после ужина долго сидели в баре и слушали, как какая-то женщина играет старомодные фокстроты на фортепиано. Было уже совсем поздно, когда, спокойные и умиротворенные, они вернулись обратно в номер. Едва они переступили порог комнаты, как Дик поцеловал ее. Этот поцелуй яснее всяких слов сказал Лиз, что она для него значит и как он к ней относится.

А уже в следующее мгновение ураган страсти подхватил, захлестнул обоих. В номере было полутемно. В камине горел неяркий огонь, и Дик, усадив Лиз на диван, начал медленно снимать с нее вечернее платье, а она расстегивала ему рубашку. Это было восхитительное чувство: остаться в комнате вдвоем и знать — никто не помешает им делать все, что захочется. Лиз целиком отдалась этому давно забытому ощущению.

Потом Дик зажег свечи на столике в спальне и торжественно повел Лиз к кровати. Он снял с нее остатки одежды — его пальцы двигались томительно-медленно, и Лиз со стыдом поняла, что буквально сгорает от желания. Но и ей тоже не хотелось спешить, поэтому когда они наконец разделись и скользнули под прохладные простыни, она долго лежала неподвижно, наслаждаясь близостью его крепкого жаркого тела.

— Я очень люблю тебя, Лиз, — шепнул Дик.

— Я тоже тебя люблю, — так же шепотом ответила она. Лиз впервые сказала ему эти слова, но они пришли к ней легко. И столь же легким и естественным было то, что последовало за ними. Они наконец отдались на волю сжигавшей их страсти.

Лиз помнила все довольно смутно. Ее как будто подхватил ураган, и сразу же вся ее тоска, одиночество и страх исчезли куда-то, словно разбилась и осыпалась скорлупа, в которую она пряталась все эти месяцы в надежде защитить себя. Но теперь защита была ей не нужна. Лиз не хотела прятаться от Дика, не хотела ничего от него скрывать — она отдала ему всю себя, и ему оставалось только раскрыть объятия и принять ее.

Потом они долго лежали, утомленные, но счастливые, и Лиз улыбалась ему. В ее глазах, однако, было что-то ностальгически-печальное, и Дик понял: прошлое все еще владеет ею. Но теперь он знал и другое — иначе просто не могло быть. Не могли девятнадцать лет брака просто так взять и исчезнуть в одно мгновение, да он и сам этого не хотел. В конце концов, Дик предлагал ей не продолжение старого, а что-то совершенно новое. Это могло существовать *вместе* с памятью о прошедших годах, и не просто существовать, но и окрашивать прошлое и будущее в разные тона, чтобы Лиз никогда не сравнивала его и Джека. Больше всего ему хотелось, чтобы когда-нибудь она могла сказать: «Я была счастлива с Джеком, и я счастлива теперь с тобой». Но до этого им было еще очень и очень далеко.

— С тобой все в порядке? — тихонько спросил он на всякий случай, и Лиз кивнула. Что бы ни почудилось ему в ее глазах, сейчас она улыбалась только ему, и это было самым главным.

— Да, со мной все в порядке... — ответила она. — Лучше, чем просто «в порядке». Ты сделал меня счастливой.

Так в эти минуты казалось Лиз, но в ее глазах стояли слезы, которые Дик не мог не заметить. Он ничего не сказал. Дик понимал, как трудно ей не вспоминать о Джеке сейчас, когда она лежала в объятиях другого мужчины. Мысль об этом была ему не особенно приятна, но он сознавал — без этого обойтись нельзя. Лиз только что сделала шаг, который она так долго откладывала. Это был первый шаг по мосту, соединявшему прошлое и будущее, и хотя предстоял еще изрядный кусок пути, ее прошлое осталось теперь позади. Лиз больше не жила в нем, она только оглядывалась на него с печалью, как, наверное, любой путешественник оглядывается на дом, в котором ему было тепло и уютно, но который он непременно должен покинуть, чтобы двигаться дальше, к своей далекой, сияющей цели. А в том, что будущее Лиз будет — должно быть! — счастливым, Дик почти не сомневался. Он знал, что она этого заслуживает, и желал ей счастья всеми силами души.

А Лиз тоже думала о будущем, но ее мысли были более простыми и конкретными. Путь, который лежал перед нею, все еще немного пугал ее. Но она была благодарна судьбе за то, что рядом с ней оказался такой человек, как Дик. С ним она чувствовала себя в безопасности. Он был ей надежным и верным другом, и ему Лиз могла сказать все или почти все. Дик не обиделся, даже когда она призналась, что поначалу ей будет трудно. Наоборот — он понял ее и сделал все от него зависящее, чтобы облегчить ей первые шаги к свободе.

Они еще долго лежали бок о бок, почти не шевелясь, и каждый думал о своем. Потом Дик обнял Лиз и признался, что еще никогда не любил ни одну женщину так сильно, как ее. Она наслаждалась прикосновениями его сильных рук и старалась заставить себя не думать о Джеке, не вспоминать, как они, бывало, лежали вместе после ночи любви и разговаривали обо всем на свете. Но не думать о нем было очень трудно. Лиз была очень благодарна Дику за то, что он не замечал или делал вид, что не замечает ее сомнений и колебаний.

Но уже на следующий день Лиз с облегчением и радостью заметила, что мысли о Джеке смущают ее все меньше и меньше. Напротив, она все острее и отчетливее воспринимала близость Дика и все, что объединяло их теперь. Они вместе совершали длительные прогулки по долине и разговаривали о самых разных вещах — о работе, о детях, о своих мечтах и о планах на будущее. Единственное, чего по обоюдному молчаливому согласию они избегали касаться, это прошлого. Мысли их неизбежно устремлялись в будущее. Сначала они просто мечтали о том, каким оно будет — светлым или не очень, счастливым или грустным, но уже в воскресенье утром их разговор стал более конкретным.

Дело было сразу после завтрака. Они поднялись в номер и сидели на балконе, любуясь долиной. На Дике были джемпер и джинсы, а Лиз накинула поверх платья теплый шерстяной халат, поскольку ноябрьское утро было довольно прохладным. Вскоре солнце согрело обоих.

— Чему вы так радуетесь, доктор Вебстер? — шутливо спросила Лиз, протягивая ему спортивную страничку газеты, которую она лениво перелистывала. — Вы сияете так, словно только что выиграли в лотерею миллион долларов.

— Я действительно выиграл бесценный приз — тебя, — отозвался он. — Тебя и это утро тоже. Ничего подобного в моей жизни еще никогда не было.

В самом деле, эти два выходных дня стали для них чем-то вроде медового месяца. Правда, они провели вместе совсем немного времени, однако у каждого из них появилось такое чувство, будто теперь их соединяет нечто большее, чем просто физическая близость. Они *принадлежали* друг другу полностью, словно самые настоящие муж и жена. Лиз было все еще немного жаль расставаться с Джеком, но она чувствовала, что должна это сделать, потому что без этого она не сможет двигаться вперед.

— Кстати, хотел тебя спросить: что мы будем делать дальше?

— Ты о чем? — не поняла Лиз.

— О нас.

Лиз задумалась. Отчего-то ей стало немного не по себе, словно Дик задал ей вопрос, на который она не могла ответить. И она действительно не могла — она полностью была сосредоточена на чудесном настоящем, будущее все-таки пугало ее, и она подсознательно отталкивала от себя мысли о вполне естественном продолжении происходящего.

— Ничего не будем, — ответила она несколько нервно. — Почему мы должны что-то делать?

— Просто я вдруг подумал, что было бы разумно... — начал он, но не договорил. На самом деле Дик подумал об этом не вдруг: эта мысль была у него на уме чуть ли не с того дня, когда он впервые пригласил Лиз в кино.

— Может быть, я слишком тороплюсь? — спросил он.

Вчера вечером они снова занимались любовью, и ночью, и утром перед завтраком тоже. Их физическая совместимость была поистине поразительной. Трудно было поверить, что до этого уикенда они еще ни разу не были близки. Они хотели одного и того же, и достичь этого им удавалось без труда; они даже нисколько не стеснялись друг друга, и это было удивительно вдвойне.

— Признаться, я не думал, что когда-нибудь скажу тебе такое, — добавил Дик, чувствуя себя несколько неловко, но он слишком боялся потерять Лиз и преодолел свое смущение. — Мне кажется, — закончил он решительно, — нам следует пожениться.

Лиз была потрясена. Ничего подобного она не ожидала; ей даже в голову не могло прийти, что Дик может хотеть чего-то в этом роде. Ей казалось — это совершенно не в его характере, но в конце концов она слишком мало его знала.

— Мне казалось, что ты принципиальный противник брака, — произнесла она наконец, и Дик понял, что напугал ее своим внезапным предложением.

— Я действительно не верил в этот социальный институт, пока не встретил тебя, — ответил он, пытаясь шутливым тоном сгладить серьезность своих слов. — Но теперь мне кажется, что в глубине души я всегда верил: счастливый брак возможен, и когда-нибудь я встречу женщину, с которой у меня все получится. Вот почему мне не хотелось тратить время и силы на других — на тех, с которыми я заведомо не мог создать счастливую семью. Взять хотя бы мою первую жену — наши отношения закончились войной не на жизнь, а на смерть. Но с тобой — я уверен — у нас все будет просто замечательно.

Он действительно верил в это — Лиз видела это по его глазам. И, самое главное, она тоже могла с легкостью представить, как проживет с ним много счастливых лет. Но что-то мешало ей высказать свои мысли вслух. Что-то или кто-то... Должно быть, Дик действительно немного поторопился, и Джек — вернее, тень Джека — еще стоял между ними.

— Я бы не хотел поспешить и все испортить, — продолжал тем временем Дик, — но я просто не мог промолчать. Ты должна знать, что у меня самые серьезные намерения в отношении тебя.

Лиз действительно принадлежала к тем женщинам, которых нужно воспринимать серьезно. Вдобавок у нее было пятеро детей, о которых тоже необходимо было подумать. Но Дик был уверен, что смог бы их полюбить; Джеми он *уже* любил, Питер был близок ему по духу, как младший товарищ. Что касалось девочек, то Дик не сомневался: рано или поздно он сумеет наладить с ними нормальные отношения. Ему всегда было особенно легко общаться с женщинами и с детьми; он умел расположить их к себе. В данном случае у него к тому же был достаточно мощный стимул сделать это.

— Право, не знаю, что тебе сказать, — пробормотала Лиз задумчиво. У нее были подруги, годами встречавшиеся с мужчинами, которые не воспринимали их всерьез. Во всяком случае, ни одна из них так и не дождалась предложения выйти замуж и создать семью. Но Дик, показавшийся ей легкомысленным в этом вопросе, очень удивил ее. Они встречались чуть меньше двух месяцев, но он уже заговорил с ней о будущем. Для Лиз это явилось полной неожиданностью, но дело было не только в этом.

— Ты только пойми меня правильно, — произнесла она медленно. — И не обижайся. Ты тут ни при чем — все дело во мне. С тех пор как погиб Джек, прошло всего одиннадцать месяцев, это очень, очень мало, для меня во всяком случае. Мне нужно время, чтобы все стало на свои места. Потеря еще очень болезненна. Я все время думаю: что бы сделал Джек, как бы он взглянул на это, что бы он сказал. И я, и дети тоже. Все еще слишком живо.

— Я понимаю, — ответил он. — И поверь — мне вовсе не хочется тебя торопить. Пусть исполнится год, а там посмотрим. Согласна?

И хотя Лиз сомневалась, что месяца хватит на то, чтобы стало по-другому, она благодарно кивнула в ответ.

— Да, пусть пройдет год с этого дня, — сказала она. Чуть не с самого начала Лиз положила себе этот срок, чтобы более или менее разобраться со своей жизнью. Напрасно мать и друзья твердили ей, что сейчас не прежние времена и что для соблюдения приличий вполне достаточно шести месяцев. Лиз не могла с ними согласиться, и вовсе не потому, что твердо решила придерживаться правил и носить траур по мужу в течение года. Строго говоря, она уже нарушила их, согласившись поехать с Диком на уикенд в Напа-Вэли, однако формальная сторона дела занимала ее меньше всего. Лиз знала себя, знала глубину чувства, которое она испытывала к Джеку, и год был для нее не максимальным, а минимальным сроком, чтобы прийти в себя. Она сама установила для себя этот рубеж. В каком-то смысле он служил для нее дополнительным стимулом собраться и выполнить данное себе обещание. Без этого она бы, наверное, могла вовсе раскиснуть, опустить руки и обратиться в вечно скорбящую вдову, не способную ни думать, ни действовать, ни жить.

— Вот и хорошо. — Дик знал, что годовщина

смерти Джека была для Лиз и детей чем-то вроде верстового столба. Ему не оставалось ничего другого, кроме как уважать установленные границы. — Давай вернемся к этому разговору в январе, после рождественских каникул, — добавил он. — И если ты будешь чувствовать себя нормально, к Дню святого Валентина...

Дик осекся. Он помнил, как много Валентинов день значил для Лиз и Джека, но слова были сказаны, и теперь он со страхом ждал ее реакции.

И она оказалась именно такой, какой он больше всего боялся.

— Но ведь до Валентинова дня меньше трех месяцев! — воскликнула Лиз, и на ее лице отразилось смятение.

— К этому времени мы будем знакомы больше полугода, — напомнил Дик. — Вполне респектабельный срок... И достаточный, чтобы узнать друг друга как следует. В конце концов, многие пары живут счастливо, хотя до женитьбы они встречались всего ничего.

Лиз знала, что так действительно бывает, но к ней это не относилось. Прежде чем выйти замуж за Джека, она встречалась с ним почти год. Что же касалось предложения Дика, то она не могла сказать «да» вовсе не потому, что не хотела быть с ним. Просто ей необходимо было все как следует обдумать.

Дик посмотрел ей в глаза и тихо сказал:

— Я сделаю, как ты хочешь. Просто мне

нужно, чтобы ты знала, как сильно я тебя люблю.

— Я тоже тебя люблю, — ответила она. — И чувствую себя бесконечно счастливой. Некоторым женщинам не везет, мне же повезло дважды! Но все равно мне нужно время, чтобы подумать.

— Я не тороплю тебя, — повторил Дик. — И единственное, что мне сейчас необходимо, это знать, что у меня есть надежда и что со временем ты можешь захотеть того же, что и я.

— Думаю, так и будет. — Лиз смущенно улыбнулась и добавила откровенно: — Мне просто нужно дожить до этого времени. Понимаешь? Давай поговорим об этом еще раз после Рождества, хорошо?

Она все-таки хотела соблюсти срок ради себя, ради Джека и детей, и Дик опустил голову.

— Я люблю тебя и никуда от тебя не денусь, — сказал он и взял ее за руку. — Я буду ждать. В конце концов, у нас достаточно времени, чтобы решить эту проблему, и покуда мы оба хотим одного и того же, мы имеем возможность не торопиться.

В его словах было столько сострадания, понимания и готовности ждать сколько угодно, что Лиз едва не прослезилась. Большего она не могла и желать. Лиз даже не была уверена, что на месте Дика Джек поступил бы так же. Он был гораздо более нетерпеливым и упрямым и далеко не всегда прислушивался к ее пожеланиям. Чаще всего именно Джек задавал направление и темп их семейной жизни и требовал, чтобы Лиз следовала выработанной им линии. Ее же отношения с Диком были куда больше похожи на настоящее партнерство, и Лиз не могло это не нравиться.

После обеда они поехали назад в Тибурон. Все дети были дома, и, увидев, как мать вылезает из серебристого «Мерседеса» Дика, Меган вопросительно приподняла брови, но ничего не сказала. Скандал разразился, когда младшие дети уже спали, а Питер ушел к себе, чтобы доделать домашнее задание.

— Почему ты приехала на машине Дика? — напрямик спросила Меган, без стука войдя в спальню матери. — Ты что, все выходные была с ним?

Прежде чем ответить, Лиз немного поколебалась, но потом решила сказать правду. В конце концов, если она действительно собиралась выйти за Дика замуж (а Лиз уже казалось, что именно этого она хочет на самом деле), рано или поздно новость все равно пришлось бы сообщить детям. Так что вилять и выкручиваться не было никакого смысла.

— Да, — кивнула она. — Мы ездили в Напа-Вэли.

— Но, мама, как ты могла! — закричала Меган. — Это... это просто отвратительно!

— Почему? Я ему нравлюсь, и Дик нравится мне. В этом нет ничего плохого. Мы никого не обманули, никого не обидели. Мне кажется, мы любим друг друга, Мег.

Она говорила негромко и рассудительно, но вместо того, чтобы успокоить, ее слова произвели на Меган совершенно обратное действие.

— Как ты могла?! — повторила она, и в глазах ее блеснули слезы. — Неужели ты забыла папу?

— Папа умер, Мег. Я любила его всем сердцем и всегда буду любить, но... То, что происходит между Диком и мной, совсем другое. Пойми: я не могу и не хочу оставаться одна до конца жизни. Мне нужен человек, который бы любил меня, и у меня есть на это право.

— Да ты просто _больная_! — выпалила Мег, приходя в ярость. — Не прошло и года с тех пор, как погиб папа, но тебе уже невтерпеж! Ты просто больная, развратная _шлюха_!

Услышав эти слова из уст родной дочери, Лиз даже привстала в гневе. Она никогда не била детей и не собиралась начинать сейчас, но ей было необходимо преподать Меган хороший урок. Как бы глубоко ни были задеты ее чувства, она не должна, не имела права вести себя подобным образом и говорить матери такие вещи. По любым канонам это было недопустимо.

— Не смей так разговаривать со мной, — поизнесла Лиз железным голосом. — Отправляйся сейчас же к себе в комнату и сиди там, пока не успокоишься. Если хочешь поговорить со мной, держи себя в руках. Ты должна уважать мать и уважать своих братьев и сестер, а не бросаться подобными выражениями!

— Мне не за что тебя уважать! — отрезала Меган и пулей вылетела за дверь, с грохотом захлопнув ее за собой.

Меган помчалась в комнату Питера и рассказала ему обо всем, что произошло. Но вместо того чтобы посочувствовать, брат назвал ее маленькой эгоисткой и велел немедленно пойти извиниться перед матерью.

— На чьей ты стороне, Питер?! — Меган оскорбилась до глубины души.

— На маминой, — прямо ответил Питер. — Она делает все, чтобы нам было хорошо. Она любила папу не меньше, а может быть, даже больше, чем мы. Но теперь мама осталась одна, ей никто не помогает, никто о ней не заботится, а ведь она продолжает работать для нас. Только благодаря ей практика, основанная папой, все еще существует и даже расширяется. Мы же спокойненько считаем, что так и должно быть! Кроме того, Дик — очень хороший человек, и мне он нравится. Так что не надейся ни на какое сочувствие с моей стороны, если будешь обижать маму.

— Ах ты, задница! — воскликнула Меган, и из глаз ее брызнули злые слезы. — Ну и что, что мама работает? У нее же есть мы, и ей совершенно необязательно спать с посторонними мужчинами!

Питер невесело усмехнулся.

— Да, у нее есть мы, но что от нас толку. Не

забывай: наша мама — нормальный человек, и у нее есть право на личную жизнь. Ведь не может же она до самой старости спать с Джеми, правда? Кроме того, даже сейчас мы очень мало ей помогаем, а ведь скоро настанет время, когда нас вообще не будет рядом! На будущий год я поеду учиться в колледж; через два года в колледж поступишь ты, потом настанет черед Энни и Рэчел... Что же ей — сидеть у окошка и ждать, пока мы приедем на каникулы? Нет, Мег, я ясно вижу, что, кроме нас, у мамы нет никакой жизни. Она только и делает, что работает да возит вас в школу в очередь с другими соседями. Мне кажется, она заслуживает большего, гораздо большего! Да ты наверняка и сама так думаешь.

— Я просто не знаю... — ответила Мег задумчиво. Маленькая речь Питера произвела на нее сильное впечатление. — Все произошло как-то слишком скоро, ведь еще не исполнилось и года с тех пор, как...

Она села на кровать и расплакалась. Питер опустился рядом и обнял Меган за плечи. За последний год он стал совсем взрослым, и младшие дети часто приходили к нему за утешением и советом.

— Мне... мне очень не хватает папы! — всхлипывая, произнесла Меган.

— Мне тоже, Мег, — сказал Питер, изо всех сил сдерживаясь, чтобы не заплакать самому. Каким бы разумным и взрослым он ни был, ему тоже очень не хватало отца. — Но ведь от того, будет Дик с мамой или нет, ничего не зависит, ведь правда? — добавил он рассудительно. — Мы и дальше будем помнить папу и скучать без него. Просто нам всем нужно смириться и принять то, что с ним случилось, понимаешь?

— А я не хочу, не хочу-у! — провыла Меган и уткнулась брату в плечо, размазывая тушь по его белой майке. — Я хочу, чтобы папа вернулся!

Ну что на это ответишь. Питер только крепче прижал сестру к себе и сидел с ней, пока та не выплакалась.

В конце концов Меган все-таки успокоилась и нашла в себе силы выслушать то, что хотел сказать ей Питер. Потом она пошла к Лиз, чтобы извиниться. Неловко переминаясь на пороге с ноги на ногу, она сказала:

— Он мне все равно не нравится, но я прошу прощения за свои грубые слова.

Это оказалось все, на что Меган была на данный момент способна, и Лиз сухо кивнула.

— Мне очень жаль, что ты так расстроилась, Мег, — сказала она. — Я знаю, тебе нелегко.

— Ты даже *не представляешь*, как всем нам нелегко! Ведь у тебя есть *он*, — тут же перебила ее Меган, и Лиз вздохнула.

— То, что я встречаюсь с Диком, вовсе не означает, что я меньше скучаю по папе. Напротив, из-за этого мне иногда не хватает его сильнее, чем когда-либо, так что сама видишь: все это очень непросто для всех, а не только для тебя.

Правда, понемногу им все же становилось легче, но это происходило слишком медленно. Но в любом случае дети приходили в себя быстрее, чем Лиз. Хотя бы потому, что были моложе.

— Неужели ты действительно любишь его, мама? — Меган еще не верила в то, что сказала Лиз. Ей явно хотелось, чтобы мать уверила ее, что все это неправда.

— Мне кажется, да, — честно ответила Лиз. — Но мне нужно еще время, чтобы окончательно понять это. Дик — хороший человек; это все, что мне известно. Как ты сама понимаешь, этого слишком мало. Кроме того, мне необходимо понять, что теперь будет происходить с моими воспоминаниями о Джеке. Как я буду ощущать себя по отношению к нему.

— По-моему, ты стараешься его поскорее забыть! — с вызовом заявила Мег.

— Я не смогу забыть его. Никогда. Что бы я ни делала. Ведь я любила его почти половину моей жизни, мы были счастливы вместе, и у нас были вы. Но потом случилось то, что случилось. Это было несправедливо по отношению к нему, ко мне и к вам. Но в этом никто из нас не виноват и предотвратить это тоже никто не мог. Поэтому нам остается только поскорее освоиться с новой ситуацией и постараться стать такими, какими бы Джек хотел нас видеть.

— Ты говоришь это только для того, чтобы успокоить меня и себя.

— Нет, я говорю так потому, что верю в это!

Но Меган только покачала головой и ушла к себе в комнату. Ей нужно было как следует поразмыслить над тем, что сказала мать. Она пока не хотела делиться этим даже со своими сестрами. А Лиз после ухода Меган достала свою шкатулку с украшениями и, морщась, как от боли, стянула с пальца обручальное кольцо и убрала на самое дно. Это было то самое кольцо, которое Джек когда-то много лет назад надел ей на палец. Расставаясь с ним, Лиз чувствовала себя так, словно она своими руками вырвала собственное сердце. Но это тоже был шаг вперед, и Лиз знала, что он ей уже по силам. Что ее заботило, так это то, как отреагируют на исчезновение кольца дети, но когда на следующий день семья собралась завтракать, никто, кроме Питера, ничего не заметил. Питер же промолчал, хотя видеть мать без кольца ему было непривычно и немного грустно.

На протяжении последующих двух недель Дик несколько раз заезжал за Лиз, чтобы отвезти в ресторан, в кино или просто на прогулку. Мег изо всех сил старалась держать себя в рамках пристойности. Правда, она почти не разговаривала с ним, но, по крайней мере, не грубила в открытую. Лиз была благодарна дочери за это, понимая, что рассчитывать сейчас на что-то большее вряд ли возможно.

В эти полмесяца они с Диком проводили

вместе довольно много времени. Кроме прогулок и кино, они часто заезжали к нему на квартиру, чтобы заняться любовью. Правда, свободного времени у Дика почти не было, однако он договорился, что будет уходить из больницы каждый раз, когда в его присутствии не будет острой необходимости. На всякий случай он носил с собой пейджер и мобильный телефон. Несколько раз ему действительно пришлось выскакивать из постели и сломя голову нестись в больницу, но Лиз не возражала. Она отлично понимала, что его умение и опыт могут спасти кому-то жизнь, и уважала его за это. Ей вообще нравилась профессия Дика, чего она, к сожалению, не могла сказать о своей работе. Бесконечные разводы начинали действовать ей на нервы. Лиз окончательно перестало нравиться то, что она была вынуждена делать, чтобы заработать себе на жизнь. Пока рядом с ней был Джек, она даже получала удовольствие от занятий семейным правом, но сейчас все изменилось. Судебные решения, которых ей приходилось добиваться ради того или иного клиента, все чаще казались ей сомнительными, спорными, а то и бессмысленными. Единственное, что до сих пор приносило Лиз радость, это возможность добиваться наилучших условий опеки и финансового обеспечения для детей разводящихся родителей, однако все остальное продолжало угнетать ее.

— Мне кажется, мне надоела моя работа, — призналась она однажды, когда после судебных слушаний заскочила к Дику в больницу, чтобы посидеть с ним в буфете за чашкой кофе. Ее клиент вел себя в суде как настоящая грубая скотина: он публично унижал жену подробным рассказом о ее интимных привычках, и Лиз захотелось тут же, не сходя с места, отказаться от дела, но она не могла этого сделать.

— Теперь я жалею об этом, — сказала она. — Хотя у адвокатов так не принято. Просто не представляю, что со мной творится! Ведь даже ходить на слушания мне разонравилось, а ведь когда-то я любила выступать в суде.

— Может быть, ты просто устала? — предположил Дик. Он знал, что за прошедший год Лиз отдыхала всего две недели; в остальное же время она работала по двенадцать-четырнадцать часов в сутки, включая выходные. Только так Лиз успевала выполнять все обязанности, которые она на себя взвалила.

— Наверное, мне нужно выучиться на педикюршу и пойти работать в салон красоты, — невесело усмехнулась Лиз. — И легче, и пользы больше.

— Ты слишком строга к себе, — возразил Дик, но Лиз только покачала головой.

— Джек любил семейное право. С самого начала он решил, что мы должны специализироваться именно в этой области. И я согласилась, хотя мне и казалось, что это не мое. Если я и достигла каких-то успехов, то только потому, что работала с Джеком, но теперь просто не знаю, как быть.

Она была одним из лучших адвокатов по разводам в óкруге, а может, и во всем штате. Дику было трудно поверить, что Лиз на самом деле питает к своей работе глубокое отвращение. Ее клиенты были бы потрясены, если бы слышали ее слова — Лиз всегда была очень энергичной и так и сыпала идеями и дельными предложениями. Но в последнее время она чувствовала себя механической игрушкой, у которой кончается завод. Но хотя работа больше не доставляла ей удовольствия, она чувствовала себя обязанной продолжать дело Джека.

Потом она спросила Дика, какие у него планы на День благодарения. Однажды они уже обсуждали этот вопрос, но тогда Дик еще не знал, будет он дежурить или нет. Сейчас ему уже было известно, что на праздники у него будет не один, а целых два выходных подряд. Ему даже не придется носить с собой включенный пейджер, так как заменять его будет старший ординатор — человек, которому Дик полностью доверял. Таким образом, он был совершенно свободен, но никаких определенных планов у него не было. Так он и сказал Лиз и был удивлен, когда она предложила ему встретить праздник у нее дома.

— Почему бы нет? — спросила она, видя, что Дик замялся и не знает, что сказать. В самом деле, дети уже привыкли к нему, и Лиз казалось, что вместе они сумеют неплохо провести этот праздник. Пока был жив Джек, они очень любили Дни благодарения и всегда устраивали по этому поводу роскошный ужин. Лиз была уверена, что в этом году все будет иначе и для детей, и для нее тоже. Из-за этого она даже не разрешила матери приехать к ним в праздник, но чтобы полностью разрядить обстановку, этого было явно недостаточно. Она рассчитывала, что приход Дика отвлечет детей от мыслей об отце.

Но когда она сказала детям, что Дик, возможно, придет к ним на ужин, их реакция явилась для нее неприятным сюрпризом. Меган устроила самую настоящую истерику — она визжала, топала ногами, разве что посуду не била, — но к этому Лиз была более или менее готова, однако Рэчел и Энни тоже отнеслись к ее словам без особого восторга, заявив, что Дику нечего делать в их доме, коль скоро он не является членом семьи. Даже Джеми был несколько удивлен этим известием, и Лиз дрогнула. За пару дней до праздника она попросила Питера переговорить с Диком и сказать ему, чтобы он не приходил, но Питер счел это неприличным. Ему единственному из детей идея матери казалась удачной. В конце концов Лиз не только не отменила приглашение, но и ничего не сказала Дику о том, как отнеслись к этому ее дочери. Лиз от души надеялась, что за оставшееся время все образуется само собой и, когда Дик придет, дети будут вести себя пристойно. Но, увы, когда наступил День благодарения, она убедилась, что ее оптимизм был, мягко говоря, безосновательным. Стоило зазвонить звонку на входной двери, как девочки, которые и без того держались настороженно, мгновенно ощетинились, образовав своего рода боевую группу, от которой не приходилось ждать ничего хорошего.

Впрочем, началось все довольно мирно. Дик, одетый в свои лучшие серые брюки, коричневый твидовый пиджак и темно-красный галстук, вручил Лиз цветы и бутылку вина. Он был заметно смущен, и она поскорее пригласила его к столу. Сама Лиз надела к его приходу брючный костюм из коричневого вельвета, который ей очень шел. Дети тоже были по-праздничному нарядны: на Питере был строгий темный костюм, в котором он ходил на похороны отца, а Джеми предпочел серые фланелевые брючки и блейзер. Что касалось девочек, то они разоделись в пух и прах. В другое время Лиз обязательно бы рассмеялась, но сегодня ей было не до смеха — уж больно эта расфуфыренная троица напоминала индейцев на тропе войны.

Но уже через десять минут, наливая Дику первый бокал вина, Лиз подумала — хорошо, что он все-таки пришел. Только сейчас ей стало понятно, каким пустым и грустным мог быть их праздничный стол. Она была совершенно права, подозревая, что День благодарения легко мог превратиться в поминки. Но теперь у них был гость, и Лиз рассчитывала, что присутствие постороннего человека заставит детей хотя бы из соображений приличия вести себя нормально и разговаривать друг с другом на какие-нибудь нейтральные темы.

За стол они сели ровно в пять вечера, как было принято при Джеке. На этот раз место во главе стола занял Питер, что, по мысли Лиз, должно было лишний раз напомнить детям — за последний год многое изменилось, и присутствие Дика, сидевшего справа от нее, только подчеркивало это. Потом Лиз прочла особую благодарственную молитву, в которой возносила хвалу господу за все его милости, а так же благодарила тех, кто собрался за столом, и тех, кто отсутствовал — в том числе Джека. Но как только она произнесла его имя, Меган заерзала на стуле и смерила Дика многозначительным взглядом. Лиз поспешила сказать «Аминь», после чего они с Питером отправились в кухню за индейкой.

Индейка сама по себе была отличной, и Лиз сумела превосходно ее приготовить. Девочки помогли ей с начинкой, так как Кэрол уехала на праздники к родным. Существовала, однако, одна проблема: птицу следовало разделить на несколько частей, а Питер, как ни старался освоить это искусство, так и не научился резать индейку быстро и точно. Сейчас он попытался сделать это, но безнадежно завяз в упругой, розовой мякоти. Лиз вообще никогда не умела хорошо резать индейку, и Дик решил взять инициативу на себя.

— Дай-ка я тебе помогу, сынок, — дружелюбно сказал он и, встав со стула, потянулся к Питеру, чтобы взять у него из рук нож и вилку.

Более неподходящих слов он не мог придумать, даже если бы очень постарался. Уютная семейная обстановка за столом сыграла с Диком злую шутку. Попав на настоящий домашний праздник, Дик позволил себе расслабиться, чего ему ни в коем случае не следовало делать.

Услышав эти слова, Меган вздрогнула так, словно ее ударило током, и произнесла тихо, но так, чтобы Дик услышал:

— Он не ваш сын.

В ее голосе было столько злобы и ненависти, что Дик едва не уронил нож, который он уже держал в руках. Бросив на Лиз беспомощный взгляд, он повернулся к Мег.

— Извини, Меган, я никого не хотел обидеть, — сказал он.

Пока Дик резал индейку, за столом стояла мертвая тишина. Он справился со своей задачей быстро и умело, и Лиз, раздавая тарелки, попыталась как-то сгладить неловкость шутками, но ее никто не поддержал. Лишь когда Дик вернулся на свое место справа от нее, Меган и девочки как будто немного успокоились.

Да, это был совсем не тот ужин в честь Дня благодарения, какой бывал у них всегда. За столом было как-то слишком тихо, и Лиз с ужасом подумала о приближающемся Рождестве. Какой-то будет у них праздник в первую годовщину гибели Джека?

Она попыталась отогнать от себя невеселые мысли, но тут Дик, как нарочно, стал интересоваться, когда они собираются покупать подарки к Рождеству, и лица детей за столом стали совсем мрачными и замкнутыми. Да, разговорить эту компанию было непросто. В конце концов Джеми сделал какое-то замечание, которое слегка отвлекло их, а потом немного разрядила обстановку Энни, рассказав о позапрошлом Дне благодарения, когда Джек резал в кухне индейку и случайно уронил ее на пол. Прежде чем ему удалось снова водрузить птицу на блюдо, индейка успела проскакать по всей кухне. Лиз, подававшая тарелки гостям, так тогда об этом и не узнала. В тот День благодарения приезжали Хелен, Джин, Виктория и брат Джека. Лиз, нахваливавшая им кулинарные способности Джека, никак не могла взять в толк, почему дети принимались хихикать каждый раз, когда она говорила, что индейка только что из духовки.

Эта история действительно развеселила их, и Дик смеялся над похождениями фаршированной индейки вместе со всеми. Лиз тем временем налила ему еще один бокал вина и пошла с детьми на кухню, чтобы положить каждому по куску пирога. Когда они вернулись, бокал Дика был уже пуст. Рэчел довольно громко заметила, что кое-кто здесь слишком много пьет.

— Ничего страшного, Рэчел. Ведь я сегодня даже без пейджера, — отозвался Дик, тепло улыбнувшись девочке, но Рэчел больше ничего не сказала, а, повернувшись к нему спиной, заговорила о чем-то с Энни.

Дик, конечно, не был пьян, но он выпил три довольно больших бокала вина и был настроен довольно благодушно. Ему было очень хорошо, и он просто не замечал кое-каких подводных течений, которые бы сразу бросились в глаза более внимательному наблюдателю. Дик вообще считал, что все идет просто замечательно, но Меган не собиралась позволять ему и дальше заблуждаться на этот счет. Дик как раз беседовал с Джеми о футболе, когда она неожиданно вмешалась.

— Папа терпеть не мог футбол, — заявила Меган высокомерно. — Быть может, ты забыл об этом, Джеми? — добавила она специально для младшего брата, который слушал Дика, широко раскрыв рот.

— Очень жалко, — ответил Дик. — Футбол — самый лучший вид спорта из всех, которые я знаю. Я сам играл за университетскую команду; меня даже звали в профессионалы, но я предпочел медицину.

— Папа говорил, в футбол играют только грубияны и недоразвитые идиоты, — отчеканила Меган, одним махом переходя границы дозволенного, и Лиз поспешила остановить ее.

— Достаточно, Мег! — воскликнула она, вставая из-за стола.

— Вот именно, мама, вполне достаточно! — Меган швырнула на стол салфетку и вскочила. — Или нам придется и дальше терпеть его присутствие? Мы, знаешь ли, не обязаны, ведь он не наш отец и даже не наш родственник — он просто твой любовник!!!

Остальные дети застыли, потрясённые, и Лиз ответила дрожащим от возмущения голосом:

— Дик — наш друг, к тому же сегодня День благодарения. В этот праздник друзья встречаются за столом, чтобы возблагодарить господа и простить все обиды! Мы должны протянуть друг другу руки, а не...

— Ах вот, значит, что вы делали, держались за руки, да? А я почему-то думаю, что в Напа-Вэли вы вовсе не этим занимались! И еще я думаю, что папа возненавидел бы тебя за это, вот! — С этими словами, она выбежала из гостиной и, стремительно поднявшись по лестнице, с грохотом захлопнула за собой дверь спальни. Питер поспешно наклонился к Дику, чтобы извиниться за сестру, но Рэчел и Энни тоже начали выбираться из-за стола, а Джеми, воспользовавшись всеобщим смятением, отрезал себе огромный кусок яблочного пирога. По его мнению, пирог был слишком вкусным, чтобы удержаться, к тому же остальным, похоже, было не до еды.

— Ничего себе, семейный праздник! — заметил Дик хмуро, и Лиз в отчаянии поглядела на него. Только сейчас до нее дошло, как безответственно и самонадеянно она поступила, когда, пригласив его на День благодарения, не предупредила о возможных осложнениях. Ведь она с самого начала подозревала, что ввести Дика в их семейный круг будет непросто, но он-то ни о чем не догадывался, думал, что все трудности позади. Яростная атака Меган застала его врасплох.

— Я пойду поговорю с ней, — предложил Питер. Ему было очень стыдно за сестер, и он еще раз извинился перед Диком за их поведение.

— Не переживай, я все понимаю. — Дик небрежно махнул рукой, но на самом деле ему было очень обидно. С ним обошлись отвратительно ни за что ни про что. Лицо у него сделалось хмурым, и он даже не попытался улыбнуться или утешить Лиз, которая сидела за столом и вытирала глаза уголком салфетки.

— Для них это оказалось тяжелее, чем я думала, — промолвила она извиняющимся тоном.

— Для меня сегодняшний праздник тоже не был особенно приятным, — отрезал Дик. — Роль незваного гостя никогда мне особенно не нравилась, но под конец твои дочери и вовсе повели себя так, словно я серийный убийца, который зашел на огонек. А убийцы не заслуживают снисхождения, не так ли? Или, может быть, они вообразили, будто их отца убил я? Во всяком случае, вели они себя именно так!

Его самолюбие было глубоко уязвлено, но выместить обиду Дик мог только на Лиз. И он это сделал не задумываясь, чем поверг ее в отчаяние. Теперь на нее сердились не только дочери, но и Дик. Только Джеми, продолжавшего с аппетитом уплетать пирог, всеобщее смятение не коснулось.

— Ты все-таки должен понять, как им тяжело! — нашла в себе силы возразить Лиз. — Ведь это первый День благодарения, который они отмечают без отца!

— Я это понимаю, но я здесь ни при чем. Я не виноват в смерти Джека! — Дик почти выкрикнул эти слова, и Джеми, оторвавшись от пирога, посмотрел на него и нахмурился.

— Тебя никто и не винит. Все дело в том, что ты здесь, а его — нет. Это я во всем виновата! Наверное, мне не следовало тебя приглашать, — ответила Лиз. Она продолжала плакать, и Джеми в растерянности переводил взгляд с нее на Дика и обратно.

— Ты действительно так думаешь? А как насчет будущего года? Наверное, мне стоит заранее позаботиться о том, чтобы в следующий День благодарения я дежурил в больнице — это по крайней мере избавит от лишних неприятностей. Я только не знаю, как быть с остальными праздниками, которые вы привыкли встречать в тесном семейном кругу. Ведь совершенно очевидно, что меня в этом доме не хотят видеть! Быть может, когда твои дети вырастут и разъедутся, что-то изменится, но до тех пор — извини. — Дик издевательски покачал головой. Гнев настолько овладел им, что ему стоило огромного труда хоть как-то держать себя в руках.

— Разве ты не приедешь на следующий День

благодарения? — внезапно поинтересовался Джеми.

— Я собирался, но теперь в этом не уверен, — резко ответил Дик и тотчас же пожалел об этом. Протянув руку, он потрепал мальчика по руке и заговорил немного тише, чтобы не пугать его: — Извини, малыш. Я немного расстроен, только и всего.

— Меган и раньше грубила маме, — спокойно сообщил Джеми. — И Энни с Рэчел тоже. Кажется, ты им все-таки *совсем* не нравишься. — Последние слова он произнес с явным сожалением. Джеми очень огорчился за своего старшего друга.

— Боюсь, что ты прав, — ответил Дик. — В том-то и загвоздка, не так ли? — Вопрос был обращен уже не к мальчику, а к Лиз. — В этом доме я остаюсь персоной нон грата, и, похоже, я совершенно напрасно надеюсь, что это положение когда-нибудь изменится. Как справедливо заметила Меган, я не ваш отец и никогда им не буду. Не правда ли, Лиз?

— Никто от тебя этого не требует, — ответила Лиз со всем спокойствием, на какое только была способна в эти минуты. — Тебе нужно только стать их другом, вот и все. Никто не ждет, что ты займешь место Джека, — тихо добавила она, борясь с подступившими к горлу рыданиями.

— Увы, в этом-то и проблема, — с горечью отозвался Дик. — Я жестоко обманулся, полагая, что буду нужен тебе и твоим детям. Я не подумал, что мне суждено вечно быть вторым — ведь соревноваться с мертвыми очень трудно. Чужак, посторонний, «грубиян, недоразвитый идиот», как выразилась твоя дочь.

— Меган просто провоцировала тебя! — Лиз старалась быть лояльной по отношению к детям, но любовь к Дику постоянно брала верх, и ей приходилось очень нелегко. Да что там — более сложное положение трудно было себе представить! Стараясь сохранить и то и другое, Лиз теперь могла потерять все.

— Что ж, в таком случае она преуспела. — Дик встал и положил салфетку на стол перед собой. — Пожалуй, мне лучше уйти. Вам явно нужна передышка, да и мне тоже. В общем, мне пора.

— Куда ты?!

— В больницу. — Он пожал плечами.

— Но мне кажется, ты говорил, что не будешь работать в праздники, — огорченно сказала Лиз. Она ничего не понимала. Идея пригласить его на праздник пришла ей в голову именно после того, как Дик сказал, что будет свободен в эти дни.

— Не выгонят же они меня. В больнице я по крайней мере знаю, кто я такой и что я должен делать, а здесь... Семейные скандалы, особенно по праздникам, не моя стихия. Я просто теряюсь, когда попадаю в подобную ситуацию.

На самом деле Дик справлялся совсем неплохо. Просто ему с самого начала пришлось играть крапленой колодой, и он знал это. Он не мог выиграть ни при каких обстоятельствах, и это буквально сводило его с ума.

Лиз молча смотрела на него. Она понимала — происходит что-то ужасное, но у нее не было сил, чтобы исправить положение. Ее как будто парализовало. Она могла только молча смотреть на него и глотать слезы.

— Ну, я пойду, — сказал Дик деревянным голосом. — Спасибо за ужин. Я позвоню.

И с этими словами он вышел, тихо прикрыв за собой дверь, а Лиз осталась неподвижно сидеть за столом.

Тем временем Джеми прикончил пирог и, вытерев губы салфеткой, посмотрел на нее.

— Дик забыл попрощаться со мной, — сказал он. — Он рассердился на меня?

— Нет, милый, он рассердился на *меня*, — ответила Лиз. — Твои сестры поступили с ним очень плохо, и Дик обиделся.

— Теперь ты их нашлепаешь? — заинтересовался Джеми, и Лиз улыбнулась помимо собственной воли. Она никогда не наказывала детей подобным образом, но предложение, что ни говори, было заманчивым.

— Нет, — ответила она. — Но я надеюсь, что рано ли поздно кто-нибудь сделает это за меня.

— Санта-Клаус положит уголь им в чулки! — со знанием дела заявил Джеми, и Лиз грустно улыбнулась. Одна мысль о грядущем Рождестве заставляла ее содрогаться. Это была годовщина смерти Джека. Лиз понимала, что Дик ни при каком условии не сможет появиться в их доме в этот день. Сегодняшний праздник напрочь отбил у обоих охоту к такого рода экспериментам.

Потом Лиз с помощью Джеми убрала со стола и поднялась наверх, чтобы серьезно поговорить с дочерьми.

Она нашла девочек в комнате Меган. Судя по их мокрым лицам, они только что плакали. Питер, который тоже был с ними, вытирал глаза все еще всхлипывавшей Рэчел.

— Я его ненавижу! — выпалила Мег, едва увидев мать, но Лиз удалось остаться спокойной. Она знала, что стоит за столь болезненной реакцией дочери.

— Я думаю, тебе это только кажется, — ответила она. — Дика совершенно не за что ненавидеть. То, что когда-то он играл в футбол за свою университетскую команду, не мешает ему быть хорошим человеком. Ты ненавидишь что-то совсем другое, Меган. Я знаю, ты не можешь примириться с тем, что твой папа умер, но ведь ни ты, ни я ничего не можем с этим поделать. И Дик в этом не виноват. Ты этого не понимаешь, но это еще не повод, чтобы оскорблять ни в чем не повинного человека. Если бы я знала, что мои дочери так себя поведут, я бы ни за что не пригласила его сегодня!

Питер легко тронул ее за плечо. Он уважал и восхищался матерью, которая всегда была откровенна с ними и никогда не лукавила даже в благих целях. И еще он знал, как крепко она их всех любит. Когда с ним случилась беда, Лиз была с ним неотлучно; она купала и кормила его как младенца, и во многом благодаря ей он сумел так быстро поправиться. Сейчас ему было очень жаль мать, во-первых, потому, что День благодарения закончился так скверно, а во-вторых, потому, что Меган избрала Дика в качестве козла отпущения. Питер отлично понимал, почему это случилось. По его глубокому убеждению, Дик слишком бурно отреагировал на то, на что вообще не нужно было обращать внимания; так он и сказал матери, когда провожал ее в ее спальню.

— Я не могу обвинять его, — ответила на это Лиз. — Дети — самые жестокие существа в мире, они умеют бить очень больно, а Дик к этому не привык. Возможно, он вообще этого не знает — ведь у него никогда не было своих детей. Но дело не только в том, что Мег оскорбила его — она очень больно задела его самолюбие. Теперь Дик считает, что вы всегда будете сравнивать его с вашим отцом и всегда в пользу Джека.

— Дай ему время, — сказал Питер и улыбнулся. — Вот увидишь, он успокоится, да и девочки привыкнут к нему, — добавил он.

— Будем надеяться, — вздохнула Лиз.

В спальне она скинула туфли и легла на кровать, не зажигая света и не снимая своего вельветового костюма. Лиз думала о Джеке, о Дике и о своих детях. Ситуация казалась ей безвыходной, по крайней мере сейчас. В последнее время у нее просто не было сил, чтобы предаваться грустным размышлениям, — она была слишком занята делами и проблемами окружавших ее людей. Но сейчас, лежа в темной спальне одна, Лиз неожиданно снова заплакала, вспоминая мужа и думая о том, как сильно она без него скучает. Когда Джек ушел, он оставил после себя зияющую пустоту в ее душе. Лиз никак не удавалось ее заполнить. Да, она любила Дика, но не так, как когда-то любила мужа. *Пока* не так, но Лиз надеялась, что со временем ситуация изменится. Она не сомневалась в этом, хотя Дик и Джек были, конечно, совсем разными.

На ночном столике неожиданно зазвонил ее сотовый телефон. Лиз, по-прежнему не зажигая света, протянула руку и поднесла аппарат к уху. Звонил Дик, и Лиз сразу показалось, что у него какой-то не такой голос. Не такой, как всегда. Он звучал так, словно Дик здорово выпил.

— Я должен что-то сказать тебе, — произнес он глухо, но язык у него не заплетался, и Лиз поняла, что не алкоголь причина его угнетенности.

— Говори, я слушаю, — просто сказала она и, закрыв глаза, откинулась на подушку. Лиз все еще думала о Джеке, переживала из-за того, что произошло за столом, и боролась с подступающим отчаянием. На протяжении вот уже одиннадцати месяцев она изо всех сил старалась успокоиться, взять себя в руки, быть трезвой и рациональной, но сейчас ей казалось, что она вновь вернулась к тому, с чего начинала.

— Прости меня, Лиз, но я не могу, — начал

Дик. — Я до сих пор не понимаю, что со мной случилось. Я как будто потерял рассудок. Я встретил тебя и полюбил. Твоя семья выглядела такой крепкой, цельной, а ты казалась уязвимой и ранимой, и я попался. Я хочу выбраться из этой ловушки. Это не для меня.

— Что-что? — переспросила Лиз, открывая глаза и садясь. — Что ты сказал?!

Но она уже все поняла. Несмотря на некоторую бессвязность речи, Дик высказался достаточно ясно. Лиз просто не хотелось верить в то, что она только что услышала.

— Я хочу сказать, что совершил ошибку, — повторил он. — Но теперь все кончено. Я люблю тебя, и у тебя отличные дети, но я ничего больше не могу. Твоя Меган оказала мне огромную услугу: если бы не она, мне могли бы потребоваться месяцы и даже годы, чтобы прозреть. Но сегодня у меня открылись глаза. Все это время я был словно безумен. Теперь я пришел в себя. Мне очень жаль, Лиз, но все кончено!

Лиз слушала его, и у нее не было слов, чтобы ответить. Она просто сидела на кровати, прижимая одной рукой трубку, а другой держась за живот. У нее было такое ощущение, словно кто-то ударил ее под дых так, что она не в силах была вымолвить ни слова. Жгучие волны дикой, нерассуждающей, животной паники, подобной той, какую она испытала, когда узнала о смерти Джека, захлестнули ее с головой. Она снова теряла — теряла Дика, и хотя они были знакомы не так давно, чтобы Лиз успела навсегда впустить его в свое сердце, он все равно сумел каким-то образом проникнуть туда, и теперь вырывать его приходилось с кровью. Все кончено?! Спасибо тебе, Меган!

— Ты не хочешь подумать еще немного? — спросила она, прилагая поистине нечеловеческие усилия, чтобы ее голос звучал спокойно. Нет, даже сейчас Лиз не жаловалась и не умоляла; она просто пыталась разговаривать с Диком с позиций здравого смысла, как разговаривала бы с любым из своих детей. — Меган оскорбила тебя, ты почувствовал себя задетым, но ведь это пройдет, не так ли? Да и дети, я уверена, со временем привыкнут к тебе. Нам нужно только немножечко подождать.

— Не вижу смысла, — сухо отозвался Дик. — Дело в том, что мне нужно совсем другое — теперь я вижу это ясно. И я, и ты — мы оба должны благодарить Меган за то, что она сделала.

Но Лиз не испытывала к старшей дочери никакой благодарности. Она чувствовала себя раздавленной и уничтоженной.

— Я позвоню через несколько дней. Просто чтобы узнать, как ты, — добавил он поспешно. — Мне действительно очень жаль, Лиз, но ничего не поделаешь. Так и должно было быть, я знаю.

«Откуда он знает, — удивилась Лиз. — И что он такое знает? Что две ее дочери были грубы с ним? Но ведь они еще совсем дети — дети, которые тоскуют по своему отцу».

— Слушай, Дик, давай поговорим позже, ладно? Тем временем мы оба успокоимся...

— Нам больше не о чем разговаривать! — В его голосе явственно прозвучали панические нотки. — Я же сказал тебе: я выхожу из игры. Все кончено, Лиз! Ты должна понять это...

Но почему, почему она должна что-то понимать? Почему она должна искать предлоги, чтобы оправдать его или своих детей? Почему каждый раз именно она должна быть страдающей стороной — человеком, который что-то теряет? Безусловно, и Дик, и дети тоже не выигрывали от всего этого, но она потеряла больше всех!

— Я люблю тебя! — сказала она, стараясь справиться с подкатившим к горлу рыданием.

— Ты сумеешь с этим справиться. Мне не нужен еще один развод, а тебе ни к чему еще одна головная боль. Тебе и без меня нелегко пришлось. Просто выброси меня из головы, а детям скажи, что «недоразвитый идиот» больше никогда их не потревожит. Теперь они смогут спокойно встречать праздники. — В его голосе были горечь и какая-то детская обида, но достучаться до него Лиз не могла.

— Джеми любит тебя. И Питер тоже, — предприняла она последнюю попытку. — Что я скажу им?

— Скажи, что мы с тобой совершили ошибку, но, к счастью, поняли это до того, как стало слишком поздно. Вот увидишь, так им будет легче, да и нам тоже. Ну все, Лиз, я кладу трубку. Нам больше не о чем говорить, да и не нужно. Прощай. — Он сказал это, как отрубил. Лиз почувствовала, что у нее перехватило дыхание. И прежде чем она сумела что-то сказать, Дик дал отбой.

Лиз еще долго сидела в темноте, прижимая к уху соленую от слез трубку. Наконец она выключила аппарат, положила его на столик и снова откинулась на подушку. Она никак не могла поверить в то, что произошло, и в то, *как* это произошло. Он *прозрел* — и готово: все кончено! Но был ли он слеп, вот в чем вопрос, и не случилось ли как раз обратное: Дик ослеп и перестал замечать очевидное. Если бы сейчас он был рядом, Лиз взяла бы его за плечи и как следует встряхнула, чтобы заставить прийти в себя, но его не было, и она вдруг ощутила бесконечную усталость и свинцовое равнодушие.

«Все равно... — подумала она, медленно раздеваясь и накрываясь одеялом с головой. — По крайней мере, у меня есть мои дети».

Но во сне она снова плакала — не по своему погибшему мужу, а по Дику, по еще одной своей горькой потере.

## Глава 11

Следующие несколько дней прошли для Лиз словно в тяжелом, бредовом сне. О том, что произошло в День благодарения, она никому не обмолвилась ни словечком — ни Виктории, с которой несколько раз разговаривала по телефону, ни тем более матери, у которой, безусловно, нашлось бы что сказать по этому поводу. Хелен с самого начала говорила, что Дика пока не стоит приглашать на семейный праздник. Тогда Лиз решила, что мать просто ревнует, поскольку она не пригласила на праздник *ее*. Хелен все равно собиралась приехать на Рождество, так что в данном случае Лиз только оттягивала неизбежное.

Выглядела Лиз тоже скверно — хуже даже, чем за все одиннадцать месяцев своего вдовства. Она была то молчалива и печальна, то без причины раздражалась и даже покрикивала на детей. Поначалу Кэрол и Джин решили, что Лиз гнетет приближение Рождества и связанные с ним воспоминания, и только когда за несколько дней Дик ни разу не позвонил ей в офис, Джин догадалась, в чем дело.

— Неужели обязательно было ссориться? — осторожно спросила она, когда через неделю после Дня благодарения Лиз вернулась в контору из судебного присутствия и как подкошенная рухнула на диван для посетителей. За прошедшие дни она осунулась и похудела, под глазами залегли черные круги, но теперь это получило свое объяснение.

— Он бросил меня, — ответила Лиз. — Дети обошлись с ним не лучшим образом. Меган в открытую хамила. Дик решил, что это чересчур. Нет, девочки действительно вели себя оскорбительно, и этого хватило, чтобы он пришел к мысли, что совершил страшную ошибку и нам надо как можно скорее расстаться. Он сказал, что наш роман был чем-то вроде временного помешательства, — добавила она с горечью. — Две недели назад Дик сделал мне предложение, он хотел, чтобы мы поженились на Валентинов день, но, как видишь, мы не дотерпели даже до Дня благодарения.

— Быть может, он просто испугался? — предположила Джин. Она уже давно не видела Лиз в таком состоянии. Сегодня Лиз проиграла довольно простое дело, чего с ней тоже не случалось давно. Это был достаточно тревожный симптом. — Если так, то он, конечно, вернется. Успокоится и вернется!..

— Не думаю. — Лиз покачала головой. — По-моему, Дик говорил серьезно.

Подтверждение этому Лиз получила в субботу, когда она несколько раз звонила Дику и оставляла сообщения на автоответчике, но он так и не перезвонил. Тогда, проклиная собственную слабость, Лиз позвонила ему на пейджер.

Спустя несколько часов Дик все-таки перезвонил ей. Извинившись, он сказал, что был занят в операционной, но голос его звучал отстраненно и холодно.

— Я просто хотела узнать, как ты. — Лиз старалась говорить как можно небрежнее, но Дик сразу дал ей понять, что вовсе не ждал ее звонка.

— Со мной все в порядке, Лиз, спасибо. Послушай, извини, но я сейчас очень занят.

— Может быть, тогда ты перезвонишь, когда будешь посвободнее? — Ее голос прозвучал неожиданно жалобно. Лиз мысленно обругала себя за это, но ответ Дика был предельно откровенным:

— Мне кажется, не стоит этого делать. Лучше всего постараться забыть все, что случилось.

— А что случилось? — требовательно спросила Лиз, но ее настойчивость пришлась ему не по нраву.

— Ты сама отлично знаешь — что. Я пришел в себя и понял, что не вписываюсь в твою семью. Лиз, для меня там просто нет места. И я не собираюсь даже пытаться. Ты — замечательная женщина, и я по-прежнему люблю тебя, но ничего хорошего у нас все равно не получится. Давай не будем мучить друг друга напрасно. Сначала ты и дети должны привыкнуть к мысли, что Джека не вернуть. А потом тебе придется найти себе кого-нибудь другого.

Но Лиз в последнее время думала совсем не

о Джеке, а о Дике. Впервые за одиннадцать с лишним месяцев образ мужа потускнел и отступил на задний план, зато боль, которую причинил ей Дик, терзала ее днем и ночью, не отпуская буквально ни на минуту.

— Если мы любим друг друга по-настоящему, мы сумеем сделать так, чтобы все получилось. Почему ты не хочешь попробовать?

— Потому, — ответил он резко, — что я не хочу жениться или иметь детей — в особенности чужих детей, которые меня ненавидят. Твоя Мег дала мне это понять совершенно недвусмысленно. Честное слово, я не настолько туп, чтобы мне нужно было повторять дважды.

— Со временем они успокоятся, привыкнут к тебе и полюбят. — Лиз почти упрашивала его. Это было противно ей самой, но остановиться она не могла. Только теперь ей стало ясно, как сильно она любит Дика. От ощущения того, что ничего нельзя поправить, у нее под сердцем залегла сосущая пустота. Ну почему, почему Дик не хочет дать ей шанс?

— Может быть, они и привыкнут, но я — вряд ли. Пойми наконец, я *не хочу* привыкать. Лучше найди себе другого. — Последние слова прозвучали откровенно грубо, но, наверное, только так он мог заставить ее понять очевидное.

— Но я люблю *тебя*! — воскликнула Лиз в отчаянии.

— Ничем не могу помочь, — холодно ответил он. — Извини, мне пора идти — у меня тут пятилетняя девочка, ей нужно сделать трахеотомию. Счастливого Рождества, Лиз.

Он был намеренно жесток. Лиз хотела бы возненавидеть Дика за это, но не могла. У нее просто не было ни физических, ни душевных сил, чтобы ненавидеть его. Лиз чувствовала себя как лампочка, которую кто-то выключил. Да сам Дик и выключил.

После обеда она сразу поехала домой, по-прежнему чувствуя себя усталой и разбитой. Дома был только Джеми, который помогал Кэрол готовить к Рождеству бисквитное печенье. Увидев мать, он поднял голову и, глядя на нее своими большими карими глазами, спросил, где Дик и почему он не заходит.

Интересный вопрос. Лиз понятия не имела, как на него ответить. Что она должна сказать? Что Дик заболел? Уехал на Северный полюс? Разлюбил? Непросто подобрать ответ, который был бы понятен Джеми.

— Он очень занят, — сказала она наконец. — Сейчас у него просто нет времени, чтобы навещать нас.

— Дик не умер? — с беспокойством спросил Джеми, и Лиз подумала, что теперь он, наверное, будет думать так про каждого, кто вдруг исчезал из его жизни

— Нет, он не умер. Но он пока не хочет нас видеть, — закончила она неуверенно.

— Он на меня не сердится?

— Нет, милый, конечно, нет!

— Он обещал полетать со мной на змее, но

так и не полетал! На том, который он сам сделал.

— Может, если в этом году ты попросишь Санта-Клауса, он принесет тебе змея в подарок? — устало спросила Лиз. Она знала, что такой ответ вряд ли удовлетворит Джеми, но ничего другого ей просто не пришло в голову. Дик Вебстер оставил их, и она не знала способа вернуть его. Ничто не поможет — ни просьбы, ни мольбы, ни уговоры, ни логика или здравый смысл, ни даже любовь. Сегодня, разговаривая с ним по телефону, она попробовала все, кроме разве угроз, но так ничего и не добилась. Теперь Лиз стало окончательно ясно, что она просто ему не нужна. И, наверное, не была нужна никогда.

— Даже если Санта-Клаус принесет мне змея, он все равно будет не такой, какой нужно, — грустно сказал Джеми. — Он будет совсем маленький, а нужен большой, чтобы мог поднять меня и Дика. Змей Дика особенный — он сам его сделал!

— Мне кажется, мы с тобой тоже сумеем сделать достаточно большого змея, чтобы мог поднять тебя и *меня*, — ответила она, тщетно стараясь сдержать слезы. Если уж она сумела подготовить Джеми к олимпиаде, со змеем она как-нибудь справится. Но что еще ей придется делать для них, какие науки и специальности освоить? Кем еще, кроме матери, тренера, водителя, кухарки, домашнего репетитора и конструктора воздушных змеев, ей придется стать только потому, что один псих застрелил ее мужа, а другой — струсил и сбежал от нее? Почему она вечно должна собирать осколки и склеивать их вместе? Эти вопросы преследовали ее, и Лиз просто не знала, куда от них деваться.

Вскоре Кэрол поехала в школу, чтобы привезти девочек. Не успели они войти, как Джеми поделился с ними новостями, которые узнал от матери.

— Дик больше не хочет нас видеть, — сказал он с важным видом.

— Вот и прекрасно! — громко произнесла Меган, но, перехватив взгляд Лиз, виновато потупилась. Она уже заметила, что в последнее время мать выглядит не особенно счастливой, и совесть ее была неспокойна.

— Так говорить нехорошо, Меган, — негромко сказала Лиз; при этом она казалась такой грустной, что Меган поспешила извиниться.

— Он мне просто не нравится, только и всего, — добавила она.

— Но ведь ты его совсем не знаешь, — возразила Лиз, и Меган, небрежно кивнув, поспешила подняться вместе с сестрами наверх, чтобы засесть за домашнее задание. Детям оставалось учиться всего три недели, однако в доме не было ощущения приближающегося праздника. Напротив, доставая елочные украшения и настенные гирлянды, Лиз едва не передумала и не убрала все обратно.

В конце концов Лиз решила, что в этом году они не станут зажигать лампочки на деревьях перед домом, как это делал Джек. Гирлянды, флажки, хлопушки они развесили только внутри дома, да и то не стали покупать ничего нового, ограничившись прошлогодними запасами. Когда до Рождества осталось всего две недели, Лиз повезла детей покупать елку. Но даже это никого особенно не обрадовало, хотя в прошлые годы все дети ждали этого события с нетерпением.

К этому времени Лиз не разговаривала с Диком две недели. Ей начинало казаться, что они не увидятся уже никогда. Дик продолжал держаться принятого решения, и в конце концов Лиз, не выдержав, поделилась своей бедой с Викторией. Та ужасно огорчилась и даже предложила подруге встретиться и сходить в ресторан, но Лиз отказалась. Она была в таком состоянии, что ей не хотелось видеть даже свою лучшую подругу.

По мере приближения Рождества дом, казалось, все больше погружался в мрачное уныние. Скоро должен был исполниться год с тех пор, как не стало Джека, но у Лиз было теперь такое ощущение, что это случилось буквально вчера. Тоска по мужу и боль от расставания с Диком были как будто двумя полюсами огромного магнита, которые тянули ее в разные стороны. Иногда Лиз казалось — еще немного, и ее сердце разорвется. Бо́льшую часть времени она проводила у себя в спальне и никуда не выходила. Она отказалась от приглашений друзей, которые хотели в Рождество видеть ее у себя. Она даже убедила Хелен не приезжать, что само по себе было очень нелегко. Лиз сказала матери, что хочет побыть в этот день одна, и, как та ни возражала, твердо стояла на своем. В конце концов Хелен пришлось уступить. Она, конечно, сказала, что все понимает, но Лиз почувствовала, что ее мать слегка обиделась.

Скорей бы уж этот праздник кончился, думала Лиз, когда они собрались в гостиной, чтобы украсить елку мишурой и стеклянными шарами. Это да еще бумажные гирлянды и флажки на стенах были единственной уступкой праздничной традиции, которую они решили сделать. Правда, Кэрол уже давно испекла рождественское печенье, но стараниями Джеми его количество заметно уменьшилось. Вполне вероятно, что к празднику он уже успеет с ним покончить.

Никаких особенных планов на рождественские каникулы у Лиз не было. Одно время она хотела отвезти детей покататься на лыжах, но развлекаться ни у кого не было охоты. В конце концов решено было остаться дома. Лиз испытала от этого некоторое облегчение, но скоро ей стало казаться, что она допустила ошибку. Перемена обстановки, жизнь на природе могли помочь им взбодриться; здесь же, в большом молчаливом доме, где все напоминало о Джеке, они с каждым днем все глубже погружались в уныние.

Когда до Рождества оставалась неделя, в офис Лиз неожиданно позвонила одна клиентка. Она была очень взволнована и попросила о немедленной встрече. Лиз как раз была свободна, что случалось теперь довольно редко. Домой ей ехать не хотелось, поэтому она ответила согласием.

Клиентка появилась в ее кабинете минут через пятнадцать, и выражение ее лица Лиз сразу не понравилось. Но то, что она услышала через минуту, понравилось ей еще меньше.

При разводе бывший муж клиентки получил разрешение встречаться со своим шестилетним сыном, в чем, разумеется, не было никакого криминала. Правда, клиентке Лиз это не особенно нравилось, но существует законное право отца. Проблема заключалась в другом. Отец мальчика по-прежнему жил в Калифорнии, а миссис Аруд после развода перебралась в Нью-Йорк, где у нее оставались родители. Раз в год она приезжала на месяц в Сан-Франциско, чтобы ее бывший муж мог пообщаться с сыном. И именно характер этого общения вызывал у нее тревогу. Вехета Аруд — так звали клиентку — считала, что отец постоянно подвергает своего шестилетнего сына опасности, и Лиз не могла с ней не согласиться. Во-первых, он катал мальчика на мотоцикле — на бешеной скорости и без шлема. Во-вторых, он летал с ним на личном вертолете, хотя право на управление получил только месяц назад. В-третьих, он разрешал мальчику ездить в школу на велосипеде — одному, по улицам, битком набитым машинами, и опять же без защитного шлема. Вехету все это ужасно пугало. Она хотела, чтобы суд запретил отцу встречаться с сыном. А чтобы ее бывший муж ни при каких обстоятельствах не мог нарушить запрет, она хотела, чтобы в качестве наказания за неподчинение закону суд избрал арест счетов принадлежавшей мужу фирмы.

Но как только Вехета произнесла это, Лиз стало нехорошо. Она сказала:

— Нет, *этого* мы делать не будем. Я могу обратиться в суд с ходатайством о составлении специального предписания, которое бы подробно регламентировало порядок общения вашего мужа с сыном. Мы можем даже добиться, что такие встречи будут разрешены ему только в вашем присутствии. Это относительно просто. Ведь налицо угроза жизни и здоровью вашего сына. Но привлекать вашего бывшего мужа к суду или замораживать счета его фирмы я не буду!

Последние слова она произнесла настолько жестким тоном, что миссис Аруд посмотрела на нее с невольным подозрением.

— Почему нет? — спросила она, решив, что ее бывший муж уже успел побывать у миссис Сазерленд и склонить ее на свою сторону. Чего-чего, а денег он не жалел, особенно когда речь шла о его интересах.

— Потому что это слишком опасно, — просто сказала Лиз. За последние несколько недель она потеряла несколько фунтов веса и выглядела осунувшейся и бледной, но на лице ее была

написана такая решимость, что Вехета невольно оробела.

— Не понимаю, что тут опасного... — пробормотала она.

— У меня уже было одно похожее дело, правда, без угрозы для жизни и здоровья ребенка.
Один человек... — Лиз немного поколебалась,
но так и не смогла произнести имя Филиппа
Паркера вслух. — Один человек не хотел выпла-
чивать бывшей жене алименты на содержание
своих собственных детей, хотя был достаточно
богат. Единственным способом заставить его
сделать это было арестовать счета его фирмы.
Суд принял такое решение. — Она замолчала и
молчала так долго, что в конце концов Вехета
вынуждена была спросить:

— И что же дальше? Это сработало?

В ее голосе звучала надежда; она по-прежнему считала, что ударить мужчину по карману —
это самый лучший способ заставить его сделать
то, что от него требуют, но Лиз отрицательно
покачала головой.

— Нет, — сказала она. — Это не сработало.
Мы загнали его в угол, и этот человек решился
на отчаянный поступок. Он застрелил свою
жену, застрелил моего мужа, который вел это
дело вместе со мной, а потом застрелился сам.
Это случилось ровно год назад, в прошлое Рождество. — Лиз снова немного помолчала и добавила чуть более спокойно: — Надеюсь, теперь
вы понимаете, почему я не буду делать то, что
вы предлагаете? Если поставить вашего мужа в

безвыходную ситуацию, он в конце концов совершит что-то безрассудное, а может быть, и очень страшное. Я не хочу в этом участвовать!

— Простите, миссис Сазерленд, мне очень жаль.

— Мне тоже, миссис Аруд. А теперь давайте сделаем вот что.

Вместе они составили примерный список действий, которые представлялись Вехете опасными. Лиз сразу же позвонила третейскому судье, но у него было слишком много дел. Слушание их дела он назначил только на одиннадцатое января, до которого оставалось еще три с половиной недели. Лиз решила, что пока она напишет мужу Вехеты Аруд официальное письмо с предупреждением.

— Это не поможет, — сказала Вехета, жалобно глядя на Лиз. — Вы не знаете моего мужа. Его нужно треснуть по голове молотком, да покрепче — только тогда до него что-нибудь дойдет.

— Но если мы поступим так, как вы хотели, пострадать можете вы или ваш сын, — отрезала Лиз. — А я этого не допущу.

Она говорила столь уверенно, что Вехета заколебалась.

— Будь по-вашему, — промолвила она наконец и ушла очень расстроенная. У Лиз тоже было тяжело на душе, но она была уверена, что все сделала правильно.

Следующий день был последним днем школьных занятий. После обеда Кэрол повезла детей в парк кататься на коньках. У Питера было на-

значено свидание с девушкой, которую он собирался повести в кафе и в кино, и Лиз как раз
прикидывала, чем занять вечер, когда в гостиной внезапно зазвонил телефон. Сначала она
даже не поняла, кто звонит — голос в трубке звучал пронзительно и громко, словно говорив-
ший был близок к истерике. Лиз потребовалось
не меньше минуты, чтобы понять — это Вехета
Аруд. Она специально дала клиентке свой домашний телефон, чтобы та чувствовала себя
увереннее. Но, судя по тому, как Вехета прогла-
тывала слова, ей было далеко до спокойствия,
даже относительного.

— Вехета, придите в себя и скажите наконец, что случилось, — попробовала урезонить
ее Лиз, но прошло не менее пяти минут, прежде
чем Вехета сумела произнести более или менее
связную фразу.

Суть происшедшего заключалась в следую-
щем: Скотт, муж Вехеты, снова повез сына кататься на мотоцикле. Для прогулки он выбрал
далеко не самое безопасное шоссе номер 64,
проходившее по холмам к востоку от Сан-Франциско. Вехета не знала, был ли Скотт пьян или
нет; главное заключалось в том, что ребенок
снова был без шлема, когда мотоцикл на полном ходу врезался в грузовик. В результате сын
Вехеты получил сотрясение мозга и перелом
обеих ног. Все могло закончиться гораздо хуже,
если бы, сброшенный с мотоцикла силой удара,
мальчик не приземлился на оставленную стро-
ителями кучу песка у дороги. В настоящее

время Джастин, так звали мальчика, находился в Центральной больнице Сан-Франциско. Что касалось его отца, то после столкновения он был теперь в той же больнице в критическом состоянии и врачи опасались за его жизнь.

Что могло утешить Лиз в этой истории? Если бы она согласилась вызвать Скотта в суд, разве это помогло бы предотвратить катастрофу? Одно вручение повестки могло занять два-три дня, так что ее вины тут не было. Но от этого было ничуть не легче. Джастин находился в опасности — вот что имело для нее значение.

— Где вы сейчас? — быстро спросила она, оглядываясь по сторонам в поисках сумочки с документами, без которой не выходила из дома.

— В Центральной больнице, в детской травматологии.

— С вами кто-нибудь есть?

— Нет, я одна, — ответила Вехета и всхлипнула. В Сан-Франциско у нее не было знакомых, и от этого она чувствовала себя вдвойне одиноко.

— Я буду через двадцать минут, — сказала Лиз и повесила трубку, не дожидаясь ответа. Схватив сумочку и накинув жакет, она выбежала на улицу, радуясь тому, что не поехала с детьми кататься на коньках. Сначала она хотела отправиться с ними, но передумала. Теперь, понимая, что Вехета могла позвонить и не застать никого дома, Лиз благодарила бога за то, что он не позволил ей никуда уехать.

Она доехала до больницы за пятнадцать

минут. Оставив машину на стоянке, Лиз поднялась в детское травматологическое отделение и
сразу увидела Вехету, которая сидела в коридоре на скамье и рыдала. Джастина только что отвезли в операционную, чтобы вставить в сло-
манные ноги титановые штыри. Что касалось
сотрясения мозга, которое предположили медики со «Скорой», то их опасения не оправда-
лись. У Джастина был просто ушиб головы, который ничем ему не угрожал. Лиз невольно подумала, что Вехете и Джастину очень повезло.

Сама атмосфера больницы заставила ее
вспомнить о Дике, и Лиз попыталась представить, что он может делать сейчас, хотя и знала,
что думать об этом не надо. С тех пор как они
виделись в последний раз, прошло больше трех
недель. Теперь Лиз была уверена, что больше
он ей не позвонит. Дик принял решение и продолжал упорно его отстаивать — по характеру
он был достаточно упрям. Лиз подобное поведение не удивляло. Должно быть, она и ее
семья воплощали для Дика все, чего он боялся в
жизни.

Вскоре после полуночи из операционной
привезли Джастина. Он еще не отошел после
наркоза, а его ноги были забинтованы от лоды-
жек до паха. Зрелище было довольно печаль-
ное, но врач, который спустился вместе с ним,
сказал Вехете, что операция прошла удачно и
что через полгода, когда надо будет снимать
штыри, Джастин будет как новенький.

Слушая его, Вехета плакала, но Лиз видела,

что это слезы облегчения. Она вообще вела себя намного спокойнее, чем когда Лиз только приехала. В последние полтора часа они даже обсудили, что им делать. Теперь Вехета сумела убедить Лиз, что нужно как можно скорее обратиться в суд, чтобы официально запретить Скотту свидания с сыном. Сразу после того как будет вынесено судебное решение, Вехета планировала как можно скорее вернуться в Нью-Йорк, где, кроме родителей, жил ее прежний любовник, который постоянно ей звонил и даже предлагал выйти за него замуж. Лиз не возражала. Она сама хотела, чтобы Вехета и ее сын как можно скорее уехали из Сан-Франциско в Нью-Йорк. Там Скотт Аруд не смог бы до них дотянуться.

— Вот и хорошо, — сказала Лиз, печально улыбаясь Вехете, которая пошла проводить ее до лифта. — Я доведу ваше дело до конца и этим завершу свою карьеру.

Говоря это, она с облегчением вздохнула. Только теперь Лиз стало ясно, это именно то, чего она на самом деле хочет. Занятия семейным правом давно ей надоели, и она уже не раз подумывала о том, чтобы бросить практику. Но сейчас она окончательно созрела для этого — Лиз чувствовала это всем своим существом.

— И что ж вы будете делать?

— Выращивать розы и стричь купоны. — Лиз рассмеялась, увидев, как вытянулось лицо Вехеты. — Да нет, на самом деле я хотела бы заняться тем, что мне давно нравится: я постараюсь стать детским адвокатом — защищать права детей при разводах и прочих обстоятельствах. Работать я буду дома, а свою контору закрою. Ведь прошедший год я управлялась с делами одна, и теперь могу сказать точно: мне это не по душе.

Говоря это, Лиз выглядела намного бодрее, чем накануне. Вехета от души поблагодарила ее за то, что Лиз для нее сделала.

— Не стоит благодарности, — ответила Лиз и улыбнулась. — Я позвоню вам, когда буду знать точную дату судебного заседания.

Двери лифта закрылись, и она поехала вниз. Идя к своей машине, Лиз все лучше понимала, что приняла правильное решение. Должно быть, подумала она, примерно так же чувствовал себя Дик, когда позвонил ей, чтобы сказать, что все кончено. Значит, она была для него слишком большим бременем — со всеми своими детьми и проблемами. Как бы там ни было, Лиз считала, что должна уважать волю Дика. Сегодня она тоже приняла решение, которое намерена была воплотить в жизнь. Лиз не могла убить бывшего мужа Вехеты за то, что он сделал со своим сыном и со своей женой, но она могла отправить его за решетку и готова была приложить все силы, чтобы добиться этого. Но главным для нее по-прежнему оставалось то, что теперь Джастину ничто не грозило.

Домой Лиз вернулась в начале первого ночи. Все дети уже спали, и только Питер, только что вернувшийся со свидания, доедал на кухне холодного цыпленка. Увидев мать, он был очень удивлен: в последнее время Лиз выезжала только в офис и в суд.

— Где ты была, мама? — спросил он.

— В больнице. Туда попал сын моей клиентки. В общем, долго рассказывать, — сказала Лиз, устало опускаясь на стул.

Они еще немного поговорили о всяких пустяках, а потом Лиз отправилась спать. Уже засыпая, она все думала о том решении, которое приняла сегодня. У нее не было сомнений, что все идет как надо.

На следующий день, приехав в офис, Лиз позвонила в суд, чтобы договориться о срочных слушаниях по делу Вехеты Аруд. После этого она перезвонила Вехете, чтобы ввести ее в курс дела. Вехета все еще была в больнице, но ее голос звучал значительно бодрее. Джастину стало намного лучше, и врачи обещали, что через несколько дней она сможет забрать его домой. Но когда Лиз сообщила ей, что судебное заседание назначено через три дня, Вехета сказала — никакого суда не нужно.

— Надеюсь, вы не чувствуете себя виноватой перед ним? — спросила Лиз. — Ни один судья ни в одном штате не станет сочувствовать отцу, который повез сына кататься на мотоцикле без шлема! И теперь, когда у вас есть фактический материал, его необходимо использовать. В вашем положении вы не можете позволить себе ни жалости, ни снисхождения! Ради сына вы должны довести дело до конца!

— Все это теперь ни к чему, — устало ответила Вехета. Лиз почувствовала, как внутри ее что-то закипает. Она уже знала все, что ей нужно будет сказать в суде, чтобы Скотта лишили всех прав в отношении ребенка.

— Почему? — спросила она резко.

— Скотт умер сегодня ночью от массированного кровоизлияния в мозг, — тихо ответила Вехета. — Мне очень жаль ваших усилий, миссис Сазерленд, но теперь это действительно ни к чему.

— О-о-о... — протянула Лиз. — Извините меня.

— Мне не за что вас прощать, — ответила Вехета. — Я ненавидела Скотта, это правда, но все же он отец Джастина. Я еще ничего не сказала сыну, но рано или поздно мне придется это сделать.

Услышав эти слова, Лиз крепко зажмурилась.

— Примите мои соболезнования, Вехета, — сказала она, думая о том, что на самом деле Вехету можно поздравить. Бывший муж давно был ее кошмаром. Но Джастина Лиз было по-настоящему жаль. — Дайте мне знать, если потребуется моя помощь, хорошо? Я сделаю все, что смогу, чтобы помочь вам и вашему ребенку.

— Спасибо, миссис Сазерленд. Вы-то знаете, что это такое. Ваши дети, во всяком случае, знают.

— Да, Вехета. И, боюсь, ваш сын не скоро оправится от этого удара. Мои дети еще не оправились, хотя прошел уже почти год.

— Я хочу уехать в Нью-Йорк, как только Джастину разрешат вставать. Надеюсь, перемена обстановки пойдет ему на пользу. К тому же в Нью-Йорке живут мои родители, так что там нам будет полегче.

— Думаю, это действительно поможет, — согласилась Лиз.

Они поговорили еще немного, и Лиз повесила трубку. Но когда через несколько минут к ней в кабинет заглянула Джин, Лиз все еще выглядела настолько удрученной, что секретарша не удержалась и спросила, в чем дело.

Лиз рассказала ей, что произошло, и Джин удивленно покрутила головой.

— Просто невероятно, — выдавила она наконец. — Ей-богу, не перестаешь удивляться, что некоторые люди способны сделать со своими детьми!

— Я понимаю, что это плохие новости, Джин, но это еще не все, — сказала Лиз. Все утро она чувствовала себя виноватой перед секретаршей, не зная, как сказать ей о том, что она собирается закрыть дело. Лиз было очень жаль терять Джин, но другого выхода не было.

— Не знаю, с чего и начать, — промолвила она нерешительно. — Я понимаю, что это, наверное, очень неожиданно для тебя, но, в общем, я решила оставить практику.

— Вы хотите отойти от дел? — Джин действительно изумилась, хотя в глубине души давно ожидала чего-то подобного. После гибели Джека Лиз везла на себе невообразимое количество дел. Джин считала, что ее отставка — только вопрос времени. И дело было вовсе не в том, что Лиз была не в состоянии справиться с таким количеством работы; напротив, до сих пор она справлялась, и неплохо. Но с некоторых пор разводы вызывали у нее отвращение. Без Джека она просто н е  м о г л а ими заниматься, а вводить в дело нового человека Лиз не хотела.

— Ну, не совсем, — ответила она. — Я планирую работать дома, но специализироваться буду на правах детей. Это как раз то, что мне с самого начала нравилось в семейном праве. Ссоры, взаимные претензии и ядовитые уколы — все это всегда было делом Джека, его коньком. У меня к этому никогда душа не лежала. Теперь я хочу заниматься тем, что мне нравится больше.

Она со страхом ждала, что скажет Джин, но секретарша вдруг широко улыбнулась и, обойдя стол, крепко обняла Лиз.

— Вы поступили правильно, миссис Сазерленд! — воскликнула она. — Эта работа в конце концов прикончила бы вас. Я уверена, что вы будете замечательным детским адвокатом!

— Надеюсь, — вздохнула Лиз и нахмурилась. — Но что будешь делать ты? Я думала об этом все утро, но так ничего и не придумала.

Джин улыбнулась.

— Мне тоже нужно расти. Быть может, вам

это покажется глупым, но я давно подумывала о том, чтобы поступить в юридический колледж. Правда, в моем возрасте это не совсем обычно, но...

Лиз широко улыбнулась.

— Чего же тут глупого? Сорок три — для женщины это не возраст! Только умоляю тебя — не надо специализироваться в семейном праве. Тебе это не понравится!

— Я знаю. Мне хотелось бы заниматься уголовным правом и работать в аппарате окружного прокурора.

— Правильное решение, Джин. Вот увидишь, ты не пожалеешь!

Лиз считала, что ей потребуется не больше трех месяцев, чтобы довести до конца дела, которые она уже приняла в производство. После этого Лиз собиралась устроить себе многомесячные каникулы, которые она давно заслужила. Такой перерыв был ей просто необходим, во-первых, для того, чтобы известить всех своих прежних клиентов об изменении ее специализации, а во-вторых, чтобы побыть с детьми. Лишь недавно Лиз поняла, что они слишком долго терпели, пока она пыталась жонглировать двумя дюжинами шаров одновременно. Теперь она чувствовала себя обязанной устроить что-то вроде праздника общения.

— Если я подам заявление в колледж до конца года, — сказала Джин, — я смогу начать учиться уже в будущем сентябре. Таким образом у меня будет три-четыре месяца. Мне тоже не мешает отдохнуть.

Джин чувствовала себя так, словно за прошедший год постарела лет на двадцать. И удивляться этому не приходилось, хотя ни она, ни Лиз не выглядели старухами. Слишком тяжело работали обе женщины все это время.

Лиз все еще болтала с Джин, когда зазвонил телефон. Это была Кэрол, и Лиз сразу показалось, что в голосе домработницы звучат панические нотки.

— Что случилось? — воскликнула Лиз.

— Джеми! — сказала Кэрол, и Лиз почувствовала, как от недоброго предчувствия у нее сжалось сердце.

— ЧТО СЛУЧИЛОСЬ?! — почти крикнула она, изо всех сил стараясь держать себя в руках.

— Он хотел повесить на елку пластмассового ангела. Я в это время занималась с Мег, а Джеми достал складную лестницу и... Я думаю, у него сломана рука, миссис Сазерленд.

— Черт! — Лиз слышала в трубке плач своего младшего сына. — Что сказал врач?

— Они еще не приехали, но я думаю, перелом достаточно серьезный. У него ручка так вывернулась.

— Хорошо, пусть везут его в больницу, я приеду прямо туда, — сказала Лиз и положила трубку. Слава богу, думала она, у Джеми всего-навсего перелом. Ведь если он падал с их складной лестницы, у него могло быть сотрясение мозга, а в его состоянии это ужасно. Схватив куртку и сумочку, она бросилась к выходу из конторы.

— Что произошло? — Джин стояла рядом, но разговора слышать не могла.

— Джеми сломал руку! — крикнула Лиз, сбегая вниз по лестнице. Она очень беспокоилась, но, как ни странно, была даже рада, что Джеми сломал руку накануне Рождества. «По крайней мере, — думала Лиз, — как это ни грустно, она хотя бы на время отвлечётся от мыслей о годовщине смерти Джека».

## Глава 12

Лиз ворвалась в приемное отделение больницы как ураган. Только на этот раз — в отличие от того дня, когда она приехала к Вехете — она выступала не в роли профессиональной утешительницы. Теперь Лиз была матерью, чей ребенок пострадал в результате несчастного случая. Разница достаточно существенная. Еще на первом этаже она услышала пронзительные вопли Джеми и почувствовала, как сердце ее обливается кровью.

Джеми действительно вскрикивал от боли каждый раз, когда кто-то из сиделок пытался дотронуться до него; он не отреагировал, даже когда увидел мать. Лиз стало просто нехорошо при виде того, под каким неестественным углом согнута его левая рука. Никаких сомнений не оставалось — у Джеми был перелом; надо было выяснить, насколько серьезно он пострадал.

Когда Лиз приехала в больницу, Джеми уже обследовали и теперь собирались везти в операционную, чтобы наложить гипс. Все это Лиз узнала от Кэрол, которая с потерянным видом расхаживала по коридору.

— Мне очень жаль, миссис Сазерленд, — сказала она. — Я только на минутку отвернулась, и вот, пожалуйста!

— Не переживай, — успокоила ее Лиз. — Это вполне могло случиться и при мне. За всем не углядишь. — Время от времени Джеми действительно совершал поступки, которые могли кончиться плохо, как, впрочем, и все дети в его возрасте. Разница заключалась в том, что, в отличие от нормальных детей, Джеми хуже владел своим телом и мог получить травму буквально на пустом месте. Кроме того, у него был снижен болевой порог, поэтому когда Лиз попыталась успокоить его, у нее ничего не вышло. Джеми продолжал вопить, да так громко, что Лиз показалось, он ее даже не слышит. Мальчуган не позволил ей дотронуться до себя, что подействовало на Лиз обескураживающе. Она как раз хотела повторить попытку, когда за ее спиной раздался знакомый голос:

— Что здесь происходит?

Обернувшись, Лиз увидела Дика Вебстера, который спустился в приемное отделение, чтобы принять очередного пациента, и услышал шум. Подойдя ближе, он заметил знакомые рыжие волосы и не сумел перебороть своей тревоги.

— Что случилось? — не здороваясь, спросил он Лиз.

— Джеми упал с лестницы и сломал руку, — объяснила она, стараясь держаться так, чтобы лежавший на каталке Джеми видел ее. На мгновение мальчик перестал плакать, но вскоре рыдания возобновились.

— Что случилось, дружок? — мягко спросил

Дик, наклоняясь к носилкам. — Ты что, готовился к новой олимпиаде? По-моему, ты рановато начал. Или ты забыл, что до нее еще целых полгода? — Он поднял руку, и хотя Джеми отдернулся, но не завопил и не спрыгнул с каталки.

— Я-я-я ууупал с ле-лестницы.

— Ага, понятно! Должно быть, ты хотел повесить на елку какое-нибудь украшение? — догадался Дик, и Джеми кивнул.

— Знаешь, что мы сейчас сделаем? — сказал Дик с заговорщическим видом. — Сейчас мы зальем твою руку гипсом, но прежде ты должен пообещать мне одну вещь.

— К-к-какую вещь? — Джеми трясся как осиновый лист, но Дик довольно удачно отвлекал его разговорами, ощупывая его руку.

— Я хочу быть первым, кто распишется на твоем гипсе, — сказал Дик. — Договорились? Не вторым и не третьим, а первым, ты понял?

— Понял, — кивнул Джеми. — Обещаю...

— Что ты обещаешь?

— Ч-то ты будешь первым.

В этот момент пришел хирург-ортопед. Два врача некоторое время о чем-то совещались вполголоса. Потом Дик бросил быстрый взгляд в сторону Лиз. Она показалась ему очень худой и усталой, и он решил, что должен держаться с ней как можно мягче.

— Знаешь, что мы решили? — спросил он у Джеми с таким видом, словно собирался открыть мальчику величайший секрет. — Сейчас мы отвезем тебя наверх — там тебе сделают роскошную повязку из самого лучшего гипса, какой у нас только найдется, чтобы ты мог мыться в душе. Я тоже пойду с тобой, чтобы никто не успел расписаться на твоем гипсе раньше меня. Как тебе этот вариант? Все будет очень быстро — тебя ненадолго усыпят, а когда ты проснешься, гипс будет уже на месте. И я его подпишу, договорились?

— А моя кровать будет опускаться и подниматься, как у Питера? — с надеждой спросил Джеми.

— Думаю, да. Во всяком случае, мы с доктором постараемся найти именно такую кровать, — пообещал Дик и снова посмотрел на Лиз, стараясь успокоить ее взглядом. Поймав его взгляд, Лиз кивнула. Она уже догадалась, что Дик просил у хирурга разрешения присутствовать при операции. Этот поступок глубоко тронул ее — теперь она могла не волноваться за Джеми. Лиз хотела поблагодарить Дика, но он уже толкал каталку в сторону лифтов. Ей оставалось только молиться, чтобы все прошло хорошо. Окликнуть Джеми она так и не решилась, боясь напомнить сыну о своем существовании. Поэтому как только двери лифта закрылись, Лиз опустилась в кресло в коридоре и обхватила себя за плечи, думая о Джеми и о Дике. Встреча с ним стала для нее настоящим потрясением. Слава богу, что из-за Джеми у них не было возможности поговорить друг с другом. Лиз, во всяком случае, было бы совершенно нечего ему сказать; с тех пор как они встречались в последний раз, прошло меньше месяца, но Лиз казалось — она видела его столетие назад. И хотя по ночам она все еще плакала о нем, о чем с ним разговаривать, Лиз просто не знала.

Примерно через час сиделка выкатила из лифта каталку, на которой лежал Джеми. Он еще не отошел от наркоза. Подошел Дик и сказал Лиз, что все прошло хорошо. Как он выразился, у Джеми был классический перелом, поэтому лечение не представляло никаких проблем. Через полтора месяца повязку можно будет снять, пока же Джеми придется походить в гипсе.

— Это действительно специальная заливка, — объяснил Дик. — С ней Джеми может даже принимать ванну, а не только ходить в душ. Мешать она ему не будет — главное, чтобы он ничего не делал этой рукой. Через шесть недель приходите показаться врачу. Думаю, этого времени хватит, чтобы кости срослись. — Дик вздохнул и посмотрел на Джеми. — Бедняга... Через несколько минут он очнется, и ему будет немножечко больно, но я уже распорядился, чтобы ему дали таблетку, поскольку уколов он... они ему неприятны. Все обойдется, Лиз, не волнуйся.

Она посмотрела на него и покачала головой. Лиз очень хорошо помнила, каким грубым и бесчувственным Дик показался ей, когда она увидела его в первый раз. Поистине Дик был человеком сложным. Лишь одно определение к нему совершенно не подходило. Он *не был* недоразвитым идиотом, как назвала его Меган, и, вспоминая об этом сейчас, Лиз невольно поморщилась.

— Хочешь кофе? Джеми проснется минут через пятнадцать, так что время у нас есть, — предложил Дик, смущенно улыбнувшись.

— Разве ты не занят? — искренне удивилась Лиз. Ей не хотелось затруднять его; она знала, что у Дика, как правило, не было ни одной свободной минутки. Он уже провел с Джеми не меньше двух часов.

— Сейчас — нет, — ответил Дик и, взяв Лиз под руку, повел в комнату, где врачи приемного отделения отдыхали между вызовами. Сейчас комната была пуста, и Дик, усадив Лиз на широкий кожаный диван, принес из коридора две чашки горячего кофе.

— С Джеми будет все в порядке, — еще раз повторил он, садясь в кресло напротив. — Не бойся, он поправится.

— Спасибо, что поддержал меня, — ответила Лиз. — И его тоже. Когда я приехала, Джеми был так напуган, что даже не узнавал меня.

Дик улыбнулся и отпил глоток кофе.

— Он так вопил, что его было слышно на моем этаже, — вот я и решил узнать, что происходит. Надо сказать, у твоего Джеми отличные легкие!

Лиз улыбнулась и, подняв голову, встретилась с ним взглядом. Оба тотчас почувствовали себя неловко и сделали вид, будто их беспокоит только сломанная рука Джеми. Лиз успела отметить, что за последние недели Дик тоже сильно осунулся и похудел. Он выглядел невыспавшимся, усталым и каким-то загнанным, но Лиз решила, что это связано с приближающимися праздниками. Для врачей травматологического отделения Рождество всегда было едва ли не самым трудным периодом. В эти праздничные дни отделение всегда было перегружено. Правда, Дик обычно занимался лишь самыми сложными случаями, однако в праздники он приходил на помощь своим подчиненным и трудился как все.

— Ты неплохо выглядишь, — сказал он наконец, и Лиз кивнула, не зная, что на это ответить. Сказать Дику, что она думает о нем день и ночь, Лиз не могла — вряд ли это что-то изменило бы, да он, похоже, ничего подобного от нее и не ждал.

— У тебя, наверное, очень много работы, — произнесла она равнодушно, чтобы только не молчать. Навязываться ему со своей любовью, которую он столь недвусмысленно отверг, Лиз больше не хотела. Если бы Дик передумал, считала она, он бы уже давно ей позвонил. Но Дик не позвонил; сейчас он тоже предпочитал молчать, и это было для нее совершенно ясным ответом.

— Не больше, чем обычно, — ответил он сдержанно. — Как там Питер?

— Питер просто как новенький. — Она улыбнулась, повторив шутку врача, которую слышала в больнице, где лежал маленький Джастин

Аруд. — И в очередной раз влюблен на всю жизнь.

— Что ж, рад за него. Передай ему от меня привет, ладно? — Дик посмотрел на часы и поднялся.

— Надо зайти к Джеми, — сказал он. — Должно быть, он уже проснулся.

Джеми действительно успел отойти от наркоза и уже спрашивал сиделок, где Дик и где мама. Увидев их, он широко улыбнулся.

— Ты не забыл, что ты мне обещал? — поинтересовался Дик, доставая из кармана фломастер.

Джеми решительно затряс головой и протянул загипсованную руку:

— Вот!

Дик поставил на гипсе свою подпись, потом, подумав, прибавил к ней забавный стишок и даже нарисовал крошечную собачку, стоящую на задних лапках, чем привел Джеми в полный восторг.

— Ты был первым, Дик! Как я и обещал! — воскликнул он, рассматривая рисунок.

— Да, дружище. И я очень тебе благодарен. — Дик улыбнулся мальчику и осторожно обнял его за плечи. Лиз почувствовала, как у нее заныло сердце. Теперь она ясно видела, что она потеряла в тот День благодарения, когда Дик предпочел навсегда исчезнуть из ее жизни. Но теперь ничего не изменишь. Дик не передумает. Он принадлежал к тем людям, которые, однажды что-то решив, стоят на своем до конца.

— А он очень большой? — внезапно спросил Джеми, поднимая глаза на Дика.

— Кто? — не понял Дик.

— Твой змей, на котором мы с тобой так и не полетали, — объяснил мальчик, и Дик несколько смешался.

— Ты прав, — медленно сказал он, бросив быстрый взгляд в сторону Лиз. — Знаешь, что мы сделаем? Когда зима кончится, я как-нибудь позвоню твоей маме, и мы с тобой поедем на пляж и все-таки немного полетаем. Конечно, если к этому времени твоя рука заживет. Договорились?

— Заметано, — важно сказал Джеми. Этому новомодному словечку он научился у Питера и часто употреблял его к месту и не к месту.

Дик, рассмеявшись, поднял его с каталки и поставил на ноги.

— Вот и отлично. А теперь я бы хотел попросить тебя о личном одолжении. Держись подальше от лестниц, ладно? Хотя бы ради меня, — произнес он доверительным тоном, и Джеми с готовностью кивнул. Отныне и навсегда Дик был его единственным героем. — И на елку тоже чур не лазить, — добавил Дик, и Джеми рассмеялся.

— Мама мне не позволит! — сказал он весело. — Да я и сам не полезу — я же не белка!

— Рад это слышать. Ну а теперь — до встречи. Передай от меня привет Питеру и сестрам и скажи — я желаю им счастливого Рождества. И тебе, конечно, тоже.

— До встречи, Дик. Я обязательно передам. — Джеми протянул ему здоровую руку. — Знаешь, мой папа умер в прошлое Рождество, — добавил он внезапно, и Лиз вздрогнула. Это напоминание о том, о чем все они знали, в данных обстоятельствах показалось ей излишним.

— Я помню, Джеми, — ответил Дик. — Мне очень жаль.

— Мне тоже. Это было плохое Рождество.

— Понимаю. Надеюсь, это Рождество будет повеселее.

— Я тоже надеюсь. — Мальчик кивнул головой. — Я просил Санта-Клауса, чтобы он подарил мне такого змея, как у тебя, но мама сказала — вряд ли из этого что-нибудь выйдет. У Санты просто нет таких больших. Она сказала, нам придется купить змея в спортивном магазине.

— Или сделать самим, — подсказал Дик. — А что еще ты хотел бы получить от Санта-Клауса на Рождество?

— Еще я хотел щенка. Знаешь, такого большого, лохматого, как Бетховен — собака из того фильма, но мама говорит — этого тоже нельзя. У Кэрол аллергия на собачью шерсть. Ну и еще я просил видеоигры и космический бластер.

— Ну, это-то ты наверняка получишь, — серьезно сказал Дик, и Джеми, кивнув, еще раз поблагодарил его за стишок и собачку на гипсе. Выпрямляясь, Дик повернулся к Лиз; она смотрела на них, и в ее глазах стояла такая грусть, что от жалости у него сжалось сердце.

— Надеюсь, это Рождество будет более удачным для вас всех, — промолвил он, желая как-то утешить ее. — Я слышал, первый год всегда самый трудный, потом становится легче.

— Да, я тоже думаю, что следующий год будет другим, — ответила Лиз и улыбнулась. Дик заметил, что улыбка не коснулась ее глаз — только губы слегка растянулись, и оттого улыбка Лиз казалась вдвойне печальной. Прядь волос упала ей на глаза, и Дику захотелось отвести ее в сторону. Лиз, опередив его, сама поправила волосы, так и не заметив его судорожно дернувшейся руки.

— Спасибо, что ты был так внимателен к Джеми. Понимаешь, твое внимание важно не только для него, но и для меня тоже.

— Это моя работа. А вообще-то я жуткий грубиян и задира. Ты просто меня не знаешь! — Он подмигнул, и Лиз смутилась.

— Да нет, не волнуйся, я пошутил, — добавил Дик, заметив ее смущение. — Хотя, должен признать откровенно, иногда я умею быть и строгим. Я хорошо знаю, что дети, особенно девочки, любят использовать всякие грязные приемчики. Они бьют больно, но не со зла, просто они так уж устроены.

— Не все девочки играют грязно, — негромко проговорила Лиз, когда Дик провожал их до дверей приемного покоя. — Ну ладно, нам пора... Счастливого Рождества, Дик.

Она помахала ему рукой и повела сына к машине. Кэрол уехала, пока Джеми был в операционной, и они возвращались домой вдвоем.

Дик дождался, пока они сядут в салон, и проводил отъезжающий «Вольво» взглядом. Потом он повернулся и, засунув руки глубоко в карманы халата, медленно пошел обратно. На душе у него кошки скребли. Дик не знал, как ему быть дальше и что он может сделать, чтобы изменить то, что изменить было нельзя.

## Глава 13

Дома Джеми сразу рассказал всем, что видел Дика, и продемонстрировал подписанный гипс. Потом он заставил всех, включая Кэрол и Лиз, тоже расписаться на лубке и успокоился только тогда, когда гипсовая повязка оказалась сплошь покрыта надписями и забавными рисунками.

Лиз наблюдала за детьми со смешанным чувством. Она была рада, что перелом оказался совсем не страшным, однако встреча с Диком перевернула все. Видеть его ей было тяжело и вместе с тем... приятно. Все время, пока они разговаривали, ей хотелось прикоснуться к нему, сказать, как она его любит, но Лиз так и не решилась сделать это. С ее стороны подобный поступок был бы чистым безумием. Во многих отношениях Дик теперь был от нее еще дальше, чем Джек, и дотянуться до него она не могла.

На следующий день Лиз с утра поехала на кладбище, чтобы положить цветы на могилу мужа. Стоя перед гладким мраморным надгробием, она вспоминала проведенные с Джеком счастливые годы. Ей снова не верилось, что вся ее жизнь в одночасье пошла прахом. Это было так несправедливо, что она не удержалась и снова расплакалась. Лиз плакала о том, что потеряла она и что потерял Джек, которому уже не суждено было ни увидеть своих детей взрослыми, ни понянчить внуков, ни просто пожить в свое удовольствие. Для него все остановилось ровно год назад. Им предстояло идти вперед без него.

Сочельник и Рождество оказались для Лиз по-настоящему мучительными. Она давно знала, что ей придется непросто, но оказалась совершенно не подготовлена к тому, *насколько* тяжело все это будет. Лиз то и дело вспоминала маленькие семейные радости прежних праздников, когда они еще были вместе, когда шутили и смеялись, купаясь в теплой атмосфере домашнего уюта, и не подозревали, что их ждет. И тут же, почти помимо своей воли, она возвращалась мыслями к прошлому Рождеству. Перед ее глазами как наяву вставала ужасная картина: забрызганный кровью ковер в офисе, лежащий на полу Джек со свинцово-серым лицом и она сама — потрясенная, раздавленная, беспомощная, не имеющая ни малейшей возможности предотвратить кошмар, обрушившийся на головы ее и детей подобно снежной лавине.

Все это так подействовало на нее, что Лиз постоянно плакала и ходила по дому как сомнамбула, ни на что не обращая внимания и почти не реагируя, когда к ней обращались. Дети тоже чувствовали себя подавленными, они не включали телевизор и никуда не выходили. Лиз не хватало силы воли, чтобы взять себя в руки и попытаться отвлечь их от тягостных воспоминаний. С тех пор как умер Джек,

Рождество из праздника превратилось в тень кошмара. Оно весь год приближалось к ним и наконец набрасывалось, издевательски звеня колокольчиками Санты.

Тяжелее всего пришлось Лиз. Она мучилась воспоминаниями. Боль от потери Дика тоже не оставляла ее. Она была в таком состоянии, что мать, позвонившая им накануне Рождества, предложила немедленно приехать и даже пожить с ними ближайшую неделю. Но еще больше Хелен забеспокоилась, когда Лиз сказала, что решила закрыть фирму.

— Я знала, что тебе придется сделать это! — заявила она. — Ты что, растеряла всех клиентов?

— Нет, мама, наоборот — их стало слишком много. Я просто не справляюсь одна. К тому же мне надоело семейное право. Я больше не могу заниматься этой грязью. Уж лучше я стану детским адвокатом, чтобы представлять интересы детей.

— А кто будет тебе за это платить?

Услышав этот чисто практический вопрос, Лиз слабо улыбнулась — едва ли не впервые за прошедшие сутки.

— Суд, родители или правовые агентства, которые будут приглашать меня для ведения того или иного дела. Не беспокойся, мама, я знаю, что делаю.

Потом Хелен по очереди поговорила с каждым из внуков и, снова позвав Лиз к телефону, сказала, что они показались ей слишком подавленными. Это, впрочем, ее не удивляло — наступающее Рождество было тяжелым для всех.

Несколько часов спустя позвонила Виктория. Она удивила Лиз сообщением, что решила снова вернуться к работе адвоката, и заставила ее пообещать, что несмотря на это в будущем году они станут видеться чаще, чем раньше. Лиз понимала, чем вызвана эта просьба — Виктория беспокоилась о ней и детях, поэтому с готовностью согласилась, хотя и не представляла себе, как это будет возможно.

Больше ей никто не звонил. Ближе к вечеру Лиз сумела собраться и вывезти детей в кино. Им всем необходимо было отвлечься, и комедия, которую они смотрели, в конце концов рассмешила детей. Одна только Лиз не смеялась. Ей казалось, что в ее жизни не осталось ничего, кроме горечи потерь, и никого, кроме людей, которые уходили и оставляли ее одну.

Когда они вернулись домой, Лиз наполнила ванну горячей водой и некоторое время просто лежала, думая о том, как все-таки быстро пролетел этот год и как много всего произошло за это время. Вспомнила она и о Дике. Интересно, где он сейчас и что делает. Скорее всего Дик опять работает; он много раз говорил ей, что терпеть не может праздники и выходные, которые предназначены в основном для тех, у кого есть семья. Сам же он предпочел оставаться холостяком. И только утвердился в этом после того, как вкусил радостей семейной жизни у нее на Дне благодарения. Лиз не в чем было его винить. Конечно, она бы предпочла, чтобы Дик был посмелее и дал им еще один шанс, но он решил иначе, и это было его право. Дику нравилась жизнь, которую он вел до встречи с ней, и он не пожелал расстаться с тем, что у него было. В конце концов, подумала она, Дик был бесконечно внимателен к ней и добр к Питеру и Джеми, и она всегда будет благодарна ему за все, что он сделал.

В эту ночь Лиз легла спать одна. Джеми спал в своей комнате с тех пор, как в первую ночь после возвращения из больницы повернулся во сне и пребольно стукнул ее по плечу гипсом. У Лиз даже остался синяк, который она и предъявила в качестве решающего аргумента, когда убеждала Джеми, что для всех будет гораздо безопаснее, если он поспит у себя по крайней мере до тех пор, пока ему не снимут гипс.

— Как дела, мам? — спросил Питер, заглядывая к ней в комнату. Лиз ответила, что все в порядке. Она очень высоко ценила заботу и внимание, которые Питер проявлял к ней на протяжении всего дня. В эти дни они все старались держаться вместе и, словно пережившие кораблекрушение, делились друг с другом крохами душевного тепла, которые у них еще оставались.

«Да, — думала Лиз, — и это Рождество они тоже запомнят надолго». Оно, конечно, было не таким ужасным, как предыдущее, однако пережить его оказалось даже труднее. Больше всего Лиз хотелось заснуть и проснуться, когда рождественские каникулы будут уже позади. Но сон, как это часто случалось в последние дни, снова бежал от нее. Лежа в постели, она снова думала о Джеке, Дике и детях. Часы показывали начало шестого утра, когда она наконец задремала, но тут зазвонил оставленный ею на ночном столике сотовый телефон. Лиз, вздрогнув, очнулась.

— Кто это?! — спросила она все еще сонным, чуть хриплым голосом, но человек на другом конце линии молчал, очевидно, не узнав ее. Лиз готова была выключить телефон, когда он наконец заговорил. Это был Дик. Лиз в недоумении спросила себя: зачем он звонит? За окнами было еще темно, но Лиз знала, что Дик скорее всего еще на работе.

— Привет, это я... — произнес он с наигранным весельем. Лиз не сдержала вздоха. Она чувствовала себя вымотанной до предела и была не в состоянии поддерживать светский разговор. — Решил поздравить тебя с Рождеством...

— С Рождеством? Разве Рождество было не вчера? — слабо удивилась Лиз. Она что, оказалась в некой сумеречной зоне, и теперь вся ее жизнь будет состоять из одного бесконечного Рождества, в котором кто-то умирает, уходит, исчезает без следа, оставляя после себя только пустоту и боль?

— Да, похоже, ты права. Что-то я совсем заработался. Как там Джеми?

— Думаю, все в порядке. Во всяком случае, сейчас он спит. — Лиз потянулась и снова спросила себя, зачем он позвонил. Для шести утра он был что-то уж очень разговорчив.

— Спасибо, что успокоил его. Я бы так не смогла, — сказала она.

— Джеми — отличный парень, он мне ужасно нравится.

Последовала долгая пауза, и Лиз даже начала клевать носом. Но тут же заставила себя встряхнуться, боясь, что может что-то пропустить. К счастью, Дик не успел сказать ничего важного — он как будто о чем-то мучительно размышлял.

— Как прошло Рождество? — спросил он наконец. Впрочем, Дик представлял — как. Он думал о Лиз все эти дни, беспокоился, переживал за нее и детей и в конце концов не выдержал и позвонил. Во всяком случае, это была одна из наиболее очевидных ему самому причин, заставивших его взяться за телефон.

— Хуже, чем я ожидала, — честно призналась Лиз. — Похоже на операцию на сердце, но без наркоза.

— Сочувствую тебе, Лиз. Я знал, что так будет. Зато теперь по крайней мере все позади.

— До будущего года, — мрачно ответила Лиз. Воспоминания о прошедших днях все еще заставляли ее сердце болезненно сжиматься.

— Может, в будущем году вам будет полегче.

— Может быть. Я, во всяком случае, не спешу это выяснить. Слава богу, до следующего Рождества еще год. А как ты? Чем *ты* занимался? — Лиз решила сменить тему.

— Работал. Как всегда.

— Я так и думала. Много было работы?

— Очень. Но я постоянно думал о тебе.

Лиз немного поколебалась, прежде чем ответить.

— Я тоже о тебе думала, — сказала она после небольшой паузы. — Жаль, что у нас все так получилось. И дети... Они вели себя просто ужасно!

— А я испугался, — честно признался Дик. — Во всяком случае, я поступил не так, как полагается зрелому мужчине.

— Ситуация была из ряда вон выходящей. Так что немудрено, — ответила Лиз, стараясь как-то подбодрить его. Ситуация действительно была сложной, разница заключалась в том, что Лиз обязательно бы вернулась и попыталась исправить положение. Дик этого не сделал.

— Мне очень тебя не хватало, — сказал Дик, и его голос прозвучал неожиданно печально. С тех пор как он увидел ее в больнице, и вплоть до сегодняшнего дня мысли о Лиз преследовали его неотступно.

— Мне тоже. Это были очень долгие четыре недели, — негромко ответила она.

— Очень долгие, — согласился он. — И поэтому мне хотелось бы увидеться с тобой. Может, пообедаем как-нибудь вместе? Или позавтракаем?

— Я не против, — сказала Лиз, а сама подумала, действительно ли он собирается пригласить ее куда-то или это просто минутное настроение. Может быть, он работал все праздники и теперь ему было слишком тоскливо, слишком одиноко. Может быть даже, у него умер пациент. Ощущения, что Дик хочет вернуться, не было. Пусть волк-одиночка живет как хочет. Лиз все это время пыталась убедить себя, что так ему лучше.

— А что, если прямо сегодня? — предложил Дик, и Лиз вздрогнула от удивления. Вопрос застал ее врасплох.

— Сегодня?! Конечно, это было бы замечательно, но... Я же обещала повести детей на каток! — неожиданно вспомнила она. — Может быть, ты подъедешь после, и мы вместе выпьем кофе?

— Вообще-то я имел в виду полноценный обед. — В его голосе явственно прозвучали нотки разочарования.

— А завтра? — поспешно поинтересовалась Лиз.

— Завтра я работаю, — твердо сказал Дик, и Лиз невольно улыбнулась, подумав о том, что они договариваются о свидании в шесть сорок утра.

— А может быть, сейчас? — снова спросил он. — Правда, это будет завтрак, а не обед.

— *Прямо сейчас*?! — поразилась Лиз. — Ты это серьезно?

— Абсолютно. У меня с собой пакет с бутербродами и термос с кофе. На двоих как раз хватит.

— А ты сейчас где? — спросила с подозрением Лиз, гадая, уж не пьян ли он. Его слова показались ей самым настоящим безумием.

— Вообще-то моя машина стоит прямо перед твоим крыльцом, — ответил Дик. Лиз выскочила из постели и бросилась к окну. На улице только начинало светать, но она сразу увидела на подъездной дорожке знакомый серебристо-голубой «Мерседес» с погашенными фарами.

— Что ты здесь делаешь? — изумилась она, и Дик, сидевший за рулем, поднял голову и помахал ей рукой.

— Ты с ума сошел!

— Я проезжал мимо и подумал, может быть, ты захочешь перекусить. Я только не знал, захочешь ли ты видеть меня, ведь я вел себя как последний трус! Но я люблю тебя, Лиз. — Он смотрел прямо на нее, и Лиз, стоя у окна, почувствовала, как у нее комок подкатил к горлу.

— Я тоже тебя люблю, — ответила она тихо и добавила: — Может быть, зайдешь?

— Тогда я захвачу бутерброды с собой.

— Не нужно бутербродов, только приходи сам. И не звони в дверь — я сейчас спущусь. — Она дала отбой и, накинув халат, стремительно сбежала вниз, чтобы открыть ему дверь. Дик как раз выбрался из машины и теперь доставал с заднего сиденья что-то большое и яркое. На это ему потребовалась, наверное, целая минута. Но вот он уже выпрямился и зашагал к ней. Лиз разглядела, что под мышкой Дик несет огромного радужного змея. Змей был сложен, но он все равно был очень большим и занял почти половину прихожей, когда Дик внес его в дом и прислонил к стене.

— Что это? Зачем ты его привез? — Лиз решила, что она спит и видит сон — слишком уж невероятным, нереальным казалось ей происходящее. Ранний звонок, приглашение на обед, появление Дика перед ее домом, а теперь еще этот змей, появившийся словно из сказки.

Одно Лиз знала наверняка: она любила Дика и теперь, поглядев на него, поняла это с особенной ясностью. Она полюбила его давно, только раньше была не в силах это признать.

— Это для Джеми, — просто сказал Дик, глядя на нее сверху вниз, и в его глазах Лиз прочла, что он чувствовал. Ему даже не нужно было ничего говорить — все было ясно без слов.

— Я люблю тебя, Лиз. — Он немного помолчал и добавил: — Меган была права, я вел себя как последний идиот! Мне следовало вернуться и все наладить, но я слишком испугался.

— Я тоже испугалась, Дик. Просто я догадалась, в чем дело, чуточку быстрее тебя. — Лиз вздохнула. — И все-таки это был ужасно долгий месяц!

— Но теперь я вернулся, — сказал он. — И я намерен остаться с тобой навсегда, если, конечно, ты меня простишь.

— Я не сержусь на тебя, — прошептала она и вдруг нахмурилась. — Я и тогда не сердилась, но дети — выдержишь ли ты, если они снова начнут тебе грубить?

Дик усмехнулся.

— С одними будет проще, с другими — труднее, но я постараюсь. А если Меган так и не привыкнет ко мне, придется залить ей рот гипсом. Думаю, это поможет.

Лиз рассмеялась. Дик привлек ее к себе и поцеловал. Несколько секунд они стояли обнявшись и подскочили от неожиданности, когда прямо за их спинами раздался громкий голос:

— А это что такое?!

Лиз и Дик обернулись. Джеми стоял на лестнице в пижаме и, широко открыв рот, указывал пальцем на воздушного змея.

— Это? — Дик хитро прищурился. — Это твой воздушный змей. Я подумал, что у тебя ему будет лучше — ведь у тебя больше свободного времени, чтобы им заниматься. Но я надеюсь, ты иногда будешь меня на нем катать, ладно?

— Мой воздушный змей? Это правда, Дик?! — Джеми бросился вперед, едва не сбив Лиз с ног. — Честное слово он теперь мой?! Совсем-совсем?

— Совсем-совсем. — Дик улыбнулся и подхватил мальчугана на руки. — Честное благородное слово.

Джеми внезапно посмотрел на него с недоумением.

— А что ты здесь делаешь? — спросил он. — Я думал, ты рассердился на маму и Меган и больше никогда не придешь.

— Я действительно сердился на них немножко, — обстоятельно ответил Дик. — Но теперь я понял, что был не прав.

— А на меня ты тоже сердился? — на всякий случай уточнил Джеми, соскальзывая на пол и трогая кончиком пальца шелестящее радужное крыло змея. В эти минуты он был очень похож на мальчика с полотен Рокуэлла Кента.

— Нет, я никогда не сердился на тебя. А сейчас я вообще ни на кого не сержусь.

— Это хорошо. — Джеми серьезно кивнул и повернулся к матери. — Как насчет завтрака, мам? Я ужасно проголодался.

— Если ты подождешь минут десять, я как раз успею поджарить гренки. Тебе вполне хватит этого времени, чтобы одеться и вычистить зубы.

Но не успела она договорить, как наверху раздался топот и голос Меган спросил:

— Кто там? Это ты, мама?

— Да, это я, — ответила Лиз. — И еще Дик и Джеми.

— Какой Дик? Тот самый Дик, врач? — переспросила Мег, и Лиз услышала наверху голоса Питера, Энни и Рэчел. Похоже, они разбудили весь дом.

— Тот самый Дик, грубиян и идиот! — со смехом крикнул Дик. Меган, выйдя на площадку лестницы, смущенно улыбнулась.

— Извините, — пробормотала она. — Я была не права.

— Я тоже был не прав, Меган, — серьезно ответил Дик, улыбаясь ей.

— Давайте все-таки завтракать! — вставил Джеми. — А то уже утро!

— Хорошо, дорогой. — Лиз шагнула в сторону кухни, но остановилась. — Пожалуй, я сейчас испеку вафли, и мы все вместе сядем за стол. — Она улыбнулась Дику, и он поцеловал ее.

— Они не дают тебе посидеть спокойно, как я погляжу, — заметил он, входя следом за ней в кухню. — Ты вообще когда-нибудь отдыхаешь?

— Изредка, — ответила Лиз, доставая электровафельницу. — Обычно я ужасно занята, но к тебе это не относится. Можешь приходить к нам завтракать хоть каждый день.

— Вообще-то я планировал остаться, — громким шепотом сообщил Дик, наклоняясь к Лиз и щекоча губами ее шею.

— Мне нравится эта идея, — серьезно сказала Лиз, поворачиваясь к нему.

— И мне тоже, — ответил Дик и, подхватив Джеми, посадил его к себе на плечи. — Очень нравится, честное благородное слово! — Он счастливо рассмеялся и, обернувшись назад, увидел Меган, Рэчел и Энни, которые робко улыбались ему, стоя у дверей.

— А вам? — спросил Дик.

— И нам. Нам тоже очень нравится, — ответил за всех Питер, появляясь в дверях, а Лиз подумала, что она все-таки счастливая женщина.


Лучшего рождественского подарка семья с улицы Надежды не получала еще никогда.

Литературно-художественное издание

**Даниэла Стил**

**НЕОЖИДАННЫЙ РОМАН**

Редактор *А. Юцевич*
Художественный редактор *Е. Савченко*
Технический редактор *Н. Носова*
Компьютерная верстка *Л. Косарева*
Корректор *Г. Титова*

Налоговая льгота – общероссийский классификатор
продукции ОК-005-93, том 2; 953000 – книги, брошюры.

Подписано в печать с готовых диапозитивов 12.03.2001.
Формат 84×108 $^1/_{32}$. Гарнитура «Таймс».
Печать офсетная. Усл. печ. л. 21,84.
Тираж 20 100 экз. Заказ 3027

Отпечатано в полном соответствии
с качеством предоставленных диапозитивов
в ОАО «Можайский полиграфический комбинат».
143200, г. Можайск, ул. Мира, 93.